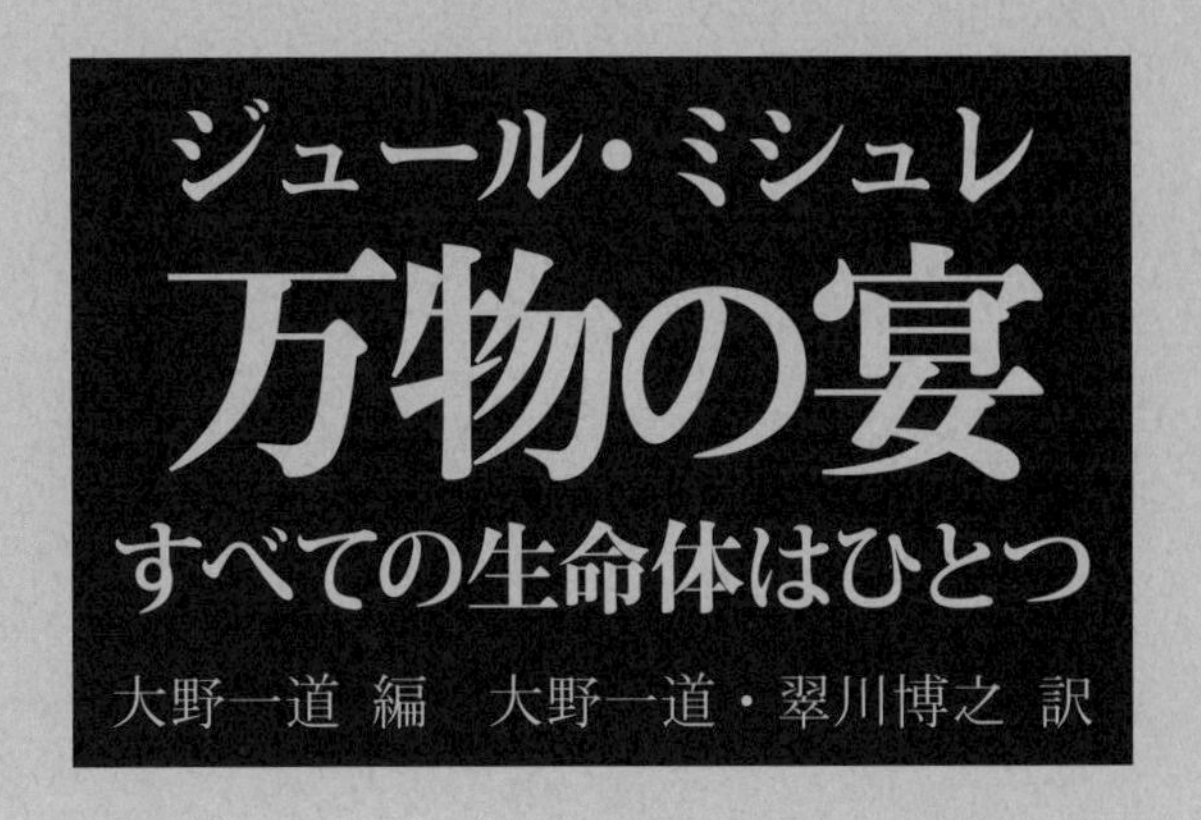

ジュール・ミシュレ

万物の宴

すべての生命体はひとつ

大野一道 編　大野一道・翠川博之 訳

Le Banquet

藤原書店

Jules Michelet

Le Banquet

La direction de OHNO Kazumichi,

traduit par OHNO Kazumichi et MIDORIKAWA Hiroyuki.

編者のことば

ミシュレはフランス革命のさなかパリに生まれ、民衆の子として育った。ほぼ独学に近い形で学問をおさめ、のちに大歴史家と呼ばれるような業績を上げてゆくが、つねに自らの出自を、自分が民衆であるという事実を見失うことはなかった。

『フランス革命史』という大作を書き終え、心身ともにくたびれ果て、病に倒れかかったとき、彼は若き妻アテナイスとともに北イタリアの地に自らの再生を求めて赴く。ウェルギリウスやヴィーコ、これらイタリアの先人たちが、ミシュレにとって終生の精神的師としてあったからである。

この北イタリアで一八五三年から五四年にかけての日々、貧しい土地と、そこに生きる貧しい人々の現実を目にして、再び民衆へと想いを馳せた。そして民衆の視点から、つまりこの世の弱者と呼ばれる者たちの視点から、世界に、ということは単に人間の歴史のみでなく、大いなる自然、宇宙の遥かなる歩みにも想いをひそめ、書きとめていったのが本作品である。星々が、山々が、目の前に広がる海が、足もとにやって来るトカゲたちが、彼の心をひきつける。

そして飢餓を絶して、万物が豊かな食事に参与できる「宴」を夢見る。だが、宴を実現する方策が具体的には見出せない。当時はやっていた社会主義も、世界を貫く一つの原理の名のもと、上位に位置する優れた人物、つまりエリートの指導で理想を実現しようとするものであり、まるで絶対神のもと、世界が導かれるのだという中世的キリスト教的世界観の、言わばネガでしかないように思われたのだ。

こうした上からの支配構造を倒し、下からの、地の底から湧き上がるような民衆の力で作り支えてゆく世界、それをいかにして到来させるか、それこそがミシュレの課題となる。だがその道筋はついに描き出せない。それゆえにこの作品は断念され、未完成となったのだろう。彼は、『革命史』執筆のため中世末期で中断していた『フランス史』に、大いなる自然を再発見した時代、十六世紀『ルネサンス』の研究の方に舞い戻ることとなった**（なお、あの十六世紀をルネサンス＝再生の時代と名付けたのはミシュレである。ミシュレが「ルネサンス」を発明したのだ）**。

いまこの未完の作「宴」を、『万物の宴』との邦題で世に送るのは、ミシュレの民衆からの視点が万物に向けられ、地の底から湧き上がるような動きによって、世界が、宇宙が最終的には律せられているのだといった世界観が、この試作の中に、他のどの作以上に見られるからである。つまりミシュレの歴史観、思想、哲学を知るうえで、最も役立つ素材が、各所にちりばめられていると思われるからである。

ミシュレは後に「精神活動が宗教を包含するのであって、それが宗教の中に包含されるのではない」（『人類の聖書』一八六四、なおこの箇所は邦訳一三頁）と言っている。世界のあり方を総括的・全体的に説明しうるとする教えを、なべて宗教と呼ぶならば、マルクス主義もたぶん宗教の一つなのだろうが、そうした教えに服して生きていけばよいとする生き方が出来なくなったいま、我々の精神活動を、人間をこえた大きな宇宙へと、大自然へと志向させ、より謙虚に世界と向き合って思考する姿勢が求められているだろう。この二十一世紀にミシュレを読むというのは、我々人間が、遥かなるこの宇宙の歩みの中で、ほんの小さな一粒のような存在でありながら、大自然の中の民衆であり、民衆としての人間はあらゆる生命と通いあう大いなる存在に他ならないと再確認することになるだろう。ミシュレの中には、あらゆる生命に魂が、心が宿っている、精神活動は万物のなかにもあるといった、アニミズム的な感性があったようだ。

西洋世界の真っただ中で生まれ、フランス革命という近代の原理を肯定しながら、ミシュレはあたかも東洋世界において認められてきたような自然観、すなわち万物に魂・心といった原理があることに気づき、思索した人間だった。彼のそうした思索の先に、地球全体規模の、全人類スケールの再生（＝ルネサンス）を求めることはできないだろうか？「万物の宴を、革命の彼方に」求めることはできないだろうか？

大野一道

万物の宴　目次

第二部　万物の宴――革命の彼方に　163

附録 267

編者はしがき

ジュール・ミシュレ（一七九八―一八七四）の遺作「宴」は、彼の死後、妻アテナイス（一八二六―九九）によって一八七九年カルマン・レヴィ社から刊行された。しかしこのアテナイス版（と呼ぶことにする）が、彼女の手によって大幅に加筆され編集されたものであることは、ミシュレ晩年の弟子ガブリエル・モノ（一八四四―一九一六）が早くから指摘していたところである。ミシュレ自身が書き残した形での「宴」（の下書き）は、二十世紀後半フラマリオン社から出版された『ミシュレ全集』第十六巻（一九八〇）ではじめて世に公表された（ただし、アテナイス版の「結論」に「万物の宴」というタイトルが付けられていることを考慮して、本訳書のタイトルはそれに倣うこととした。また、後述する原書のサブタイトルについては、これを「すべての生命体はひとつ」と改めた。ミシュレの想いをより端的に示すものであると確信するからである）。

本訳書はエリック・フォーケによって編集されたこの全集版をもとに、編者の責任において全体を読みやすいよう編成し直したものである。まず全体の構成について。アテナイスが「飢えの国」「宴」「結論」の三部によって本文を構成し、その後に「注と補足説明」を置いてその

『宴』をまとめたのに対し、ミシュレ自身の書き残したものは、同じ三部ながら、かなり異なる観点から構成されている。しかも「第二部」はたった一章しかない。それゆえ本訳書では、この一章を全集版の「第三部」と合わせて一まとめにし、全体を二部構成とした。加えて、全集版で「第一部」の「序」に置かれている章を、本書全体の「序」として全体の冒頭部に置いた。また全集版には配置未決定の章が「第三部」の後にいくつか置かれているが、本書ではそれらもそれぞれの内容に応じて「第一部」ないし「第二部」のいずれかに収めることにした。このうち「山々、星々、トカゲたち」の章をあえて「第一部」の冒頭に置いたのは、これが本書全体のテーマを最も良く示していると思われたからである。

　各章タイトル（あるいは各部のそれ）も、ミシュレが覚え書きないし走り書き程度に添えていたものがほとんどのようなので、内容が一目で分かるよう、編者の責任において改めたところがある。また全集版の各章には、「第三部」にのみ一、二、三……の配列が示されているが、「第一部」「第二部」にはそれがないので、配列の数字を明記しないかたちで全体の統一を図った。さらに本訳書では、各章をより読みやすくするよう、適宜小見出しを入れている（全集版での全体の構成、各章のタイトルは、附録❷として本書巻尾に掲載してある）。

　ミシュレの手で何枚もの用紙に書かれた原稿が、いくつかの束にまとめられたり、まとめられなかったりの形で残され、フォーケの判断で全集版のような形に復元されたという経緯を考えるなら、ミシュレが思い描いていた書物の形を編者なりに推量して構成し直すことも、また許されるのではないかと思い、以上のような変更を加えた次第である。

ところで、全集版「宴」には結論部がない。アテナイス版のその箇所はおそらくアテナイス自身が、ミシュレの書き残した他のもの（「日記」等）を参照しながら、夫ならこうしてこの書を完成させるだろうと推測し書き上げたものだろう。あるいはアテナイスは見ていたが、その後散逸してしまった用紙に、この部分に相当する手書き原稿があったのかもしれない。今となっては確かめようのないことである（本書では、アテナイス版の「目次」「序文」「結論（抄）」を附録❶として巻末に掲載している）。ミシュレの手になる「結論」がないことを前提にして、以下その理由についての推量も含めながら、本書の内容を概観してみたい。

ミシュレは、一八五三年から五四年にかけての北イタリアで、食にも事欠く貧しい民衆の現実を目の当たりにし、それがこの地の荒れた自然と、不当なまでに不公平な社会のあり方から生じているという事実に気がついた。そして、あらゆるものが共に豊かな食事にあずかれる「宴」を思い、それがいかに実現可能かを思索した。

「わが子を生命と滋養で包み込もうとする自然の努力に抗して、世界全体を覆っている欠食が〔…〕わたしを喪の悲しみで満たした。わたしの眼前では、かつては肥沃であった不毛な山々が、昔の姿に戻りたいと願っていた。それが不毛なのは人間のせい」なのだ。彼はそう語り、「その時、わたしの胸で『宴』が着想された」と述べている。つまり本書は、人間による自然破壊への警告の書ともなっているのだが、原書のサブタイトルに「戦う教会〔カトリック用語で「現世にいる信者＝人間」のこと〕の一体性」とあるからには、そもそも、現実の人間世界での救済の在り方や方法を探究しようという企図を持って書かれたものであることがわかる。

北イタリアの厳しい現実を前にしたミシュレは、飢えからの解放を目指した歴史上最初の素描という一面を持つ「フランス革命」へと思いを馳せる。そこから、革命の真の主体であった「民衆」へと思いを巡らし、さらに、民衆解放の思想として生じたとも言える「社会主義」へと目を向ける。いかにしてこの世で万人の、いな生きとし生きるもの万物の、「宴」を実現すればよいのだろう。だがミシュレは、その具体的道筋をはっきりと描きだすことができず、ついに途中で筆を折ってしまう。それが本書からうかがえる彼の思索の筋道である。

しかし、この思索の過程に、彼が思い描いていた歴史観・世界観の基本型が浮かびあがってくる。本書の最大の魅力と価値はまさしくそこにある。

世界史のごく大まかな道筋を展望すれば、古代世界とは、原始的自然信仰とも言うべき世界観のもと、魔術的・呪術的自然力を体現した支配者が、人間世界を治めるような世界であったと言えるだろう。その後、古代末期、キリスト教的世界観が成立する。自然を超えた絶対神によって神の似姿をもって作られた人間が、現世の中心に位置づけられる。この信憑のもと、自然に対する人間の優越が唱えられ、同時に、人間世界にあっては神に選ばれし優越者が、恩恵を与えてやるというかたちで人々を支配する統治形態が確立された。ミシュレは考える。この形態が「フランス革命」を契機として「民衆」によって崩されはじめたのが十九世紀（以降）の現実であると。それは神からの人間解放であり、人間世界における支配構造の民主的変革である。そしてその果実が、自然と人間の関係を根源から問い直すよう迫っている。この事態を指して、いまや「革命の宗教」の時代になったと彼は言うのである。

「宗教的不公平は政治的不公平」の根拠となる、という言葉が本書に出てくる。人間社会の在りかたの根底には、世界をどのように捉えるかという広い意味での宗教観がつねに横たわっているという意味であろう。さて、人間は世界あるいは宇宙、あるいは大自然の中に存在しているのではないか。歴史とは「人類の生の流れをまるごと溯っていくこと」ではないか。ならばその時「人間は自然の外にある存在だ」などと考えることが出来るだろうか。「宴」の中断のあと、ミシュレは『鳥』、『虫』、『海』、『山』といった自然を巡る作品を発表してゆく。それは彼本来の歴史記述の余技としてなされたものではなく、人間の歴史を大いなる自然の中に位置づけ直し、自然の流れの中に組み込むことで、人類の在りようを、もう一度考え直してみようという試みであった。ミシュレにおいてこのように展開してゆく問題意識の、まさに起点となっているのがこの『万物の宴』なのである。

人類の信仰の第三段階としてミシュレがかく思い描いた「革命の宗教」とは、自然を（呪術的力にみちた畏れの対象としてではなく）、人類との一体性において考え直し、ついには支配と被支配の関係からなる世界を転覆し、万物の連帯と支え合いの関係において世界を建て直さねばならぬという「信仰」である。言い換えるなら、自然と理性的に向き合いながら、しかも人間中心主義に他ならぬ理性万能主義を拒絶し、人間を超えた大いなるもの（＝宇宙または大自然）に畏敬の念を抱き続けるということであり、人間精神をも包摂しうる大いなる精神性を備えた（東洋的感性で言えば、「天」とでも名付けるのが最もふさわしいような）ものに尊崇の念を持ち続けるということである。それこそがこの「信仰」の要諦となる。

「人間はあれらの山頂を荒廃させ、森と共に、豊かな水蒸気を集めていた有益な貯水源を破壊してしまったのか？……　はるか以前から人が住んでいたこの地中海の海岸に、相次いでやって来たそれぞれの民が、自らの利益のため破壊活動に勤しんできた結果、われわれその最後に位置する者の手元には（われらが父祖たちがこの自然の宴から栄養になるものを奪ってしまったので）、もはや残り物、残骸、骨しかないことになったのか？……　原始の人類には生まれつつある世界の花があった……　だが全ては老いてゆき、子孫たちにはいまや、もう遺灰しか残されていないのだろうか？」本書にあるこの問いは、二十一世紀の現在にこそ、問われるべきものであろう。これが、いまから百七十年前に発せられていたという事実には、ある種の驚きを禁じ得ない。ミシュレのこうした「信仰」は、エドワード・キャプランの言葉を借りるなら「エコロジスト的宗教[1]」とも呼びかえられるような、新しい世界観への出発点となりうるものであったと言えよう。

本書には、こうした世界観を鮮烈に感じさせる美しい叙述が出てくる。その一節を紹介しよう。「一月三十日のあの晩、あの海が、あの輝く闇が〔…〕わたしたち〔妻アテナイスとミシュレ〕と共にいた。〔…〕わたしたちのまなざしは深くなった。／深く。それが向けられていたのは空でもなければ海でもなかった——それより目立たぬ、また別の無限であった」。

世界と一体になったような、こうした感覚の描写は本書の随所に垣間見られる。また、人間的な次元を超えた巨視的歴史観も垣間見られる。ミシュレにあって、そうした思想は決して体系的に語られることがなく、ただ各所に断片的に書き残されているだけである。この未完の作品『万物の宴』には、彼のそうした思想が、世界観が、最も鮮明にあらわれている。

大野一道

注

（1）E. Kaplan« *La religion écologiste de Michelet: catéchisme, hagiographie, communion* » in *Michelet entre naissance et renaissance (1798-1998)* (Presses universitaires Blaise Pascal, 2001).

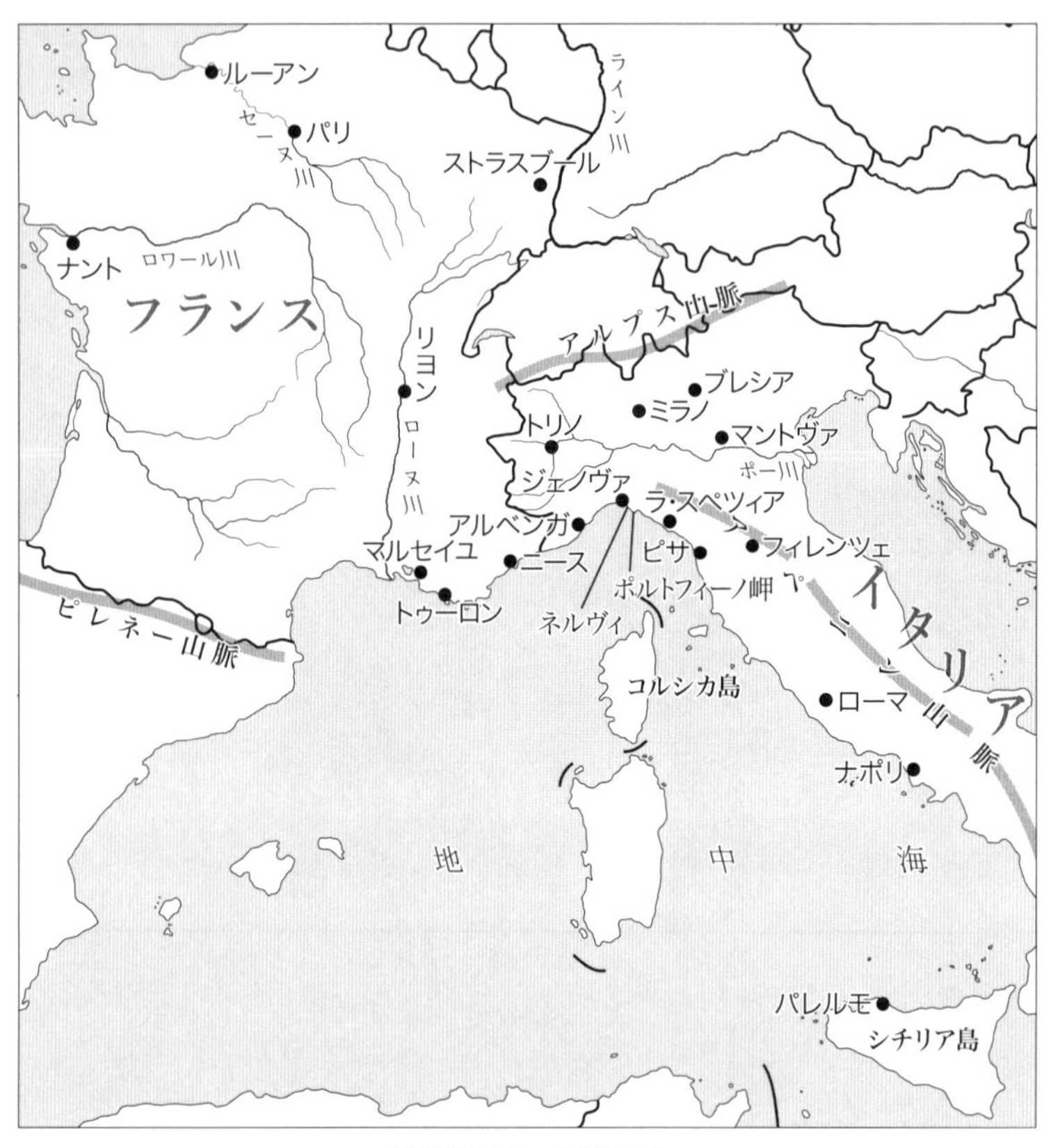

『万物の宴』関連地図

本書に登場する主要な都市、河川、山脈を示している。本書には以下の地域名（県名、州名、地方名等）も登場するが、これらについては、以下の説明でご理解頂きたい。なお、国境線は現在のものである。

フランス		イタリア	
サヴォア	リヨンより東部の県	**ロンバルディア**	ミラノ周辺の州
ヴァンデ	ナントより南部の県	**トスカーナ**	フィレンツェやピサを含む州
プロヴァンス **ヴァール**	ニース周辺の地方名 ニース周辺の県		
ブルターニュ	ナントから北西部、大西洋に突き出た半島地方	**リグリア**	ジェノヴァ周辺の州
ブルゴーニュ	リヨンより北部の地方名		

万物の宴

すべての生命体はひとつ

凡例

一　本書は Jules Michelet, *Le Banquet ou L'unité de l'Eglise Militante* in *Œuvres Complètes tome XVI* (Flammarion, 1980) の全訳である。

一　部、章タイトル、及びその配列は、編者により、内容に即した形に改めたところがある。原著の部、章タイトルや配列については巻末の附録❷を参照のこと。

一　訳注は、比較的短いものは本文中に〔　〕で入れ、長めのものは各章の後ろに（1）、（2）……として付した。
なお、語の説明として本文中に入れた訳注は、字を小さくして二行割注で〔　〕内におき、原文の意味を明確化するために訳者が補った言葉は、一行注で〔　〕内においた。

一　原文中のイタリック体には傍点を付した。

一　書名、新聞・雑誌名等は『　』で囲んだ。論文名等は「　」で囲んだ。

一　通常小文字で始まる語が大文字になっているときは〈　〉で囲んだ。

一　原文中の欠落箇所は（…）で示した。原文中の省略は……で示した。

一　原文中、フランス語以外の原語は原則カタカナ表記とした。ただ現代の日本語表記で通常カタカナとなるべき表記がこうした箇所にある場合は、ひらがな表記とした。

序　革命の死者たちから逃れてイタリアへ

月刊

2023
1
No. 370

二〇二三年一月一五日発行（毎月一回一五日発行）

発行所　株式会社 **藤原書店**©
〒一六二―〇〇四一　東京都新宿区早稲田鶴巻町五二三
電話　〇三・五二七二・〇三〇一（代）
FAX　〇三・五二七二・〇四五〇
◎本冊子表示の価格は消費税込みの価格です。

編集兼発行人
藤原良雄
頒価 100円

ウクライナ侵攻を続けるプーチンのロシア。「ロシア」とは何か？

未だ知られざるロシアの実態

東洋史家／モンゴル学者　**宮脇淳子**

宮脇淳子氏（1952-）

「偉大なるロシアの復活」を標榜してウクライナ侵攻を続けるプーチンのロシア。「偉大なるロシア」とは一体いつの、どのようなロシアなのか？　ロシア人とはどういう人たちなのか？　ロシアは果たしてヨーロッパなのか？　歴史学者の宮脇淳子氏から寄稿いただいた。さらに詳しく知りたい方は、近刊予定のホダルコフスキー『ロシアの20世紀』を参照して戴きたい。

編集部

●一月号目次●

ロシア人には二種類ある

「ロシア人」を指すことばが、ロシア語には二つあるということをご存じだろうか。

一つ目を「**ルースキー**」という。これが、ふつうわれわれが考える「ロシア人」で、その他、「ロシアの」という形容詞として、「ロシア文学」や「ロシア音楽」や「ロシア美術」や『ロシア語・日本語辞書』などに使われていることばである。

二つ目を「**ロシヤーニン**」という。「ロシアの」という意味に使うとしたら、こちらのほうが正確な語形ではないかと私は思うのだが、このことばは『ロシア語・日本語辞書』に掲載されていないこともあるし、掲載されていてもただ「ロシア人」とあるだけで説明はない。

専門家によると、かつては帝政ロシアのスラヴ系ではない被支配民族、すなわち、**ユダヤ人や草原の遊牧民やイスラム教徒やその他のアジア諸民族を指して**「ロシヤーニン」と呼んだそうだ。つまり、**ロシア帝国の臣民**という意味ではあるが、**本当のロシア人ではない**という意味を併せ持つことばなのである。

ソ連時代にもこの伝統は引き継がれ、**「ロシヤーニン」は、ロシア語が母語ではないけれどもロシア人の支配下にある、ソ連邦を構成するさまざまな共和国の人民**を指した。

一九九一年十二月にソ連邦が消滅したとき、ソ連を構成していた十五のソビエト社会主義共和国は、前年に独立を宣言していたバルト三国を除いて、十二が「独立国家共同体」（CIS）として独立した。多数の「ロシヤーニン」は自分の民族名を取り返したわけである。

しかし、いまでもロシア連邦の領土内には、多くの自治共和国や自治州や自治管区がとり残されている。そして、その人々を、われわれ日本人は、ロシア連邦の国民だからと、単純にロシア人と考えるが、本当のロシア人、つまりルースキーから見ると、ロシア語を母語としないかれらは、ロシヤーニンではあってもルースキーではないのである。

このことは、中華人民共和国の漢人と、いわゆる少数民族との関係を思い起こさせる。

中国の国籍を持っているから中国人と、われわれ日本人は単純に考えるが、漢人にとっては、漢字を使う人間だけが本当の中国人で、漢語以外の母語がある人間は、格下扱いなのである。モンゴル人もチベット人もウイグル人も、独自の言語文化と宗教と自分たちの歴史を持っているのに、漢字を読まなければ野蛮人と考えるのが中国文明である。

ロシア連邦の大部分がアジア

ロシア連邦の面積は日本の四十五倍あるけれども、人口は一億四千万人強である。ソ連時代には人口が二億八千万人以上あったから、領土も減少したが人口も半分になったわけだ。面積としてはロシアの半分強しかない中国の人口が十五億であるから、国家としての人口密度の低さは半端ではない。しかし、ここで私が問題にしたいのは、ロシア連邦の領土の大部分がじつはアジアにあるということである。それにもかかわらず、国連の地域区分によると、一つの国家としてのロシアはヨーロッパに分類されている。

ヨーロッパとアジアの境界線はどのように決まったのか。

始まりは、紀元前五世紀にギリシア語で『ヒストリアイ』を書いた、歴史の父ヘーロドトスである。ヘーロドトスは、黒海とエーゲ海を結ぶ海峡の東側がアジア、西側がヨーロッパで、アジアとヨーロッパの間で積み重なっていた怨恨が、ペルシア軍のギリシア遠征の原因だと解釈した。

ヘーロドトスの時代の「ヨーロッパ」はいまのギリシアで、「アジア」はアナトリア半島（いまは小アジアと呼ぶ）だけだった。十四世紀にイタリアから始まったルネッサンスを経て、十六世紀にギリシア・ローマ文明の継承者を自任した西ヨーロッパの人々が、自分たちの住む地域をヨーロッパと呼ぶようになる。

その後、地球上の各地に進出したヨーロッパ人は、アジアという名称も拡大解釈し、旧大陸のうちヨーロッパでない地域すべてをアジアと呼ぶようになった。

大陸におけるヨーロッパとアジアの境界線は、黒海北岸からカフカス山脈の真ん中を通り、ヴォルガ河左岸からウクライナ山脈を北極海まで縦断する。つまり、キリスト教徒であるロシア人が進出したところがヨーロッパになったわけだ。ヴォルガ河左岸はエカテリーナ二世が招いたドイツ人が入植した土地なので、スラヴ人であるロシア人の入植地よりもさらに由緒正しいヨーロッパと見なされることになった。

カフカス山脈の南側はイスラム教徒の住地で、ウラル山脈の東側のシベリアは、もともとモンゴル系遊牧民とツングース系等狩猟民の住地だった。土地はアジアに分類されるのに、ロシア人が支配階級だから、ロシアはヨーロッパなのである。一方、イスラム教国家であるトルコ共和国はヨーロッパ連合（EU）には加盟できないままである。

ロシア人って誰？ ルーシからロシアへ

さて、最初に述べた「ロシア人」を指すことば「ルースキー」の語源は、いまのウクライナの首都キエフ（ウクライナ語ではキーウ）を中心に九世紀に誕生した「ルーシ」である。

ロシア語で書かれた最初の歴史『ロシア原初年代記』は、「ルーシ」をスカンディナヴィアのノルマン人だと言っている。北からルーシがやってきて、まずノブゴロドなどの北ロシアに都を定め、一派がさらに南下してキエフに拠った、これがロシアの建国なのである。

ロシア人の学者は面白くないので、キエフ大公国をつくったのはスラヴ人部族で、スカンディナヴィア人はほとんど貢献していないと主張するが、それは歴史の歪曲である。

このあと長い間、ルーシの諸公は町に住み、各地を巡回して税金を集めるだけで、町の外に住む東スラヴ人の人口も把握しなかった。十三世紀にモンゴル軍が侵入したとき、ルーシ諸公にはまとまりがなく、一二四〇年にキエフは征服され蹂躙された。その後二百年以上、ルーシは「黄金のオルダ」と呼ばれるチンギス・ハーンの長子一族の支配下にあった。

ルーシ諸公のなかで、モンゴルとの関係をもっともうまく利用したのがモスクワ大公で、モンゴルの徴税官となって勢力をのばし、イヴァン三世が「全ルーシの君主」を名のる。その孫のイヴァン四世（雷帝）が十六世紀後半にツァーリとなった。これが異民族をも支配下に入れる「ロシア帝国」の始まりである。

しかし、このときのロシアの領土はまだ小さく、草原に住むロシア正教徒になったウクライナ・コサックの助けを借りて、モスクワがキエフを併合することができたのは、十七世紀半ばである。

プーチンは「偉大なロシアを取り返す」と言うけれども、一体いつの時代に帰りたいのか、何百年前か、と問わなければならない。**ピョートル大帝の時代でさえ、いまのロシア連邦の版図はなかった。**「歴史的な大義」などという言葉はまやかしである。

最後に、モンゴル学者としてどうしても伝えておきたいことがある。

昨年十一月、**ローマ教皇が「ウクライナに侵攻しているロシア軍で、もっとも残虐なのは非キリスト教徒のチェチェン人やブリヤート人ら少数民族の部隊である」と発言した。**

その後、ロシアの抗議を受けてバチカン（ローマ教皇庁）が謝罪したそうだが、相変わらず、ヨーロッパあるいはキリスト教徒が善であり正義で、アジアは格下であるという抜きがたい偏見が見られる。

ブリヤート人はバイカル湖の周辺に住む少数民族で、かつてはブリヤート・モンゴルと言った。スターリンがモンゴルと呼ぶことを禁止したが、**南のモンゴル国国民とは同族で、大半はチベット仏教徒。高等教育への進学率は、ロシア連邦内ではユダヤ人に次いで二位**だと、私の友人の社会言語学者が言っていた。ロシアの部分動員令の徴兵対象が、シベリアやカフカス地方の少数民族に偏っていると聞いたが、ウクライナ人だけでなく、動員されたロシア兵にも私は心が痛む。

（みやわき・じゅんこ／公益財団法人東洋文庫研究員）

災害史研究の第一人者による、関東大震災百周年記念出版！

震災復興はどう引き継がれたか
――関東大震災・昭和三陸津波・東日本大震災――

北原糸子

「復興」のあり方から見た三震災

「近代復興」とはあまり聞きなれない言葉だが、これは、東日本大震災の発生に衝撃を受けた都市計画家が編み出した造語だという。その要点は、政府主導で迅速な開発と復興を目指すために、被災地の基盤インフラを整備し、政府提供の仮設、復興住宅を準備し、政府補助金による事業メニューで用意された復興を指す。その大本の復興スタイルの歴史を辿ると、一九一九年の都市計画法に基づく関東大震災（一九二三年）の帝都復興事業に行き着くとして、「近代復興」と造語された。しかし、この言葉は一〇〇年前の震災復興への批判ではなく、東日本大震災の復興スタイルに向けられた批判であった。

では、その批判とはなにか。**東日本大震災の復興策は高齢化、人口減少、特に農村過疎化の進行による現状を踏まえずに、人口膨張、産業拡大時代の復興策を相も変わらず踏襲しているという点にある。**この造語が生まれた背景には、都市計画家たちが本業分野で直接関わる復興策が時代の趨勢と大きくずれているということについての深刻な危機意識があると思われる。

本書は、「近代復興」の起点としての**関東大震災とそれを引き継ぐ一九三三年の昭和三陸津波、さらに東日本大震災へつながる災害復興の系譜を追う**が、わたし自身は都市計画家ではなく、単なる歴史研究者にすぎず、実際の復興プランに関わったわけではない。しかしながら、東日本大震災の復興の現状をみると、都市計画家たちのこうした危機感は共有できると感じている。本書第Ⅰ部では、その点を復興の歴史的系譜をたどる仕事から検証しようと考えた。

序では、「関東大震災と東日本大震災をつなぐ昭和三陸津波」と題した短文を掲げている。関東大震災と東日本大震災をつなぐものとはなにかと問われれば、関東大震災から一〇年後に起きた昭和三陸津波（一九三三年）と答えたい。昭和三陸津波の震災対応策はその八〇年後に起きた二〇一一年の東日本大震災の復興策の原型だとすると、関東大震災―昭和三陸津波―東日本大震災の歴史から、その関係性を問うことに意味があるのではないかと考えるからである。本書では、昭和三陸津波の災害対応策の検証を通じて、この点を立証する。すでに、東日本大震災の復興策の原点が八〇年前の昭和三陸津波にあることを論じた著作は刊行されているが、関東大震災に遡及して検証したものはないからである。

北原糸子氏（1939-）

関東大震災の社会史

本書の第Ⅱ部は、一二年前に刊行し現在絶版となっている『関東大震災の社会史』の再版である。「帝都」のほぼ半分に近い中心部が焼失し、出稼ぎに来ていた多くの人々は実家に戻るなど、被災地を逃れた避難者を各地の公文書から徹底して追った旧版は、それまでの関東大震災関係のなかでは類書のない視点であったから、今後の大災害への警告の意味も込めて、再版する意義があると考えた。以上が本書を刊行する理由である。

関東大震災から昭和三陸津波までの一〇年間に時代は大きく転換した。そのことを象徴するものをここにあげてみよう。**関東大震災の前年一九二二年三月、東京府が主催した「平和記念東京博覧会」**である。欧州に戦禍をもたらした第一次世界大戦の後に軍縮会議が開催され、世界平和が目標とされることになった。この戦争によって好景気がもたらされた日本は、今後世界は経済戦争の世紀に突入するとして時代の先を読み取り、広く日本生産品を世界に紹介する目的で、この平和記念博覧会を開催したのである。震災前年の**一九二二年三月一〇日から七月三一日までの一四四日間、二〇〇〇万人の人々が上野の山に展開した各国のパビリオンを訪れた。**この博覧会は、日本にもたらされた戦災バブルを象徴するものであったといえる。

すでに第一次大戦中の好況に幻惑された過剰投資が問題化する兆しが見えた時期ではあったが、翌年九月一日の関東地震の発生によって、上野の山と不忍（しのばず）の池を取り囲む博覧会パビリオンの建物群は倒壊、あるいは焼失して消え去った。

地震によって、一瞬のうちに、景気好況のなかで大正デモクラシーを謳歌した平和記念東京博覧会は崩れ去り、多くの震災避難民が押し寄せる場へと暗転した。

関東大震災は、一〇万五〇〇〇という過去の災害でも経験しない規模の死者を出した。人命を資産価値に換算することはできないが、震災で失われた資産は五〇億、あるいは一〇〇億ともいわれる膨大なものであり、経済は停滞した。政府はモラトリアムや震災手形損失補償などを行った。震災恐慌は、第一次大戦の好況から反転し、戦後の反動不況からさらに世界恐慌に巻き込まれ、農村の凶作と相俟って昭和恐慌と呼ばれる時代を迎える。昭和恐慌期は、中国大陸への軍事侵略とテロリズムを生み、浜口雄幸、犬養毅、井上準之助、團琢磨などの政治家、財界要人などが射殺、刺殺された。

時代の転換と昭和三陸津波

昭和の時代を画する満洲事変（一九三一年）の前後には、折からの恐慌にあえぐ農村の救済を叫ぶ陸海軍将校たちが決起した五・一五事件（一九三二年）が起きている。東北の太平洋沿岸部漁村を襲った昭和三陸津波が発生したのは、五・一五事件の翌年一九三三年三月三日であった。政府は疲弊する農村の救済策として、すでに一九三二年に「時局匡救事業」を立ち上げていたが、一〇年前の関東大震災の帝都復興を主導した内務省、さらに時局匡救事業による農村経済の立て直しを図る農林省との連携のもとに、津波被災地の漁村復興を目論んだ。

以上、粗々（あらあら）時代の流れを追うだけでも、この一〇年の間に時代はまさに一八〇度転換したのである。

本書の第Ⅰ部では、関東大震災後の不**況がもたらした震災恐慌から農村恐慌、昭和恐慌の対策のなかで、関東大震災の復興策が津波被害からの農村復興のモデルとイメージされたことを検証した。**岩手県知事として昭和三陸津波の被災地復興を担った行政のトップ石黒英彦の災害対応策を検証するとともに、この人物が青年の思想教育の場として、皇国思想を奉ずる六原（ろくはら）青年道場を設け、満洲侵攻へ東北農村の兵士を送り込む背後の力になった。このことが軍部に評価されて、彼は文部次官の地位を得た。

避難と復興の検証

しかし、本書はそのことが主たるテーマではない。関東大震災の復興が都市における本格的近代復興だとすれば、**昭和三陸津波の復興は東北農村の近代復興で**

あるという前提に立つ。そのことを検証するために、**三陸農村の復興に奮闘した人物、岩手県下閉伊（しもへい）郡田老村の村長関口松太郎の防浪堤建設の経緯**を取り上げた。

そして、最後に、東日本大震災における復興の現場に企画者、コーディネーターとして関わり、都市計画家として想い描く復興の理想と現実との狭間で格闘した彼らの仕事を追い、**震災復興がこの一〇〇年の間にどのように引き継がれたのかを検証**することにした。

旧版で後藤新平の日記を引用した点は変わりないが、本書では従来引用していた九月二日、三日、四日に続いて六日のメモ「内閣員　復興議ヲ内示ス」と八日の「横浜行」を新たに加えた。理由は旧版出版当時、**復興と云う言葉は関東大震災以前にはなかったのか、さらには「帝都復興ノ議」の原本はないのか**という問い合わせを受けたからであった。

三二年前の濃尾地震（一八九一年）では、政府の関心は木曽三川の堤防復旧に集中していて、岐阜や大垣の都市復興に手を尽くした形跡がみられなかった。この時期には震災での都市復興の課題は行政上自覚的な取り組みはなかった。都市計画法（一九一九年）も出来ていない時代であったと、ここでは理由付けをしておきたい。

歴史的にみれば、関東大震災によって、はじめて都市の再建、再生を都市計画法によって位置付けることができたのであり、震災「復興」は関東大震災によってはじめられたという歴史性を帯びている。

後藤日記の九月六日の条は、後藤自身が「帝都復興ノ議」を閣議に請議したのではないことははっきりするが、では、復興議を内示した内閣員とは誰なのかという問題が残る。恐らく、九月五日に社会局長官に任命された池田宏ではないかと推定している。（本書より抜粋／構成・編集部）

（きたはら・いとこ／神奈川大学元特任教授）

オホーツク、太平洋、日本海を行き来したアイヌの探究と苦闘を追体験

アイヌの時空を旅する
――奪われぬ魂――

小坂洋右

鯨を前に祈るアイヌ

生き物の死というものに日常的に向き合わなくなった現代人にとっては、かなり衝撃的な写真だ（次頁）。

死んだ鯨を前に、一人の男性が厳粛な面持ちでたたずんでいる。鯨の口には、アイヌ民族が儀式で用いる木幣（イナウ）が一本、まるでそれをくわえて成仏したかのように立てられている。イナウは神さまへの贈り物であると同時に、人間（アイヌ）の祈りを神々に届けてくれる祭具であり、見る人が見れば、アイヌの風習を写し撮った一枚だと分かる。

さらに子細に見れば、鯨の胴には、アイヌの儀式に欠かせないトゥキ（受け台の付いた杯（さかずき））が祭具のイクパスイ（捧酒べら）とともに置かれている。椀に酒を注ぎ、イクパスイの先端を酒に浸して、祈りとともに神々に捧げるのがアイヌ式で、まさに信仰のありようが見て取れる。

トゥキの横側に渡している長い棒。これだけは祭具ではない。海獣や魚を突く銛（もり）であろう。浜辺を雪が覆っているので、季節は冬か春先だろうが、男は着物一枚で海を背に身じろぎもしないで立っている。写真の人物は北海道南部（道南地方）八雲町（やくもちょう）遊楽部（ゆうらっぷ）のアイヌ指導者、椎久年蔵（しいくとしぞう）（一八八四―一九五八）である。アイヌ名トイタレキ。親しみを込めて仲間内では「トヨ」と呼ばれた。横たわっている鯨はアカボウクジラの仲間で、おとなの体長は六～七メートルになる。

年蔵は昭和の半ばに亡くなっているから、それくらい近年まで、伝統的なやり方で鯨の恵みに感謝するアイヌはいたということになる。

八雲の前浜に広がる噴火湾（ふんかわん）（内浦湾）を回遊する鯨は主にミンククジラだが、このアカボウクジラや時にナガスクジラも姿を見せる。漁のさなか、偶然、鯨を見つけた時のために、アイヌはかつて、竿（さお）の銛先に植物のトリカブトから得た毒を仕込み、その銛先を紐で結わえた「ハナレ」を何本か舟に積んで海に出た。刺

さると銛先が相手の胴に食い込んで外れなくなる一方、竿だけが取れ、銛先を紐でたぐる格好になる。紐はものすごく長いから、たとえ相手が水中に潜っても逃がすことはない。相手が鯨であれば、人の力で引き寄せることはできない。舟ごとぐいぐい引っ張られるに任せることになるが、それはそれで、舟をひっくり返されないように注意を払いながら、とにかく、とことん相手が弱るのを待つのである。とはいえ、鯨を獲ることは非常に稀だったことが、八雲の隣、長万部（おしゃまんべ）の三荊翁（さんぱらエカシ）の体験談から分かる。聞き取りは昭和十年代に行われ、浜きっての勇者であったこのエカシ（長老）は、生涯に二頭の鯨を獲ったと語っている。噴火湾をぐるりと巡る一四〇キロの海岸線には森、落部（おとしべ）、遊楽部、礼文華（れぶんげ）、虻田（あぶた）、有珠（うす）などの大コタン（アイヌ集落）が栄え、互いに相知る間柄であり、五月の温暖な季節になると、稀ながらも壮烈な捕鯨が行われたのだという。

コシャマインの戦い、クナシリ・メナシの戦い

交易が生み出す豊かさは、和人（日本人）の権力者や大商人の目の付けるところとなり、南側から北の大地に乗り込んで来る。一方の千島列島には東方からロシアの支配が拡大し、税として毛皮を取り立てられるようになる。在地の人々は次第に、自由で主体的な交易の担い手という地位を失い、鮭鱒（さけます）、ニシンの漁場で働くことを強いられ、酷使（こくし）・支配は時代を追うにつれて強まっていく。アイヌの人々は、現実の歴史においても「弱くなった自分たち」を意識せざるを得ない立場に追い込まれていったのだ。

とはいえ、人々は、そうした境遇を無抵抗で受け入れたわけではなかった。**規模の大きなものに限っても、三度にわたってアイヌは決起した。一つは十五世紀、道南地方で起きたコシャマインの戦い。そして江戸前期、一六六九年に多地域のアイヌが連帯したシャクシャインの戦い。さらに江戸中期、一七八九年五月にクナシリ島に端を発し、今の根室（ねむろ）地方標津町（しべつちょう）と羅臼町（らうすちょう）に波及したクナシリ・メナシの戦いである。**

小坂洋右氏（1961-）

　おおざっぱに言えば、**コシャマインの戦い**は道南地方に館を次々築いて足場を固める和人への危機感から、**シャクシャインの戦い**は交易拠点の松前に出向くことを禁じられ、不当な交換レートを強いられたうえに、北海道の奥地に和人の砂金掘りや鷹師、猟師が野放図に入り込んで来たことへの反発から起きた。そして**クナシリ・メナシの戦い**は、松前藩御用商人の飛騨屋から、自身の食糧を確保する時間的余力もなく漁場で働かされ、女性たちは番人らの現地妻にされたことへの怒りと、殺され、滅ぼされることへの恐怖心が導火線になったとみられている。この戦いで、松前藩の役人一人、番人や船員（水主）七十人の計七十一もの和人が殺され、襲撃にかかわった三十七人のアイヌが松前藩によって処刑された。まことに凄惨としかいいようがない。

「最後の戦い」は本当か？

　クナシリ・メナシの戦いは「アイヌ民族最後の大規模決起」と言われて久しい。この年を境に何かが確かに終わったのだ。**標津アイヌ協会の小川会長は「戦いのあとは、言葉も文化も根こそぎ奪われ、儀式さえもこの地域には残らなかった」**と口にした。とはいえ、クナシリ・メナシの戦いを「最後の決起だった」と位置づけることで、『アイヌの抵抗はこの戦いを期に止み、和人に帰服した』というイメージが植えつけられてきた側面は否めない。その言いようで、何か大事なことが見えなくさせられてきたのではなかろうか。そう考え始めると、僕にはこれまでとは違った北方史が次第に輪郭を現してきた。

　二百三十年後でもけっして遅すぎることはなかった。**戦いの現場をなぞって歩くだけでも、クナシリ・メナシの戦いで終わることのなかったものが見えてきた。**この地でもアイヌの現代史を語れることが、その何よりの証拠だ。しかも、**日ソ関係の間隙を突いての漁業や、川鮭漁の禁止に風穴を開ける行動には、強靭な意志に加えて、ある種のしたたかさ、しぶとさも垣間見える。**

　現場に立つか立たないかで、「現実感」にどれほどの違いがあるのか――。そこに気づかされたばかりでない。この旅で、過去が「距離」を縮め、時間がぐっと凝縮されてくるのもまた感じ取れた。ほかの地域でも、歩けばその地域なりに見えてくるものがきっとあるはずだ。だって、**二百三十年前の出来事であっても、探せば語り継ぐ生き証人が見つかる**のだから。だから、それを書き継いでいけば、これまで和人の立場から描かれた歴史とは違う物語が紡ぎ出されてくるにちがいない。

本書は、その主旨で**北海道の各地を訪ね、川をカヌーで、海をカヤックで、冬の山岳地帯を山スキーでたどり、歴史を掘り起こし、アイヌ民族の世界観や自然観に迫ろうとしたルポルタージュ**である。ロシア・アムール河流域やアラスカ、カナダ北西海岸での滞在体験も、合間にちりばめていこうと思っている。

（本書より／構成・編集部）

（こさか・ようすけ／元北海道新聞論説・編集委員）

『高校生のための「歴史総合」入門』第二弾！　全国の高校生必修!!

欧米の「近代」に学ぶ 1870―1900

――『世界の中の日本・近代史』Ⅱ刊行への序――

ジャーナリスト　**浅海伸夫**

〝帝国主義〟の時代

この巻では、一八七〇年代から一九〇〇年にかけてを書いています。

その頃、世界は「帝国主義」の時代で、欧米列強は先を争ってアジア、アフリカに乗り出し、植民地や勢力圏をうちたてました。**一八七六年当時、列強が領有する植民地の面積は、イギリスとロシアが圧倒的に大きく、次いでフランス。ドイツ、アメリカ、日本は、まだ植民地を持っていませんでした。**

その後、欧州諸国は凄まじい植民地争奪戦を繰り広げ、一九〇〇年までのわずか**二四年間に、七六年に保持していた植民地総面積の約二分の一にあたる広大な土地を奪取。アフリカ大陸の大半を席巻し、太平洋地域でも、英・仏のほか、米・独も参入して多くの植民地を獲得しました。**

日本政府の岩倉使節団が「世界一周」の旅をしたのは、一八七一年から七三年のことで、欧米の帝国主義が幕を開けた時でした。そして二年近く、西洋文明を実地体験して得た学習効果は、極めて大きいものがありました。

しかし、岩倉具視、木戸孝允、大久保利通、伊藤博文ら外遊組の帰国を待ち受けていたのは、西郷隆盛の「征韓論」でした。士族らの憤懣（ふんまん）を背景に、朝鮮との国交問題解決のため、自らの訪朝を主張する西郷に対し、大久保は「無用な戦争」は避け、内治を優先させるべきだと猛反対。強引なやり方で西郷派遣の閣議決定をひっくり返しました。

西郷、大久保という朋友同士はここで決裂し、西郷は、板垣退助、後藤象二郎、江藤新平、副島種臣らとともに一斉に下野します。この「**明治六年政変**」は、翌**七四年の江藤による「佐賀の乱」や西郷の「西南戦争」**（七七年）を引き起こすことになります。

台湾、琉球、朝鮮、ロシアと日本

政変のあとに成立した「大久保政権」は、「洋行エリート」らが国家運営を主導する明治国家の性格を決定的にします。維新政府に登用された旧幕臣・官僚も、思想家・学識者も、西洋近代を摂取し、国際感覚をもつ留学組が活躍します。

大久保政権は、琉球（沖縄）の漂流民が台湾の先住民に殺害された事件（七一年）を受け、自国民保護と問責のため、**台湾出兵（七四年）**を決めます。琉球が日本の領土であることを対外的に明確にするとともに、不平士族の暴発を防ぐことが狙いでした。**明治初期の日本のアジア外交**は、いずれも清国を頂点とする**華夷秩序**（**冊封体制**）**への挑戦**を意味しました。日本政府は、**琉球の日清両属を認めず**、朝鮮との**日朝修好条規**（七六年）では、**朝鮮を「自主の国」と規定して清との宗属関係を断ち切ろうとしました**。これにより日清関係は緊張の度を増します。

西郷隆盛（上）と大久保利通

七五年に政府は、**樺太・千島交換条約**を結び、**ロシアとの国境問題の解決**を図りました。**南下政策をとるロシアの脅威論は、ロシア勢力が朝鮮に及ぶにつれて増大し、来日中のニコライ・ロシア皇太子が日本人巡査に襲われた大津事件**（九一年）では、**報復を恐れる民衆の「恐露病」が沸点に**達しました。

大久保暗殺（七八年）後、政権の中枢を占めた伊藤博文や大隈重信らの使命は、憲法と国会を創設し、不平等条約を改正することでした。

国会開設と憲法制定に向けて

国会の開設要求は、明治六年政変で下野し、藩閥政府の野党に回った板垣退助らの「**民撰議院設立建白書**」（**七四年**）に始まります。これが口火となって自由民権運動が盛んになり、運動は軍隊の中にまで入り込み、これを懸念した陸軍卿・山県有朋は、「軍人訓誡」（七八年）を出して軍人の政治的関与を禁止。政府もまた、条例で集会・結社の自由を規制しました。

政府側も七五年、「漸次立憲政体樹立の詔」を出しましたが、漸進論にとどまりました。その一方、民権派は、主に英米をモデルに「私擬憲法」を相次いで作成し、百家争鳴になります。政府内でも、大隈がイギリス流の議会・政党政治を範とし、八三年初頭に国会を開会するという「急進的」な憲法意見書（八一年）を打ち出しました。

1889 年、明治憲法発布

　これに驚いた岩倉は、井上毅に命じてドイツ流を模範とするよう工作を進め、伊藤も大隈案の排撃に回ります。これに開拓使官有物払い下げ事件も絡み、大隈と大隈派の官僚は政府から追放されました（**明治一四年政変**）。政府は、一〇年後に国会を開設することを約束して民権派の批判をかわし、伊藤をトップに憲法策定作業に入ります。

　伊藤は八二年に渡欧し、一年半近く、主にベルリン、ウィーンに滞在し、近代憲法を研究し、英仏米流とは異なる、日本に適した憲法のあり方を模索しました。帰国後は、天皇の大権を大前提としつつ、議会に相応の権限を与えて君主権を制約し、国民の権利も広く認める方向で議論を進めました。

　大日本帝国憲法（明治憲法）は八九年に発布され、第一回帝国議会が九〇年に開かれます。ここにアジアで初の近代的立憲国家がスタートしました。刑法、商法、民事・刑事訴訟法なども、西洋を模範に法典が整備されます。ただ、フランス法学者・ボアソナード起草の民法は、日本の伝統的な家族道徳などを破壊するとして批判を浴び、施行延期となる一幕もありました。

　議会は、初めこそ暴力沙汰があり、総選挙では民党を追い落とす選挙干渉が行われましたが、次第に「公議輿論」の府として定着し、政党が政権を担当するまでになります。

植民地をもつ帝国への道

　国権回復をはかる条約改正は、宿願達成まで長い年月がかかりました。寺島宗則、井上馨、大隈重信、青木周蔵ら歴代の外務卿・外相が、それぞれ懸命に米欧各国と交渉を重ねながらも、失敗・挫折を繰り返しました。中でも、井上が条約交渉を有利にするため、欧化政策をとり、鹿鳴館で盛んに西洋風の舞踏会を開けば、大隈は条約案に反発する国家主義団体・玄洋社社員の爆弾テロに遭い、片脚を失いました。領事裁判権を撤廃する条約改正は、九四年の日清戦争開始の直前、陸奥宗光外相の手によって実現しました。

　一八八〇年代、隣国の朝鮮では、「壬午軍乱」（八二年）のあと、日本と結んで朝鮮の近代化をめざした「甲申政変」（八四年）が起こりましたが、清軍の反撃で失敗しました。首謀者の金玉均らを支援してきた福沢諭吉が、アジアを脱して西欧列強に仲間入りするという「脱亜論」を発表したのは、クーデター失敗の三か月後でした。

これ以降、日本の朝鮮への影響力は衰え、逆に清国は朝鮮の内政・外交への関与を強め、**日清関係は険悪化**します。このため、伊藤博文と李鴻章が会談し、日清両国の共同撤兵と、今後、朝鮮へ出兵する場合は、事前に通告することを約した**天津条約を締結**（八五年）して、日清開戦の事態を回避しました。しかし、九年後、**朝鮮で排日を叫ぶ農民反乱**（東学党の乱）が起こると、**清国は朝鮮政府の要請を受けて出兵し、これに対抗して日本も派兵して日清戦争が勃発**しました（九四年）。陸・海の戦いで日本軍が勝利を収め、清国は下関条約（九五年）で、朝鮮の独立を認め、遼東半島、台湾・澎湖諸島を日本に譲ることにしました。

これにより日本は、植民地を有する帝国になりましたが、**日本の大陸進出を阻止したいロシアは、フランス、ドイツを誘って、遼東半島の返還を要求し**（三国干渉）、日本政府はこれをやむなく受け入れました。戦勝の酔いに冷や水を浴びせられた国民は、ロシアへの復讐心（ふくしゅうしん）に燃え、「臥薪嘗胆（がしんしょうたん）」が合言葉になります。

日本は、**日清戦争で朝鮮半島から清国勢力を追い出すことには成功**しました。しかし、**代わりに現れたのがロシア**でした。小国日本の勝利は、黄色人種への圧迫を正当化する「黄禍論」を刺激する一方、大国・清の敗北は、世界に強い衝撃を与え、**弱体ぶりをさらした清国は、列強による領土分割の憂き目に**あいます。

（本文より／構成・編集部）

現場の民衆の声を聞き取った、一八四八年革命史の第一級資料！

マルクスが『共産党宣言』を出版した一八四八年とはどういう時代か？

――『女がみた一八四八年革命』（一八五〇）初版序文より――

ダニエル・ステルン

「革命」とは何か

諸国民の生命とは、かれらの運命は地球上で成就されるわけだが、その地球の生命それ自体と同様、永遠の変容以外のなにものでもない。この捉えがたい動力を、わたしたちは**生命**と呼んでいる。

それは、けっして**とどまることなく、社会に、形成と解体との同時作用を及ぼす**。それが、自然全体に対してなすと同様に。しかもこの作用は、人間の自由が介入することによって、偶発事のような外観を呈しているにもかかわらず、**不変の秩序**のただなかで、**神秘の諸法則**に従っている。

これまでの諸革命は、社会の本性の激烈な危機であった。これらの革命は、あるときは、**解体作用**を、つまりある国民の凋落を、促進する以外のなにものでもない。またあるときは、**形成作用**を、つまり、この同じ国民のその固有の文明のうちでの進歩を、促進する以外のなにものでもない。

社会の変容と、「新しい力」

一八四八年革命を、わたしはここで物語るつもりなのだが、この革命がわたしたちに同時に示そうとしているのは、上記のあい反する二つの力の二重の働きである。**この革命は、本質的に変化を促すものであり、分解すると同時に再構成することを目指し、解体すると同時に形成することを目指す。**

この革命は、**批判的であるとともに生成的**でもある。あるいは、民衆の本能は、最初の日から、その複雑な性格をその真の意味とともに表現してきたが、その用語を借りれば、この革命は**政治的であるとともに社会的**でもある。

その激動のかずかずは、一括して、**枯れはてた力の断末魔と新しい力の到来**とを予告している。この新しい力は、近代社会がひっそりとその胸中に秘めているものなのだ。

このため、**漠然とした恐怖と、それよ**

り**さらに漠然とした希望**とを、一八四八年革命は人びとの精神にひき起こしてきた。人びとの精神は、程度の差こそあれ、この恐怖か希望のどちらかの相貌に打たれていた。あるいは、それら精神は、程度の差こそあれ、過去にかそれとも未来にか、つまり終わりつつあるものにか、それとも存在し始めようとしているものにか、どちらかに親密に属していた。

　このどちらかにしたがって、これら精神は、尋常ならざる混乱にさらされつつ、些細な事実のなかに、それぞれ異なったものを指摘してきた。すなわちあるものたちは、**完璧な破滅の恐るべき兆候**を。また別のものたちは、**社会秩序の完璧な革新の確かな予兆**を。

　また現在では、国全体が、その歴史の異常な瞬間をすっかり忘れているようにみえる。こうした時期にあって、あれほどの思想の混乱を厳密に説明するのは、きわめて容易いというわけではない。

　そういうわけで、わたしは、できごとを物語るまえに、あれほど多様に解釈されている革命の急速な進行を追うまえに、**その起源にさかのぼることが有効だ**と考える。**その本質をよりよく示すため**に、そして**この政治的かつ社会的な二重の活動を、より感知しやすくするために**。そこから、一瞬たりとも眼を離してはならない。そうでないと、その全体を捉えることなど望むべくもない。

　この完全な変容を、健全にして冷静な批判基準にしたがって、判断することな

マリー・ダグー（1805-76）

（Daniel Stern）
Marie, Comtesse d'Agoult
マリー・ドゥ・フラヴィニィは1805年、フランクフルトで誕生。母はベトマン家（ドイツのプロテスタント金融家）出身、父はカトリックでヴォルテール主義者の亡命貴族。1827年にダグー伯爵と結婚したが、伯爵のサロンには、当時の上流ブルジョワと若い世代のロマン派作家たちが足繁く訪れていた。1833年に作曲家フランツ・リストと出会い、二人の関係はスキャンダルに。3人の子どもが生まれ、その一人である娘コジマは、のちリヒャルト・ヴァーグナーと結婚する。リストと別れたのちにジャーナリストとして活動、1846年には小説『ネリダ』を発表。『自由試論』『共和国通信』紙上で「ダニエル・ステルン」のペンネームで執筆。その他の著書に『回想録』、『回顧録』がある。本書『一八四八年革命の歴史（*Histoire de la Révolution de 1848*）』は、1850年から53年にかけて出版された彼女の主著である。1876年にパリで死去。

中央にラマルティーヌ

ど望むべくもない。この変容は、ここ一世紀以来、フランスで成し遂げられている。そして、その直接の結果が、革命の約束したものに、すこしも呼応していないようにみえても、一八四八年革命は、わたしの眼からみて、もっとも重要でもっとも決定的な局面のひとつでありつづけている。

人民とブルジョワジー

民主共和国が二月二四日に宣言された[原注]が、それは、**人民とブルジョワジーとの、自発的で**、いってみれば**意図しない合意によって**だった。

だがこの共和国は、あまりにも多く繰りかえされているのとは違って、偶発的で思いがけないできごとの結果でも、偶然がおおいに作用した急変の結果などではけっしてない。それは、十八世紀のあの二重の主体的意思の当然の結果である。この意思は同時に、**学識ある諸階級に思考の自由を、勤労諸階級には行動の自由をかちとった**のだ。

この共和国は、多かれ少なかれそう遠くない時期に、ひとつの運動が到達すべき地点だった。この運動は、哲学的、批判的、合理的、自由主義的あるいは革命的など、好みに応じて形容されている。それは、社会の高所から始まり、あらゆる確信をひとつひとつ揺り動かしてきた。これら確信こそが、カトリックの君主政封建国家において、神権の権威を支えていたからである。

同時にこの運動は、あの直感的な運動の、今日までもっとも完璧な発現とみなすこともできる。こちらの運動のほうは、人民大衆を雑然と動かしながら、一七八九年以来、かれらを民主国家に組み入れようと努力している。市民の自由な協同をつうじて、平等な秩序をもたらし、これが封建的旧階級制度にとって替わりうるよう努力している。

普通選挙という方法によって、共通理性にもとづく権威を再構築しようと努力している。神権を人権に置きかえようと、つまり一言でいえば、民主政を組織しようと努力している。

原注　わたしはしばしば、この二つの語を、一八四八年に与えられていた狭く不正確な意味で用いている。この二つの語を、もっと的確な語に置きかえることができないとみたからである。そんなことをしたら、ある意味、この二語があらゆる人びとの口に膾炙していたころの真の精彩を失ってしまうことだろう。

十八世紀の哲学

かりに以下のようなことを探求するとしたら、それはあまりにも広範な作業となり、わたしも、今回のテーマの埒外にまで連れていかれてしまうことだろう。

すなわち、十八世紀の哲学は、繰りかえしキリスト教会の体制を攻撃してきたが、いかなる秘密の関係によって、またいかなる隠れた必然性によって、その攻撃が、知らぬ間に、ひとつの政治体制に行きついたのかを、である。さらには、神の啓示、原罪、贖罪、贖いが、「神」の苦悩をつうじて否定されてきたが、いかにして、この否定が、社会秩序のなかに、同様の性質の否定のかずかずをもたらしたのかを、である。またこれらの否定が、いかにして、ある社会を、その存在原理にまでおよんで毀損しなければならなかったかを、である。たとえこの社会が、最大多数の苦悩と忍従なしには、想像すらできなかったにしても。

百科全書派のものたちの精神は、形而上学的思弁の高みから現実に降りてきて、わたしたちの政治集会や、ついでフランス社会のすべての階級に浸透した。それがいかにしてだったのかを示すのは、たしかに興味深いことであろう。

しかしながら、一八四八年の運動をことさら、もっとも遠い原因に結びつけずとも、その正しい概念を形成するには、その直近の原因を説明し、国王ルイ＝フィリップの治世を、その全体的性格において想起するので十分であろう。（志賀亮一訳）

（後略　本書下巻より／構成・編集部）

新連載　パリの街角から　1

戦時下のパリ

山口昌子

『パリ日記』（全5巻）刊行中

この冬のパリは、憂鬱な日々が続いている。フランス人にとって最高のクリスマスプレゼントになるはずだったサッカーの世界選手権（W杯）の三回目の優勝をという快挙を逃し、準優勝で終わった。二〇一八年に次ぐ「連覇」も叶わず、ブラジルがペレを抱いて成した偉業を塗り替えることもできなかった。

「サッカーは戦争だ」と言われるが、中央集権的で好戦的な国民にはぴったりの国民的スポーツだと思う。老若男女が挙国一致で三色旗を振って熱狂する姿を見れば、誰もが納得するはずだ。

メッシ率いるアルゼンチンに敗れた一二月一八日、シャンゼリゼ大通りを埋め尽くしたサポーターの一部と警官隊が小競り合いを演じたが、予測されたほど大事に至らなかったのは「勝敗は時の運」、次回は勝利、と何回も敗戦を経験した国民は信じているからだ。三発もゴールを決め、計八点の最多ゴール選手に選ばれた〝英雄エムバペ〟もその夜、「また来る」と一言、力強くツイートした。

マクロン大統領は準決勝の対モロッコ戦もカタールに飛んだが、今回は試合終了後、競技場に降り、エムバペを何回も抱きしめた。三日後の二一日に四五歳を迎える若い大統領と二三歳の〝英雄〟との抱擁は、肌の色を超えてフランス自慢の「同化政策の成功という夢」をたった数秒間だが見させてくれた。

サポーターが去ったシャンゼリゼ大通りでは、慣例の年末年始の街路樹に飾られた照明が、降りしきる雨の中、輝いていたが、ウクライナ戦争の影響で毎年、一月中旬、深夜までのイルミネーションは、今年は一月二日まで、午後一一時四五分で終わりだ。エッフェル塔も凱旋門の照明も同様だ。新年からは一時的な停電も開始した。

テレビではW杯に代わってミサイル戦が展開中だ。W杯の決勝戦は3―3の延長戦の末のPK戦という歴史的な名勝負だったが、仏人にとっては真の戦時下という意味でも歴史的だったと思う。

（やまぐち・しょうこ／パリ在住ジャーナリスト）

■連載・「地域医療百年」から医療を考える　22

取り合わせの医療

方波見医院・北海道　方波見康雄

心音は天籟に帰す冬銀河

私が初めて作った俳句である。じつに下手だが、こういう思い出がある。

五〇年も前の話だが、二月の深夜に九二歳のお年寄りの最期をご自宅で看取った。仏壇のある広間で、家族に囲まれ、静かに息を引き取る大往生だった。

お宅を辞去すると、月の光が雪の夜道を淡く照らし、星がきらめいていた。その明滅はまるで、ついさきほど聴診した老人の最期の心音が、冬空の星の瞬きに変現して、音を奏でているように映った。句は、そのときに思いついた。

大学の内科医局に助教授を訪ねたおりに句を見せると、俳人でもある彼は、こう言い添えてくれた。

「句作には、結びつかない異質なものを組み合わせ、新しいイメージをつくる〝取り合わせ〟という手法がある。心音を天籟（てんらい）ととらえ、冬銀河という季語と結びつけた取り合わせの発想が新鮮だね。厳冬の深夜に往診し老人の最期の脈に触れるなどは、大学病院で経験できない。おやじさんの後を継ぐ医者になってよかったね。故郷の医療には取り合わせの妙がひそむ。目を凝らすといい」

こうして私は、故郷の小さな町の無名の一医療人として、同じように無名な患者さんに人間として向かい合い、訴えに耳を傾け、ささやかな症状にも目を凝らすよう努めた。訴えの言葉は、ときに拙く、ときに無言の表情や涙だけのものもあった。それをまとめる感性と想像力やユーモアが求められ、詩歌や文芸への親しみと哲学的な論理力も必要になった。その人の生活や人生歴も知らなければならず、地域社会への視点も大切になった。助教授の言う「目を凝らす」「耳を澄ます」意味を、こう受けとめるように努めた。

細胞内に「ミトコンドリア」という、生命のエネルギーをつくりだす異質な小さな器官がある。一〇億年ほど前から細胞内に入り込み同居生活を始め、共生関係を結んでいる。生きるとはつまり、異質なものとの取り合わせの関係を創り出すことなのだ。いのちの根源に潜む取り合わせを、地域の医療に活かす、そういう思いの医療人生をすごしてきた。

連載　歴史から中国を観る　37

チベットと日本の古い関係

宮脇淳子

チベットを、唐代の漢字文献では「吐蕃」と書く。七世紀に初めて統一国家を建てた頃のチベットは、奈良時代の日本にも知られていた。

『続日本紀』巻十九、孝謙天皇の天平勝宝六年（七五四）正月、遣唐副使大伴宿禰古麻呂が行なった帰朝報告に次のようにある。

前年の正月、唐の玄宗皇帝に百官諸蕃が朝賀した時、日本の使が西側の吐蕃の下位に置かれ、新羅の使が東側の第一、大食国（サラセン）の上に置かれていたのを、古麻呂が「新羅は古来日本に朝貢しているのに、この位置関係は許せない」と文句を言って、新羅を西の吐蕃の下に、日本を東の大食の上に入れ替わらせた。

つまり、吐蕃と向かい合って最上位に坐した、という話である。

古代チベットは、実は軍事大国だった。楊貴妃が殺された安禄山と史思明の乱に乗じたとはいえ、チベット軍が一度は唐の都の長安を占領したことすらある。

チベットを統一したソンツェン・ガンポ王は唐の公主（＝皇女）を嫁に迎えたいと申し出た。唐は初め拒んだが、結局、六四〇年、文成公主を王の息子に嫁がせた。ところが夫が落馬して急死したので、公主は舅のソンツェン王と再婚した。

その七〇年後の七一〇年、金城公主がふたたびチベットに嫁入った。七六二年チベットは唐と和を結ぶが、翌七六三年十月、前述のように長安を占領したのである。

彼らは無血入城を果たすと、金城公主の兄弟の広武王を皇帝に立てた。しかし、二週間後、長安を荒らし尽くしたチベット軍は「士女工匠」を連れて隊伍を整えて帰還した。皇帝に仕立てられた広武王は都から逃亡し、唐軍に捕らえられたが、極刑はまぬがれ、地方で没した。

一九六九年、長安城の跡地から唐代の穴蔵が発見され、二つの甕から金銀財宝が出てきた。その中にわが国の「和同開珎」の銀銭五枚が含まれていた。この場所が金城公主の父の屋敷跡だったから、逃亡する前に広武王が埋めたものかもしれない。山口瑞鳳『チベット』上下参照。（みやわき・じゅんこ／東洋史学者）

連載　今、日本は　45

原発の犠牲者たち

ルポライター　鎌田　慧

広島に選挙区をもつ岸田文雄首相、核の危険性に理解あり、と思いきや、「原発促進」を命令して驚かせた。時代錯誤と言うべきか、無知と言うべきか、電力会社へのへつらいと言うべきか。

が、呆れてばかりいられない。いまさらいうまでもないが、活断層縦横無尽の日本では、圧力容器に細管がなん十キロと絡み付いている原発は、大地震があれば空焚きになって爆発する危険性とともにある。それは福島原発の大事故で証明済みだ。

だからすこしでもはやく、危険な原発社会から脱却しよう、というのが、福島の教訓のはずなのだ。たとえ、大地震がなくとも、日常的に高温排水、微量の放射能、ときによっては、高濃度の放射能をふくんだ排水や排気を漏らす原発を造ったこと自体が誤りだった。

核爆弾、核エネルギーを「商業利用」するのが、各国の原発政策だった。が、事故がないまま無事に廃炉になったとしても、高濃度の放射性廃棄物が、気のとおくなるほどの未来に残っている。

ストロンチウム90やセシウム１３７、そしてさらに猛毒、半減期の長いプルトニウムが、何万年も危険な放射線を吐きだしつづける。そして原発は日常的に労働者の身体を冒しつづけて稼働される。ウラン鉱石が掘りだされるときからすでに、犠牲者が出ている。

「一般人」の被曝限度量は年間1mSv（ミリシーベルト）と国際放射線防護委員会（ＩＣＲＰ）では決められている。職業人の被曝は五年間で１００mSv（年間最大50mSv）と、おなじ人間でも被曝限度量が区別されていた。ところが福島事故のあと、日本の原子力委員会は、一般人は20mSv、労働者は２５０mSvへと格上げした。原発は建設地域も従事する労働者も差別構造の上に立脚している。

韓国では原発立地周辺で、事故がなくとも発生している甲状腺がん患者の裁判が続けられている。福島事故で甲状腺がんになった子どもたちの裁判がようやくはじまった。原発はもっとも弱いひとたちを犠牲にして成立する発電だ。

■連載・花満径　82

天皇即神の思想

中西　進

天皇は人か神か。この課題は北魏の皇帝即如来の思想に倣うものであろうが、そのキーマンだった大海人皇子――のちの天武天皇は、即位の端緒を開く東国脱出の途中で、伊勢の大神の神威を得ようとした。

そのことは、壬申の乱の中でももっとも重要な案件の一つだったらしく、のちにその戦いを述べる柿本人麻呂の歌でも、

……渡会の　斎の宮ゆ　神風に　い吹き惑はし　天雲を　日の目も見せず　常闇に　覆ひ給ひて……

（『万葉集』巻二・一九九）

と特筆される程必要なことであった。

いわゆる伊勢神宮が今日に到るまで、特大の尊崇をうけるに到る根拠も、ここにある。

そこで即位後天武は、皇女をいわゆる伊勢の斎宮とよばれる地位におく制度を定めた。

『日本書紀』では天武二年四月十四日「大来皇女を天照大神宮に遣侍さむとして、泊瀬斎宮に居らしむ」とある。

皇女をこの潔斎によって、「稍に」現身を神へと変化させていく思想の案出である。実はここには、現実の人間である皇帝が、「現人神」となる論理的飛躍が、大きく計画されていたと考えられる。

天武新王朝の頭脳集団は、この論理によって、新王朝の立脚点を固めたのであった。「稍に」などと慎重に。しかも皇族の未通女を当てて。それを斎宮とよんで。

いまに知られるところでも、神宮の地にかなり広大な領域を当てているし、その役所の構造も都なみに整えられている。

初代の斎宮・大来は、弟大津事件によって都に召喚されているらしいから、死穢もまた、忌み憚られるべきものであった。

そしてこれほどの神信仰が、先帝天智の仏信仰や国際性への反措定だったことも明らかさまに見える。

その上天武は崩御後、「瀛真人」と追尊までされる。天皇即神の思想は、神仙信仰を媒体とするものだった。神仙思想の中の、東方の真人だと、いうのである。いずれも新王権樹立にともなう必要上の、演出だったと見られる。

（なかにし・すすむ／日文研名誉教授）

十二月新刊

「日中国交正常化」五十年の節目に

「友好」のエレジー

中国人がみる「日中国交正常化五十年」

王柯 編

賀衛方／張倫／賈葭／唐辛子／劉燕子／李鋼哲／慕容雪村／王柯

共産党独裁政権に対し、今、中国の主要都市で「白紙」抗議運動が広がっている。民主主義・自由平等・法治・人権が実現されてこそ、真の日中友好が始まる、と考える中国知識人らが、この五十年を回顧し、将来を展望する。

四六変判　二三二頁　二八六〇円

民衆の声を聞き取った、四八年革命の第一級資料

女がみた一八四八年革命（全2分冊）㊤

ダニエル・ステルン

志賀亮一・杉村和子訳

作曲家リストの愛人でありサロン主宰者マリー・ダグー伯爵夫人は、女性ジャーナリストの先駆であった。一八四八年二月革命を取材し、議会を傍聴し、民衆の声を聞き取り、公平な視点を意識してなされた大著、遂に邦訳。㊦は1月刊

口絵8頁

四六上製　七一二頁　四八四〇円

〝ジャポニスム〟発信の先駆者の生涯

美術商・林忠正の軌跡 *1853-1906*

19世紀末パリと明治日本とに引き裂かれて

木々康子・高頭麻子 編著

十九世紀末の約三〇年間をパリに生き、日本美術の橋渡しに貢献した美術商・林忠正。仏語未公刊書簡の訳、および林家所蔵資料を駆使して、林忠正の生涯、そして同時代の日仏美術交流に新しい光を当てる。

カラー口絵16頁　モノクロ口絵32頁

A5上製　七二〇頁　九六八〇円

〝日本型食生活〟崩壊の原点！　待望の新版！

「アメリカ小麦戦略」と日本人の食生活 新版

鈴木猛夫　江崎道朗＝新版序

第二次大戦後、アメリカの余剰小麦が日本に供給され、食生活「改善」を求める日本側関係者も呼応して、日本人の食生活は劇的に洋食化し、西洋の食材に基づいて「栄養」を捉えるようになってしまった。食料行政と食品業界のタブー＝〝アメリカ小麦戦略〟の真相に迫り、非精白米を基本にした、風土にあった食生活の復活を訴える。

四六判　二七二頁　二七五〇円

エマニュエル・トッドの冒険■

『エマニュエル・トッドの冒険』第Ⅲ部『我々はどこから来て、今どこにいるのか?』を読む」を読了しました。

①哲学者ショーペンハウエルの名前は本書の索引にも参考文献にも出て来ませんが、その名著『意志と表象としての世界』をもじった「意志と表象としてのドナルド・トランプ」なる第14章の表題には、思わず驚嘆し笑ってしまいました。マスコミ上の否定的なトランプ「表象」を、多様な統計に現れた「意志」から論破し、トランプ・ポピュリズム現象を、ホモ・サピエンスの原点に戻ったごく素朴な核家族型民主主義であると明示する論法は、お見事です。

②日本の家族システムの変遷について、Z型相続から末子相続、双系的妻問婚を経て、鎌倉時代末期に関東武士のあいだから直系家族が始まったとの説は、TV大河ドラマ「鎌倉殿の13人」をも、背筋を正して見る気にさせます。

③妊娠中絶可否問題とは、アメリカでは（先の中間選挙を左右しましたが）、ゾンビ・キリスト教の生命倫理の問題ですが、新生児の男女性比自体はノーマル（一〇五）です。一方一人っ子政策の中国では、中絶問題は男児選好の問題であり、性比は世界一アブノーマル（一二〇）です。外婚制父系制共同体家族の「場所の記憶」の現存として説明されています。このように、同一現象の要因として、宗教か家族という変数の優位の比較は、トッドの持論で、興味深い。日本の新生児性比（一〇四）は何を表すのか、考えるヒントになりえます。

トッドは、選ぶ切り口自体は一見直感的だが、その「表象」の下の「意志」を、通時的・共時的な多様な統計資料を用いて、ホモ・サピエンスの無意識レベルまで降りて発掘しようとしています。そこに人類学的基底としての家族構造が出現。まさに『新・意志と表象としての世界』なのでしょうか。

（千葉　**高山眞知子**　82歳）

ナイチンゲール■

▼感動の書です。寝食を忘れ耽読しました。なぜナイチンゲールが「クリミアの天使」「ランプの貴婦人」と呼ばれ、多くの婦女子が彼女に憧れ看護師を天職としているかを、恥ずかしながら初めて知りました。かつて老生が氷上転倒で左踝（くるぶし）の複雑骨折で入院した時、親身になってくれた看護師の姿を思い出します。看護師が医師の単なる補助者でなく、医師と共助しながら患者と向き合っていることも知りました。看護師が看護学校でナイチンゲールの渾身の名著「看護覚え書」――What It Is, What It Is Not.（To be, or not to be.「生きるべきか、死ぬべきか」を彷彿させる名訳「看護であること、看護でないこと」）――で学んでいることも知りました（『ナイチンゲール著作集』第一巻、薄井坦子・小玉香津子ほか四名訳、現代社）。併読してみて、カラダ中に電気が走り驚愕しました。

ところで現下の急務は武漢コロナ対策ですね。感染対策の基本は、今から一六〇年前に、本書の主人公ナイチンゲールにより予見されていたと言っても過言ではないと思います。クリミア戦争のさなかに、自身がブルセラ症（ブルセラ菌感染症）に感染し、地獄を見た彼女は搬送先の病床で何を思ったのでしょう。運命の悪戯（いたずら）か、彼女を苦しめた悪魔の正体はコレラ菌と同様、経口感染だったことが後年判明します。しかし、彼女は空気感染対策の基本は「換気」

と看破しています。

　これを発展させ著者（向野賢治）は、コロナでも定期換気でなく（顔に空気の静かな流れを感じる）「常時換気」を推奨しています。驚くなかれ、当時ナイチンゲールが実践した感染対策は、時を経て今、政府コロナ対策委員会が発する感染対策に生かされていることも知りました。

　ところで彼女は自らの体験を報告書にまとめて衛生改革の端緒を開いていきます。数学脳を持つリケジョ（理系女子）としての片鱗を見せます。数学・統計学の知識を駆使して報告書を書き上げ、この報告書が前述のベストセラー「看護覚え書」に結実することになるのです。ここまで彼女を支えたものは、多くの知遇を得たこともさりながら、不屈の精神力にあったと思わざるを得ません。生涯に多く看護行政に関わり看護管理責任者として看護学校を開校し多くの著作を残しました。巻末に著者（向野賢治）の新「ナイチンゲール誓詞」があります。圧巻です。是非、本書で確認して欲しいです。

　ところで本書に忘れられないエピソードを発見しました。「マイ・ボニー（原題：My Bonnie Lies over the Ocean）」です。老生がかつてNHKラジオ語学講座「基礎英語」で口ずさんだ歌です。ただ苛まれるのは、名誉革命後王位継承を争い敗走した王子（ボニー・プリンス・チャーリー）の帰国を待ち侘びたスコットランド哀歌であること。その影に逃亡に深く関わった名門ナイチンゲール家の人道主義的血脈があったことすら知らなかったことです。

　このように本書にはエピソード、人脈、系図、歌、数式、写真、イラストなど、彼女の実像に迫る工夫が満載です。結びにあたり「看護」を知悉したフロレンス・ナイチンゲールは、看護師の皆さんに、「看護師は高貴な天職ですが、高貴な天職にするかどうかはあなた次第です」という箴言（しんげん）を残して、一九一〇年八月十三日（享年九十）に天に召されました。きっと天国から患者に寄り添っている看護師をやさしく見守っていることでしょう。

（鹿児島　**島崎博**　71歳）

※みなさまのご感想・お便りをお待ちしています。お気軽に小社「読者の声」係まで、お送り下さい。掲載の方には粗品を進呈いたします。

書評日誌（一〇・二五～一二・一）

（書）書評　（紹）紹介　（記）関連記事　（イ）インタビュー　（テ）テレビ　（ラ）ラジオ

一〇・二五～　（記）共同配信「「新しいアイヌ学」のすすめ」（「時言」／「奇跡の書」）

一一・八　（記）東京新聞／中日新聞「ナイチンゲール」（「筆洗」）

一一・二二　（記）日本経済新聞「後藤新平の「仕事」」（「読むヒント」／「鉄道150年　未来への課題」／「人口減で採算悪化続く」／「赤字路線の戦略明確に」／山田剛）

一一・二三　（記）聖教新聞「「新しいアイヌ学」のすすめ」（「社会・文化」／「『新しいアイヌ学』が目指すもの」／「先住民族の権利回復が課題」／「違いを尊重し協働して築く」／小野有五）

一一・二四　（記）琉球新報「東アジア国境紛争の歴史と論理」（「尖閣情報『見極め必要』」／「都内で佐藤〔優〕、泉川〔友樹〕さんら講演」／斎藤学）

一一・二五　（書）週刊読書人「経済学の認識論」（「危機感あふれるラディカルな批判」／「視野狭窄と歴史からの乖離を克服する」／遠山弘徳）

一二・一　（書）週刊読書人「新しいアイヌ学のすすめ」（「アイヌの始源に寄せるナラティブ」／「最新の科学的知見と愛で真実の歴史の復活を描く」／工藤正廣）

＊タイトルは仮題

すべての生きものたちの食卓を夢見て

万物の宴

すべての生命体はひとつ

ジュール・ミシュレ
大野一道編
大野一道・翠川博之訳

『フランス革命史』完成に消耗したミシュレは、一八五三年冬、若妻アテナイスとともに北イタリアへ赴く。自然との不思議な交感を得ると同時に、その地の貧窮、飢餓を目の当たりにし、万物が交歓する、革命を越える「宴」を幻視する。自然史、地球史へと関心を広げていく転換点を暗示した、未完の重要作の初邦訳。

歴史と詩を語る貴重な講演を収録

金時鐘コレクション 全12巻

11 歴史の証言者として

「記憶せよ、和合せよ」ほか　講演集II

在日朝鮮人の歴史をふまえて日本語と自身の関係を問い、尹東柱の詩作品の翻訳を通して現代詩の可能性を追求。そして長い沈黙をへて語り始めた重い経験、済州島四・三事件、吹田事件。一九九〇年代半ばから現在までの主要な講演を収録。

〈解説〉姜信子　［第8回配本］

＊配本が諸般の事情で大変遅れましたことお詫びします。

四つの地域の研究者による学際的成果

植民地化・脱植民地化の比較史

フランス－アルジェリアと日本－朝鮮関係を中心に

小山田紀子、W・ブリュイエール＝オステル、吉澤文寿 編

I　植民地化・植民地支配と民族運動・労働運動
慎蒼宇／小山田紀子／ル・ルー ブレンダン

II　脱植民地化の過程
ダホー・ジェルバル／渡辺司／吉澤文寿

III　独立／解放後の政治と経済
渡辺司／福田邦夫／吉澤文寿

IV　人の移動と被植民者（移民）の地位
鄭栄桓／アフメド・マヒウ／カメル・シャシュア

V　フランス・アルジェリア・日本から見たグローバル史
小山田紀子／ル・ルー ブレンダン／福田邦夫

VI　植民地と文学
鵜戸聡／申銀珠

VII　戦争の記憶と植民地責任論
小山田紀子／ウォルター・ブリュイエール＝オステル／鄭栄桓／平井美津子

結び　ウォルター・ブリュイエール＝オステル

政治的対立は、なぜ排除をもたらすか

自決と粛清

フランス革命における死の政治文化

ミシェル・ビアール
小井高志訳

〝自由か、しからずんば死か〟。フランス革命の第三次議会、国民公会（1792-95）の人民代表者のうち約一〇％、百名近くが死刑、自死という非業の死を遂げた――。フランス革命史学の最高の継承者が詳細に明かす、〝死を賭した政治参加〟という革命の美学と、恐怖政治のもとでの〝粛清〟のメカニズム。

1月の新刊

タイトルは仮題、定価は予価。

震災復興はどう引き継がれたか ＊
関東大震災・昭和三陸津波・
東日本大震災
北原糸子　A5上製　五一二頁　カラー口絵8頁 モノクロ口絵4頁　五八三〇円

アイヌの時空を旅する ＊
奪われぬ魂
小坂洋右　四六上製　三五二頁　二九七〇円

高校生のための「歴史総合」入門
——世界の中の日本・近代史（全3巻）
II　欧米の「近代」に学ぶ ＊
浅海伸夫　A5判　四七二頁　三三〇〇円

女がみた一八四八年革命（下）＊（全2分冊）
ダニエル・ステルン
志賀亮一・杉村和子訳　四六上製　七〇四頁　四八四〇円

2月以降新刊予定

核分裂・毒物テルルの発見
原爆／核実験／原発被害者たちの証言から
山田國廣　協力＝本間都　カラー図多数

自決と粛清 ＊
フランス革命における死の政治文化
ミシェル・ビアール
小井高志訳

植民地化・脱植民地化の比較史 ＊
フランス－アルジェリアと日本－朝鮮関係を中心に
小山田紀子、W・ブリュイエール＝オステル、吉澤文寿編

金時鐘コレクション（全12巻）内容見本呈
11 **歴史の証言者として** ＊
「記憶せよ、和合せよ」ほか　講演集II
〈解説〉姜信子〈解題〉細見和之［第8回配本］

別冊『環』28
後藤新平——衛生の道
後藤新平研究会編
青山佾／笠原英彦／楠木賢道／姜克實／西澤泰彦／春山明哲／檜山幸夫／伏見岳人／三砂ちづる／渡辺利夫 他

戯曲 **「正義の人びと」**
〈対談〉篠井英介・中村まり子
戯曲 **「戒厳令」**
〈鼎談〉松岡和子・松井今朝子・中村まり子
アルベール・カミュ
中村まり子訳　〈解説〉岩切正一郎

万物の宴 ＊
すべての生命体はひとつ
ジュール・ミシュレ
大野一道編　大野一道・翠川博之訳

好評既刊書

「友好」のエレジー ＊
中国人がみる「日中国交正常化五十年」
王柯編
賀衛方／張倫／賈葭／唐辛子／劉燕子／李鋼哲／慕容雪村／王柯
四六変判　二三二頁　二八六〇円

女がみた一八四八年革命（上）＊（全2分冊）
ダニエル・ステルン
志賀亮一・杉村和子訳
四六上製　七一二頁　四八四〇円

美術商・林忠正の軌跡 1853-1906
19世紀末パリと明治日本とに引き裂かれて ＊
木々康子・高頭麻子編著
A5上製　七二〇頁　カラー口絵16頁 モノクロ口絵32頁　九六八〇円

「アメリカ小麦戦略」と日本人の食生活 ＊ 新版
鈴木猛夫
江崎道朗＝新版序
四六判　二七二頁　二七五〇円

アイヌ力（ぢから）よ！
次世代へのメッセージ
宇梶静江
四六変上製　三一二頁　カラー口絵4頁　二四二〇円

＊の商品は今号に紹介記事を掲載しております。併せてご覧戴ければ幸いです。

書店様へ

▼本年もよろしくお願いいたします。引き続きのご支援、ご協力、何卒よろしくお願い申し上げます。▼12／3（土）『読売』「五郎ワールド」にて**『奇跡の対話』**紹介、大反響！「今年9月に一〇〇歳となった鮫島純子さんと、来年3月には九〇歳になるアイヌ文化の伝承者宇梶静江さん…合わせて一九〇歳の対談、インタビューは「よく生きる」とは何かを身をもって示してくれている。…お二人の生き方からは、時代を超えて大切にすべき徳目が浮かんでくる。」（橋本五郎さん）▼12／17（土）『毎日』「二〇二二年・この3冊」にて、**『ナイチンゲール』**（内田麻理香さん）、**『ハイテク専制国家・中国』**（藻谷浩介さん）、**『地中海と人間』**（本村凌二さん）、**『エマニュエル・トッドの冒険』**（磯田道史さん）紹介。▼12／3（土）『朝日』にて**『加賀百万石の侯爵 陸軍大将・前田利為 1885-1942』**書評（保阪正康さん）。▼12／4（日）『読売』書評欄「記者が選ぶ」にて**『高校生のための「歴史総合」入門（全3巻） 世界の中の日本・近代史I』**紹介。さらにご展開を！（営業部）

出版記念講演会

中国政府系メディアが語る 日本の「戦後レジーム」

▶王柯氏

▶秦暉氏

小社は昨年、好評を博した王力雄『セレモニー』出版を受け、王力雄＋王柯の往復書簡『「ハイテク専制」国家・中国』、日中国交正常化五十年を記念した『「友好」のエレジー』（王柯編）の二作を出版しました。

〈総合司会〉王柯（神戸大学名誉教授）

〈講演〉秦暉（東京大学客員教授・中国清華大学名誉教授）

〈コメント〉梶谷懐（神戸大学教授）

〈討論者〉賀衛方（北京大学教授 online）

慕容雪村（作家 online）

王力雄（思想家・作家 online）

【日時】1月28日（土）14時開会（〜18時頃）

【場所】神戸大学瀧川記念学術交流会館

＊参加無料

出版随想

▼新年あけましておめでとうございます。今年も精一杯全力で出版に励みたく思っておりますので、ご支援ご協力何卒よろしくお願い致します。

今年も出版業界は厳しい年になりそうだ。この数年毎年のように売上げは下降線をたどっている。本を読まないのか、読むに足る本がないのか、本に支出する金がないのか？　購買者の財布のヒモは固く閉じたままだ。新聞業界も相当厳しいようだが、我が出版業界も、日に日にやせ細ってきている。何とか成って欲しいと祈るばかりである。こんな時代だから、元気が出る本を出しているつもりだが、読んでもらえないと元気になってもらいようがない。

▼作家、詩人、思想家の石牟礼道子が亡くなってもうすぐ早や五年が経つ。昨年暮れに、彼女の仕事の協力者だった渡辺京二氏が享年九二でこの世を去った。前日まで机に向かっていたそうだから大往生だったらしい。氏とは、『石牟礼道子全集』刊行の時からだから、たかだかこの二〇年のお附き合いといって良い。ただ、拙の学生時代から雑誌『暗河』などで健筆を揮っておられたので、一読者としてこの半世紀、蔭ながら氏の仕事は見てきたつもりだ。'88年、幻に終わった『清水幾太郎著作集』の解説を快く引き受けていただいた時が、初めての肉声での対話だった。

▼氏には『全集』刊行に多大なる協力を戴いた。その刊行中、何度も石牟礼宅にお邪魔したが、その折、必ず渡辺さんが足を運ばれた。その石牟礼さんの仕事の周辺をテキパキと片付けておられる様子を見て、この方は、高群逸枝と橋本憲三夫妻の、橋本憲三の役割を買って出ておられるのかな、と思ったこともある。とにかく石牟礼道子専属の編集者の役割を見事にこなしておられるように感じた。その渡辺さんから『全集』本巻完結時に「新たな石牟礼道子像を」という一文を戴いた（『環』五三号、二〇一三年春）。今それを読み返してみると、この方は、やはりこの『全集』の最大の良き理解者であったことがわかってくる。

「この度の『石牟礼道子全集』の刊行は、いまだ評価未確定の文業の真価を、初めて包括して広く世に知らしめるという、普通の全集よりずっと積極的な、冒険的な企図の上に立つものではなかったろうか。事実、石牟礼道子という近代日本文学史上真に独創的な作家に対する社会的評価は、……『全集』刊行中に著しく上昇し、確定したように思われる」と。

合掌（亮）

一八五二年の春、三〇年を過ごした教壇と二二年を過ごした国立古文書館を後にして、わたしは生まれ故郷のパリを初めて離れ、ブルターニュとヴァンデに近いナントの郊外に孤独な生活を求めた。[1]〔一七〕九三年の歴史[2]を書いているところだった。

出発の前、最後に訪ねたのは、その時代のことを幾度となく話してくれた人、すでにペール＝ラシェーズ〔現パリ二〇区にある墓地〕にいたわが父〔一八四六年没〕であり、その時代にフランスを守り、祖国に栄光を与えた不滅の死者たち、ダントン、デムーラン、クローツ、ロベスピエール、サン＝ジュストらであった。彼らは〔大革命の時代にはさまざまに対立していたが、いまや〕モンソー市門のところで和解して、一緒に眠っている。[3]

ナント、ミシュレ大通りにある、彫刻家ジョルジュ・バローによるミシュレの記念プレート

彼らの心をわたしは一緒に持って行った。そして、とても辺鄙な場所で、あの残酷かつ崇高な歴史を書いたのだ。

パリでの陰鬱な想いに対する一種のアリバイ〔＝現実逃避〕のようなものがそこに見出された。美しい季節に助けられて、わたしはあの戦いの年、一七九三年を力いっぱい書いた。

次いで雨模様の冬がやって来て、一七九四年の悲惨へとわたしを沈めた。フランスがその心を引きちぎられ、同胞の間に軋轢（あつれき）が広がった時期である。それにつれて少しずつ、わたし自身もひどく傷つけられてゆくのを感じた。ジェルミナール[4]にはダントンの死期が身近に感じられるようになり、テルミドール[5]には、そうした感覚がよりいっそう強くなった。その反動でわたしはぐったりしてしまった。

あの手の話となると一五分以上は読めないものだ、ある善良な革命支持者がそう言っていた。胸が詰まってしまうのだと。わたしも同じように感じる。それで、そんな気分を乗り越えようと、テルミドールを書いた後、一七九五年の「白色テロ」〔四月から五月にかけて起きたウルトラ王党派による共和派へのテロ〕に着手しようと思った。しかし、どうしても書けなかった。

わたしに残されていたのは、ただ〈自然〉の声に従うこと、変えることだけだった。思想ではなく（自らの魂をどうして自らの外に置けるだろう?）、なすべき事や場所、風土を変えることだった。わたしは〔ナントのような〕霧の多い北西部とは逆の風土を、フランスとは異なる空気を求めた。そしてイタリアを、わたしの第二の母にして乳母であるイタリアを頼った。わたしが若かりし頃、イタリアはウェルギリウスの乳を飲ませてくれたし、成人してからはヴィーコで養ってくれた。ヴィーコは、わたしの心を何度も蘇らせてくれた力強い気つけ薬である。別の時期のことも思い出した。一八三〇年、仕事でぐったりしていたうえに、広大な未知の国ドイツへの旅行を強行して疲れ果ててしまった時のことだ。あの時は頭ががんがんして息もできなくなってしまい、ついに馬車に飛び乗った。リヨンを過ぎて、アルプスが見えてくると気分が良くなった。モン＝スニ〔サヴォワからイタリアへ抜けるアルプス山中の峠〕の下り坂で、わたしは快復した。ロンバルディアの平原地帯に入った頃には、若々しく蘇り、疲れ知らずになっていた。あたかもこの地にあって、アルプスの水をもたらし続けるあれらの大河のように、衰えを感じさせぬ炎を惜しみなく与えるあの力強い太陽のように。

その後、一八三八年にもわたしは奇跡的な効果を経験している。ライン川、ローヌ川、青きティチーノ川〔スイスからイタリアへと流れポー川に入る〕へと水を注ぐサン・ゴタール〔スイス中部にある峠〕の頂から下って行った時のことである。まるで流れに呑み込まれたかのように、わたしはその力強い水の生命力を授かった。昼前に通過したベリンツォーナとルガーノ〔ともにスイス中部にあるイタリアに近い町〕では、頭髪に、顔に、不思議な風を、愛の息吹のような、偉大なる母イタリアの息吹を感じた。つねに若く、また若返らせてくれる母、永遠に愛してくれる母、イタリアの息吹を。

ヴィーコ
Giambattista Vico（1668-1744）

永遠（とわ）ニ栄（は）エアレ、作物ノ大イナル母、さとぅるぬすノ地ヨ、
勇士ラノ大イナル母ヨ！——
——メデタキ様（さま）ハふりゅぎあノ、きゅべれノ地母神
神々ノ母タルコトヲ喜ビテ
城壁象（かたど）ル冠（かん）ヲツケ、車ヲ駆ッテふりゅぎあノ町々ヲ通ル様ニ似ル[6]

そこで今回、これが最後になるかもしれないが、わたしはイタリアに救いを求めに来た。イタリアには変わらぬ信をおいていたし、その懐にある生命力に強い確信を抱いていたので、それに賭けたのである。傷みをさらに増した心をわたしはこの地に持ってきたのだが、しかし心の内には、不幸そのもののなかで強まった不屈の希望が満ちていた。

わがテントをどこに設営できただろう？　アルプスからさして遠くない、自由の最果てジェノヴァあたりか。ジェノヴァの先で暮らせるだろうか？　もっと遠くとなるとどうだろう、貧しきイタリアは、異邦人を迎えられるような自前の炉辺（ろばた）を持っているだろうか？

そこでわたしは海岸に、山肌露わなアペニンが海まで押し出した岩の尖端に腰を落ち着けた。

そこには、たいそう荘厳ではあるがとても貧しい大理石の景色があり、真正面にアフリカを、

斜め横にイタリア半島を望みつつ、ジェノヴァの周辺百里におよぶすり鉢状の地形が広がっている。

ジェノヴァの海岸はひどく荒々しく、空気の状態と気温が甚だしく変化する。陽射しが傾いて細くなるにつれ、風も絶えず変わる。アペニン山脈の破れ目から北風が吹き、またその寒風に匹敵するほどの東風が吹く。強者を鍛えるには適した気候である。弱者や病人の命を縮めるのに適した気候でもある。大海原を征服すべく、また地上の嵐を征服すべく、激烈な才能が育まれる土地だ。

十一月、病を抱えてイタリアに入るのに、今回はハンニバル〔ローマと戦ったカルタゴの将軍。前二四七―前一八三頃〕が通った山道ではなく、〔一七〕九二年と九六年にわが共和国軍が通った海岸沿いの道を行くことにした。(7) いくつもの渓谷や急流に遮(さえぎ)られる崖縁の険しい道で、そこを二日二晩かけて、アペニンの眉のごとくに狭い、大理石の斜面を移動するのである。

名残惜しい思いをさせようとしたのか、フランスは、プロヴァンスまで来たわたしたちにイタリアよりも暖かい夜を与えてくれた。健康状態はとても悪かったが、ほとんど空の真下に開かれた帷(とばり)をわたしたちは次々に通過した。イタリアに入ると突然、冬が炸裂した。

注

（1）一八五二年、ルイ・ナポレオン政権への忠誠を求める署名を拒否したミシュレはすべての公職を追われた。四月にコレージュ・ド・フランスを罷免され、六月に国立古文書館を辞したミシュレがアテナイスと共に、パリを去ってナントに移ったのは六月十二日のこと。翌五三年の十月十五日までここに滞在した。夫妻はその後いったんパリに戻り、十月二十九日にパリを発ってイタリアへと向かった。

（2）一八五三年八月一日にシャムロ社から同時刊行されることになる『フランス革命史』第六巻、第七巻（最終巻）のうち、九三年を扱っているのは第六巻。ジロンド派の逮捕からヴァンデ戦争、マラーとシャルロット・コルデの死、王妃の死、ロベスピエールの台頭までが扱われている。続く第七巻で、エベールとクローツの死、ダントンとデムーランの死、ロベスピエールの死までが扱われている。

（3）現在のパリ八区、モンソー公園の東側にかつて関税徴収のために設けられたモンソー市門があった。その市門の傍に、デ・ゼランシス墓地（モンソー墓地とも呼ばれた）があった。革命期のパリにおいて斬首刑に処せられた人々を埋葬するため一七九四年に開設された墓地で、九四年三月から九五年五月までに処刑された人が埋葬された。ミシュレがここに名を挙げている人々も処刑後ここに葬られている。墓地は九七年に閉鎖され、遺骨はパリ地下納骨所に移されたので、ミシュレはその名残を求めてこの界隈を逍遙したのであろう。

ジョルジュ＝ジャック・ダントン（一七五九—九四）。ジャコバン派の指導者の一人。恐怖政治を批判してロベスピエールと対立し、処刑された。

カミーユ・デムーラン（一七六〇—九四）。革命初期からダントンと行動をともにして、同じ運命を辿った。

ジャン＝バティスト・ド・クローツ（一七五五―九四）。一時はジャコバン派の総裁を務めたが、ロベスピエールによって反革命的過激派と断ぜられたエベール派の一人として、三月二十四日に処刑された。

マクシミリアン＝フランソワ・マリー＝イジドール・ド・ロベスピエール（一七五八―九四）。ジャコバン派の中心人物。分派を粛正して独裁体制を維持しようとしたが、国民公会多数派のクーデター（テルミドール九日）によって逮捕、処刑された。

ルイ＝アントワーヌ＝レオン・ド・サン＝ジュスト（一七六七―九四）。ロベスピエールの片腕として辣腕を振るったが、テルミドール九日の反動で彼と同じ運命を辿った。

（4）革命暦第七月（グレゴリオ歴三月二十日／二十一日―四月十九日／二十日）。ここでは、ミシュレがナントで迎えた五三年の三月と、一七九四年三月二十九日＝ジェルミナール九日、寛容派のダントンが逮捕された日が重ねられている。ダントンは四月五日＝ジェルミナール十六日に処刑された。

（5）革命暦十一月（グレゴリオ歴七月十九日／二十日―八月十七日／十八日）。ミシュレ夫妻がナントを去る直前の七月と、一七九四年七月二十七日＝テルミドール九日、ロベスピエールが失脚した日（翌日に処刑）が重ねられている。

（6）ウェルギリウス『農耕詩』と『アエネーイス』からの引用。二行目までは『農耕詩』第二歌一七二―一七三行前半部の引用。三行目から五行目は『アエネーイス』第六巻、七八四行後半部―七八六行前半部の引用である。引用前半の「サトゥルヌス」は古代ローマの農耕神。後半の「キュベレ」は古代フリュギア地方（小アジア北西部）の大地母神で、頭に城壁を象った冠をつけているとされる。神々の母とも呼ばれ、古代ローマでは毎年春にその祭りが盛大に祝われた（ラテン詩訳出にあたってはウェルギリウス『牧歌・農耕詩』〔川津千代訳、未來社、一九八一〕と『アエネーイス』下〔泉井久之助訳、岩波文庫、一九九一〕を参照させていただいた）。

（7）一七九二年九月、フランス軍は当時サヴォイア家サルデーニャ王国領だったニース（ニッツア）とその周辺を占領。九六年五月から六月、イタリア派遣軍司令官としてナポレオンが率いる軍がイタリアに侵入。北イタリアを統治するオーストリア帝国軍と同盟国のサルデーニャ王国軍と戦った。ナポレオン帝政の崩壊後、ニースは再びサルデーニャ王国領に戻っているので、ミシュレ夫妻はプロヴァンスをフランスの境界と見なしている。

第一部　イタリア　わが再生（ルネサンス）

追放サレタ者タチヨ！
何もないけれど、この大群衆を
わが家の宴に招待する

山々、星々、トカゲたち[1]

人間は本性からして集いよって生きる（ソシアブル）〔＝社会的な〕ものだから、決して長いこと一人ではいられない。わたしはいくつかの友情を結んだ。三種類の人的存在（ペルソナ）と、まず山々、海、そして星々とである。

星々と海

この国ではあなたが物たちのほうに行く必要はない。物たちのほうがあなたの所に来るように思える。異常なまでに澄み切った空気が、彼らをくっきりと目立たせ、彼らはあなたの目そのものに達する。あんなにも遠いものが、じっと眺めているうちに近づいてきて、あなたに触れにやってくるようなのだ。目をそらし、注意をそらし、知らん振りしていることなど、容易にできるとは思わないでくれ。そうではないのだ、自然がここでは押し掛けてくるのだ。まるでこう言っているみたいに、「君が私の所に来るのではなく、私のほうが君の所に行くよ……君もね、遅かれ早かれ私の所にくるのだ……　君は私のもの、君は私に属しているのだ」。

夜は、昼の明かりの千倍にも値する。それは光の真の祝祭となる。いずれにせよあらゆるものがそこにいて、真昼よりもさらに優しくなっている。天の旋回運動にこれほど興味を感じたことはなかった。わたしは星々を知り始めた（最も目につく面でということで）、そう、天文学的にではなくいわば個人的に、親しき者として。その方面は無学で、学術的な名称は知らなかったから、ただ親しみを表す小さな名前をつけては、星々相手に話をした。そのことで星たちが機嫌を悪くするようには見えなかった。わたしが彼らを敬っているとわかっているように思えた。彼らの完璧な時間の正しさ、自分たちの働きを見えるかたちで懸命に果たしている様子、それらをわたしは労働者の鑑、模範、教訓のように眺めていた。生きた教訓だと思いたかった。彼らの運行は計算できるものだとして、だからといってそれらが人的存在でないとも、また引力に従っているので、そこに義務の感情や世界に役立っている喜びが結びついていないとも、言いきることはできない。

心をそれほどまでには委ねなかったが、もう一人の人的存在、それはわが足元に白波を立ててやってくる青く美しい海〔地中海〕だった。おお！　海は付き合おうと言いたげにやってくるのだ。新しいこうした友愛関係のなかでも、海は一番おしゃべりが激しく、一番人を招きよせ、一番熱意に溢れたものだった。ひどく意地悪な海というのは、これまで見たことがない。それはつねに楽しませ、つねに変化に富み、無限に多様な姿を見せる。そのうえ神秘めいたところもない（その恐るべき兄弟、大西洋とはまったく違う）。何の魂胆もないのだ。三〇ピエ〔およそ九メートル〕の深さまで覗いてみると、信じられないくらいエメラルド色をした緑の海藻や、あるいは白や黒の喪柄のような大理石の美しく輝く塊があって、うっとりと見とれてしまう。こうしたものに驚かされて、わたしは時おり海に語りかけた、「なんで君はこんなに生き物に乏しいの？……　どうしてこれほど住む者がいないの？　虫もいなければ貝もいない、かろうじて魚はいるようだけど……」沖合で海釣りしている人々は次のように断言する。ここの海にはほとんど獲れるものがない、その代り、とても透明で、ごく深いところまで光を受け入れる。他ではどこも、魚たちの色彩が乏しいのに、ここの魚が見事に色どられているのはそのおかげだと。

山々

ジェノヴァの〔海の〕刻々と姿を変える流れは、つねにおしゃべりし、つねに攪拌し、小舟や商船の楽しげな往復運動を、つねに水平線上で見せてくれる。それは新しいあれこれの対象を絶えず精神に提供し、あなたの思索を中断させる。そこで、最も一貫した真剣な関係を、わたしはむしろ山々と結ぶことになった。それらは、いっそうしっくりとくる堅固で重々しい人的存在だ。少しずつ、わたしはそれらすべてを知っていった。そしてそれらの特徴を理解し、それらの沈黙の言葉を聞き、当然のことながらそれを喜ぶようになった。東方に見える水平線はせいぜい三里先までだが、岸壁の西側は円形の湾がほぼ五十里先まで見渡せる。長くかすんだ山並みがあって、主だった山々の起伏には心がいつも魅せられていた。サヴォナ〔ジェノヴァ西方五〇キロほどにあるジェノヴァ湾に面した町〕の深い褶曲（しゅうきょく）、アルベンガ〔ジェノヴァ西方八〇キロほどにあるジェノヴァ湾に面した町〕方面の峡谷。そこではアペニン山脈が、われらがイタリアの軍勢の前で、つまりニース、ル・ヴァール県〔ともに当時はまだイタリア領〕といったあの称賛すべき土地の入り口付近で、海のところにまで下ってきている……　そこに見えるすべての山々が、晴れ渡った空のもと、北方の汚れない雪の王冠を戴いていた……

わたしはこの大いなる景観を、かつてバーバリ人〔アフリカ北西部、沿岸部の住民〕に抗して建てた防御施設の残骸である小さな塔の足もとから一望していた。しばしば、というよりたいていの場合、わが想いはさほど四散することなく、まさに眼前に展開する山々と調和していった。わたしは、わが海岸にまで張り出しているそれら隣人たちに、謹厳な友人たちに言った、「おしゃべりしようよ」……

ああ！　彼らはいろいろ教えようと、わが心に何とよく話しかけてくれたことか！　何とうまく彼らと理解しあえたことか！　示唆に富む景観なのだ！

ジェノヴァの後ろに控えるのは、樹木ひとつなく土埃舞うクアルト＝クイントの山や、その少し先に見える、ほぼ同様に木のないもう一つの山であるが、それらの前面にはハゲワシの毛のない首のような形のカポ・ロンゴの山があって、まるで背後の禿山の一部や、さらにはネルヴィの耕作された山をも隠そうとしているようだった。痩せて身にまとうものの少ない二人の姉が、背後でお互い手をつないで、とりわけ愛する弟を、この生き生きとしたバンビーノ〔イタリア語で男の子〕を、うっとりとしながら見せびらかしているみたいだ。

これら地肌がむき出してやせた山々は、どんなことを言っているのか？　――「われわれは封土〔封建時代領主から臣下が受け取った土地〕なのだ！……　ドリア家〔中世時代を通し神聖ローマ皇帝側にたっていたジェノヴァの名家〕やスピノラ家〔ジェノヴァ出身でスペインの将軍となったアンブロッジオ（一五六九―一六三〇）他がいる〕の高貴な手中にある代替地、あるいは公共の哀れな牧草地で、万人の財だったゆえに金持ちたちに食べられていたのだ（貧民はそもそも〔草を飼料とする〕家畜の群れを待っていない）……　だが反対にネルヴィを見てごらん、労働は、なすべきことをどれほどなしたことか！　段々畑のなんと得意げなこと！……　もしもああした運命的な影響力が、生命の循環を、道路の行き来や水の流れを滞らせずにいたなら、この町はさらにもっと美しく見えるだろうに！」

山が語るちょっとしたこうした言葉が、アペニン山脈の全歴史であったり、貧しいイタリアわが隣人を、かの地で、の歴史であったり、この物思う大地の内なる夢であったりする……　わが隣人を、かの地で、かくも真面目な哲学者に仕立ててしまうのは、ポルトフィーノ岬だ。

ネルヴィの暗礁沿いの孤独な時間にわたしが学んでいた多くのことを、スニオン岬〔ギリシアのアテネ南方にある〕も知らなかったし、言ってもくれなかった。〔ポルトフィーノの〕指三本の幅しかないようなあの岸壁、断崖沿いの草一本生えていない不毛の小石道、そこを通るときわたしは、もの悲しい花以上のものをしばしば与えられ、家に持ち帰った。

トカゲたち

貧しい者でなければ、誰が与えてくれただろう？……　心なごむ思い出のなかから、さらに、あの頭の良い小さな連中の名を挙げておくべきだろう。彼らは昼ごろあの岸壁で、素早い動きでわたしと一緒に太陽を探しながら、わたしに多くの想いを抱かせてくれた。

あれほど優雅に、敏捷に、素早く歩く彼らを、ヘビの中に分類してしまう愚かな分類法に、わたしは一度も同意したことがない。類似した生活条件に置かれたと仮定してみよう、われわれも必要に応じて自分たちの体を変えてゆくだろう。狭い通路に滑り込むために頭部は平たくなるだろう。手は大きく開いた形になって、垂直の壁にさっとしがみつけるようになるだろう。また、ほとんど保証がない不安な生活のなか、安全も休息もなく目覚め続けているのだから、目は飛び出た形になっていくだろう。彼らの腕は、まさに腹這いで逃げながら、頭をもっとまっすぐに立てて観察し眺めようと、肘をついて身を起こしたときの、人間の腕のようだ。

　彼らの観察能力には、とてつもなく驚かされた。彼らはわたしのように、食事の時間や一人でいる時間をきちんと決めていた。逃げ足も速かったが、しかしあらゆる種類の人間から無差別に逃げるのではなかった。やがてわたしは、光栄にも彼らから無害な散歩者と見なされるようになった。わたしが近づくと、彼らはゆっくりと、いくらか距離はとるものの、恐れている様子は明らかになかった。年を取っていると思われる連中は、こんなふうにわたしを扱いながら、それでもしっかりとわたしを見つめ、慎重に視野から見失わないようにしていた。慎重に、だが普通なら恐怖をおぼえる巨人の仲間である一人の男を、存分に眺めることに悪い気もしていなかった。未経験の年若い連中や全く小さな連中は、経験不足でこうした判別ができなかったから、狼狽し取り乱して逃げて行った。危険から逃れるために危険に身を投じるくらいに恐れおののいて、時には迂闊にもわたしの足もとにやって来ることがあった。

　わたしと同じくらい寒がりで、彼らはギリシア風（かぜ）を、この地の耐え難い東風を、うまく避けようと工夫していた。きちんと修繕されていない古壁が、彼らにしっかり南を向いた快適な冬の住家をふんだんに提供していた。ただ一つのことがわたしの心を揺らし、当惑させていた。彼らは何を食べて生きているのだろう？　人々が言うには、適当な折に、果樹園にある摘み残しのブドウの実をくすね、虚弱な老人たちがするようにその果汁を吸って、自分たちの冷たいわずかな血を温めるのだそうだ。だが一般に、トカゲたちは栽培に害を与える以上に奉仕している。作物の害虫がほぼ見当たらないのは、思うに、とりわけ彼らのおかげなのだ。

彼らは陽気で付き合いが良いように見えた。ほとんどいつも二匹ずつで動き回っていた。しょっちゅうお互いに追いかけっこをしていたが、しかし激した様子ではなく、無我夢中になって喧嘩したり愛をもとめたりしているのではなかった。互いに後をついていって、それから何か別の事を想ってか、離れ離れになる。所有物を求めて、たとえば一枚の乾いた葉っぱを求めて争っているのを見たことがある。巣を作ろうとしてだったらしい。時にはもっと得難いもの、一羽の羽虫の所有を争ったりしていた。

笑うなかれ。食べる物がひどく不足しているこの地方では、太った風味あふれる羽虫は、この種の連中にとっては、かなり贅沢な家畜なのだ。

この地の人々

思い出すのは、この地方の複雑きわまる勘定が嫌になり、払うべき値段より一、サンティーム余計に払って、それを心づけにやったときの、あの女商人の、至福に満ちた驚きや隠しきれない仰天ぶりだ！

このサンティームと羽虫とは、この地方について多くを告げてくれる。

山の上に住む者たち、乾燥した頂に吹き飛ばされた枯れ葉を集める哀れな者たちにとっての羽虫は、かの地の人々がああした悲しむべき仕事で稼ぐ、一五ないし二〇サンティームだ。

丘の中腹に住む者たち、とりわけ……　石を産出する乾いた灰色の土地を掘る者たちにとっての羽虫は、かの地の人々がジェノヴァでただ同然で売っている、貧相なオレンジとか酸っぱいレモンだ。

丘の下に住む者たちにとっての羽虫は、かの地の人々が全生涯かけて海に求めに行く、はるか彼方の、危険にみちた不確かな利益だ。食うや食わずの男たちは、とりわけ大胆な連中だ。傷んだ古い魚を食べ、みなのために小舟に乗って大海原を横切りながら、クリストファー・コロンブスがなした以上に節約しながら日々を過ごしてゆく、われ知らず英雄的な連中だ。気がかりを抱きながら、彼らが港を出てゆくのが見える。海岸沿いを行ったり来たり、心配げに航行しているのが見える。地上の事もやはり心配で、自分の家の窓辺をあれこれと思い描く。もっともなことだ！　あれほどの努力、すばらしく冒険心に満ちた勇気、それに対し、あるかなきかの稼ぎ！

海に陸に、冒険心と賢明な大胆さに満ちたなんと多くの男たちがいることか！　マッツィーニ〔「青年イタリア」を作るなどした社会運動家。一八〇五―七二〕はジェノヴァ人だ。このリグリアの海岸は、フランス共和国に偉大な将軍マセナ〔ナポレオンに「勝利の女神の寵児」と称された。一七五八―一八一七〕を与えた。イタリアには、人気高い将軍、海の戦士ガリバルディ〔「青年イタリア」に加入、イタリア統一に貢献した。一八〇七―八二〕を与えた。イタリアの論争作家の第一人者ボナヴィーノ〔ペンネーム、アウソニオ・フランキ、一八二一―九五。第二部「民衆の魂とその宴」の注（1）参照〕もジェノヴァ人だ。強靭な種族で、背は低いが辛いことにも耐え、はがねのような才能、何か鉄をも貫く切っ先のようなものを、厳しくも与えられた人たちだ。彼らはそのことに気付いていないなどと言っても駄目だ。彼らは発見し、発明する、少なくともいくつもの切り抜け策を。ここ山のなかには時計技術と無縁の人がいるが、その彼が最も複雑な時計を修理しているのだ。サヴォナで見られる人々は、数学も建築も知らないまま堅固な良い船を建造し、南アメリカに売りに行く。

あるイギリスの戦艦が、先日、ヨーロッパとアメリカの中間あたりの海で、三人が乗り込んだ小さな舟と出会っている。三人は最小の装備とともに、この大海原を冷静に横断していたのだ。戦艦が声をかけて小舟を呼び寄せる。イギリス人には信じられない気分だ…… そして仲間の乗組員たちに彼らを指し示して言う、「海上でこんな危険を冒すのはジェノヴァ人しかいないよ」。

彼らは精力的であるのと同様、賢明な人々だ。無益な危険は少しも求めない。では何を求めているのか？ 彼らには、次のような航行条件が出されている。できる限り安上がりに、少人数で、食料は少なく、というもの。彼らにとって海は四旬節〔キリストが荒野で四〇日間断食したのにならう節制と悔悛の期間〕であり永続的断食だ。海では、甘んじてすべてを受け入れる。彼らには海が唯一の苦難克服の手段であり、陸はすべてをこばむものだ。

この大地は、では、悪しき母というのか？　それは人間たちを、多くの点で豊かな天賦の才をもつ人間たちを、ただ飢えさせ死なせるためにだけ生み出すのか？　これが、このリグリアの大地をいちずに眺めながら、その長く伸びた痩せた脇腹に、その萎れた胸元に、そのやせ細った両腕に、わたしが問いただし、咎めたことだ。

あるいは、むしろ次のように信じるべきなのだろうか？　神はまったくそのようなものとしては創造しなかった。この大地はかつて実り豊かだったが、人間ひとりが、自らの意に反して、器用かつ巧妙に自らを損なうことに夢中になり、ついに、母の善意をおのれに対し無力なものにしてしまったのか？　人間はあれらの山頂を荒廃させ、森と共に、豊かな水蒸気を集めていた有益な貯水源を破壊してしまったのか？……　はるか以前から人が住んでいたこの地中海の海岸に、相次いでやって来たそれぞれの民が、自らの利益のために破壊活動に勤しんできた結果、われわれその最後に位置する者の手元には（われらが父祖たちがこの自然の宴から栄養になるものを奪ってしまったので）、もはや残り物、残骸、骨しかないことになったのか？……原始の人類には生まれつつある世界の花があった……　だが全ては老いてゆき、子孫たちにはいまや、もはや遺灰しか残されていないのだろうか？……

注

（1）本章「山々、星々、トカゲたち」および次章「スピナ宮」は、それぞれ第一部の「ジェノヴァ」と「欠食の哲学」に置き換えられた、と全集版の編者フォーケは注記している。

スピナ宮（パラッツォ）

ネルヴィに家を借りる

ニースへ戻るか、あるいはそれと同等に価値あるカンヌへ戻るか、それに勝ることはなかった。とはいえこんな悪い季節に、金のかかるつらい旅をまたするのだと思うと、躊躇せざるを得なかった。マルセイユからニースへ馬車で二晩、ニースからジェノヴァへさらに二晩、ひどく疲れる旅だった。こうしたことを繰り返さねばならないのか？　友人たちは、トスカーナ地方へと通じる街道沿いにあって、アペニン山脈によって風から守られている村の話をしてくれた。ジェノヴァから二里のところにあるそこでは、すべてが変わるという。もはやオレンジとオリーヴとアロエしかない〔そこ〕ネルヴィは、楽園であり約束の地だった。人々はわたししたちのために、一月六〇フランで家具のすべてそろった小宮殿を賃してくれた（最高に平凡な家でさえ、イタリアではなんでもみんな宮殿だ）。家事は庭の管理人ツィケッタ（その地方の村言葉でフランチェスカの愛称）がやってくれることになっていた。庭はといえば、オレンジ林が海の方へと下っていた。

　ここが聞いたような楽園だとは、それほどは信じられなかったから、何よりもまず暖炉のことを調べなければと思った。暖炉はどうですか？　この質問に誰もが驚いて後ずさりした。ジェノヴァで暖炉とは、口の端にのぼることのないものなのだ。ジェノヴァ人はひどく倹約家で、仲間内ではいつも暖かいことにして済ませている。彼らは温度計を隠す。ところがひどく凍ることが頻繁に起きる。屋根の縁から、キラキラと輝く長いつららがぶら下がってきて、厳しい寒さを雄弁に物語る。構うものか！　男たちは、そんなものに注意もせず、行ったり来たりしている。彼らは仕事で熱くなっているのだ。女たちは夏の身なりのまま、小さなブラゼロ〔暖房器の一つ〕の上に座ってふるえている。

　わたしはこの宮殿に、寒く乾燥した灰色の空のもと、十一月八日の夕べに着いた。道路（トスカーナ街道）から突如急角度で降りていって、大きなブドウ棚の下に入った。そこから黒大理石の大きな外階段を上って家にあがった。並みの大きさ、というよりか小さめの家で、外側は厚くペンキを塗られており、内側はとても汚かった。家の主は二年前に死んでいて、それ以降まったく掃除されていないのだ。

家の中で唯一、宮殿の名にふさわしい堂々たる構えを見せていたのは、円天井の広々とした台所で、数多くの竈が備え付けられていた。この台所は通りに対して地下室になっていて、ひどく薄暗かった、反対側からだと一階になっているのだが。小さなオレンジ林が一種峡谷のような場所を通って、下の方、ほとんど海にまでと言えそうなところにまで伸びていたが、それもまたひどく明るいといった感じのものではなかった。人が手を掛けた作物類、植物、花も（最良の季節においてさえ）まったくなかった。海に向かう眺めはといえば、遠くのほうに確かに海は望めるが、周りのものに取り囲まれていて〔見える〕景色は狭い。西に向かって右手のほうはオリーヴ林がカーテンのようにジェノヴァの側を隠しており、左手には美しい大きな灰色の禿山、イタリアの老哲学者の物思いする額のような禿山があって、まっすぐ垂直に緑の海に落ち込んでいる。それが、ラ・スペツィア〔リグリア州の町〕やトスカーナのいっそう穏やかな眺望をも、同様に隠している。

ネルヴィの自然と生活

南側は日当たりが良いが、東側で日当たりが良いのは一部。冷たく刺すような東風が当たる。北風からは背後にあるオリーヴの美しい山で一部守られているが、ときには厳しい風にさらされる。家は、ちょうど山頂から水を運んでくる早瀬の道筋にある。しかし風よりは水の方がずっと少ない。この早瀬は家の下、一部は台所の下を流れていて、絶え間なくごぼごぼと悲しげな音をたて、人の気分を暗くさせる。

無人のこの館に取り憑いている番人か管理人のような女性は、ひどく遠いところ、峡谷のはるか下にある小さな家に住んでいる。わたしたちはこのフランチェスカ・ディ・ミリーニに、その詩的な名前を聞いて初めは魅惑されていたが、会ってみると、彼女は女庭師でもなければ〔素朴な〕田舎女でもなく、ジェノヴァで以前小間使いをしていた気取り屋、しなを作る女だということが一目で見てとれた。強欲で貪欲な様子もしていたし、峡谷へと通じる小さな戸口のところにいるカエルの、あの野蛮な鳴き声に都会風の様子をまぜあわせたような女だった。そこでわたしたちは、彼女の出入りを禁じようと勇気をもって決断した。そして、何もしてもらわないまま、決められた額を支払った。別の手伝いを雇うにしても、とりわけ次のような不都合があった。まず、別の人を雇うにはいろいろ口実を考えなければならない。それに、この地の妖精、おしゃべり好きで好奇心が強く、またぬけめなく意地の悪い妖精が、しじゅう家に入り込んでくることになる。どうすべきか？　わたしたち自身で家の事をしていくのだ。わたしにはさほど能力がなかった。食事療法（日に一ソル〔フランスの通貨スーの古形〕のミルク、しかもパンなし）をしていて極端に体力が落ちていた。が、わが妻は、若くけなげだったから、体がとても弱かったけれど、すべてをやると宣言し、じっさい五カ月間そうしたのだ。つらい仕事をすることで、それまでほとんど本しか持ったことのない淑女ふうのその両手を、その両腕を、たくましくした。

館は、管理人の女の陰気な顔つきのせいか、あるいは季節の影響でか、それともわたしの健康状態のためか、縁起の悪いものに思えた。わたしが迷信深かったら、精神に悪影響があったかも知れない。早くも最初の晩から次のようなことがあった。階段の上にあるドアを手前に引いたとき、錠前（家のすべての錠前と同じく頑丈なもの）を両手でもっていたため反動で後ずさりして、階段を一〇段も飛び降りるはめになったのだ。

以前の生活と突然入りこんだこの生活との対照は、きわめて明瞭なものだった。その時までは充実し、てきぱきと活発にやっていた生活が、突然自然によって強いられる厳しい休息生活へと変わったのだ。わたしは『歴史』〔＝『フランス革命史』〕のヴァンデの章を、ロワールの河口付近〔ヴァンデ地方に近い〕の、肥沃なナント地方で書き終えたばかりだった。かの地は実りをもたらす雨が豊富で、農作物と大型船とで溢れかえっている。わたしはそこに暮らしながら、果てしない果樹園のなかを、野菜と果物に満ちた豊かさのなかを泳ぎ回っていた。それらを食べ、売り、人にやったりした。ネルヴィには、平凡なオレンジと青いレモン以外、まさしく何ひとつない。何人かの地主はしっかりと囲った小さな土地で、好奇心から一種類の野菜を栽培しているが、それが何でも特別に珍しい野菜だということで、彼らはそれを残しておいて毎朝訪ね、見とれたり讃えたりしている。羊もここではひどく痩せており、人々はあえて毛を刈るようなこともしない。裸になった姿を見るのが怖いのだ。うやうやしくも日曜日の前日ごとに、黒い毛色をした小柄な牛が二、三頭、目をギラギラとさせながら肉屋のところにやって来る。その姿を見れば、牛たちが山ではつつましく精神主義的な食べ物を摂っていたことが分かる。この知的な動物は、ドリア家〔ジェノヴァの自由都市化に尽くした提督アンドレア（一五六九—一六三〇）の一族〕やスピノラ家〔ジェノヴァの戦士アンブリッジオ（一五六九—一六三〇）の一族〕（動物を持っていた唯一の貴族たち）の荒地で育てられ、完璧に満腹して体重を増やすことは一度としてなかった。彼らは飢えと共に生き、死んでゆく。

馬はほとんどおらず、犬や猫も、いたとしてもほんのわずか。リグリア人たちは無駄めし食らいを警戒する。小鳥もいない。あの連中はどこに巣をつくっているのだろう？　オレンジもオリーヴもかなり葉が乏しく、日蔭をつくらず、隠れる場所もつくらない。平地はどこも峡谷に沿って絶壁の下に広がっており、その絶壁に小さな家々が縋りついている。そこもまた緑少なくしんと静まりかえって、荒地の音や小石の音を響かせている。そこに住んでいる唯一の動物は、リグリアの不幸な四足獣、働きもので健気で堅固なロバだ。ロバは信じがたいほどの難儀に耐えるが、抗うことがないわけでもなく、哀れっぽいうめき声をあげることもある。とても頭のいい奴で、その声は、この地で聞こえる動物が立てる唯一の音であり、その悲しみや、褒められるべきその努力や、その優しいあきらめを示しているように思える。

人間は、少なくともよそから来た者は、それほど容易にはあきらめない。ここの滞在は、火と水の差止めと同じように思えてきた。水は、山からのかすかな細い流れによって、かつがつ与えられたが、雨が降れば雨水で水脚が伸びる（が、五カ月間は降らなかった）。火はどうだ！誰も作らない。材木は五〇里先から、トスカーナの山からやって来る。わたしのところには鉄製の暖炉があったが、問題はそれにどうやって薪を供給するかだ。材木を砕かねばならなかった。なぜなら、ここでは、のこぎりがまだ作られていない。少なくとも船大工たちが、のこぎりを独占している。

こうした状態に子供時代から慣れていない者にとって、〔余剰なものと乏しいものとの〕この対比はイライラさせられるものだ。自然も、余分な物（オレンジの実や花）をひけらかしているように見える。そして必需品ではないもの、デザートを与えてくれる。が、食事を与えるわけではない。――飾られ美化された芝居的な社会で（最も貧しい藁葺の家でもペンキなどで色をぬられている）、同時に赤貧でひどく困窮しており、みな不機嫌になっている。〔わたしのように〕食餌をとらない者でさえ、やはり貧しさと飢えの感覚を持つのだ。

八日から一〇日経ったころ、ひどく弱った状態だったけれど、わたしは生活しよう、動いてみようと思い、外出を企てた。目の前にすぐ広がる無限それ自身が、わたしを隠遁生活から出るように誘っているかに見えた。そこで〔家のなかの〕大理石の階段を通って玄関前の黒い外階段へと降り、道路まで上がって行くと、ほとんど歩いていかなくても〔景色を〕見ることができた。三つの道が続いており、いずれも厳しくてきつい坂道だったが、そこから外れるわけにはいかない。坂の途中から通りは海の砂利でおおざっぱに舗装され、トスカーナ街道のように埃っぽくて往来の激しい道になった。上の方で道はカーブしていて、家や教会が、湾の最も美しい景色のなかに点在している。しかし斜面の勾配がきつく、登りは最高に元気な人にとっても激しい運動になる。第三の場所には小さな波止場、というか岩礁と庭の古壁の間を縫う巡回路がある。

粗野な土地、ジェノヴァ[1]

ジェノヴァの自然と歴史

そこ、湾の中央に座を占めたとき、ジェノヴァは地勢のことなどほとんど気にしていなかった。武装商船、略奪、海からの専制、頭にあるのはそれだけだった。土地に関心がなく、無視または軽視していたので、ジェノヴァは海と山の狭いあわいに、一段また一段と町を積み重ねていった。仰々しく積み上げた大理石の宮殿さながら、遠くから見れば宮殿の上にまた別の宮殿を載せたように見える。オレンジの果樹園や段丘で仕切られたこの壮大な階層には、魅了されるというより肝を抜かれ、驚嘆させられる。なぜか？　かほどの努力に伴う労苦が偲ばれるからである。自然への愛を知らぬああした住民が単なる娯楽でこういうものを作りあげたわけがない、これは自明の理だ。宮殿の一つ一つは複数の砦でできている。下層の窓に鉄格子を入れて鉄扉で閉ざした砦、城門のごとく重厚な砦。それで金庫を護っているのである。高みの段丘とて、常により高くなろう、上から隣人を見下ろそうとしているかのようだ。これが砦の望楼となり、かつて資本家たちはそこから海に浮かぶ自分の商船隊を眺めていたのであり、船主たちは自分の私掠船団を見送っていたのだ。

ジェノヴァは一つの町である以前に一つの銀行であった。[2] ごく早い時期には、大冒険に〔東方貿易を指しているのであろう〕出資する融資者たちの会社であり、武装した船乗りたちの組合でもあった。いつの時代も博打（ばくち）熱が凄まじく、ジェノヴァには久しく大博打への嗜好があった。戦争である。かくして、賽（さい）の二振りがその命運を分けた。運命が変わり、海上で最も勇敢であった住民に、今日見られるような商売上の用心深さがもたらされた。

賽は二度振られた。――海に向かって常に見開かれている目、あの有名なランテルナ〔一一二八年に建設された灯台〕からジェノヴァは二世紀もの間コルシカとトスカーナを、そしてトスカーナの競争相手、ピサを横目で盗み見ていた。昼夜付け狙っていた好機がついに訪れた。ジェノヴァは奇襲によって信じられぬほどの戦果を得た〔一二八四年、コルシカ島の領有を巡って争われたメローリアの海戦〕。たった一度の戦で住民をそっくり捕らえてピサから連れ出し、終生の牢獄となるジェノヴァに運んだ。

同じことをヴェネツィアにもしようとした〔一三七九―八〇年、キオッジャの戦い〕。何もなければジェノヴァは海

ジェノヴァのランテルナ

の支配者であり続けるはずだった。だが、守銭奴根性によってその地位が失われた。ジェノヴァはヴェネツィアを完全に包囲していた。長引く攻囲戦のさなか、戦士たちが我を忘れて古道具屋に、小売店主に、塩屋に戻った。自分の船で店を開き、塩を売り始めたのである。今度はヴェネツィアの艦隊が彼らの動きを封じて捕虜にした。ジェノヴァの住民の少なくとも半数がそこにいた。ジェノヴァはピサと同じ運命をたどり、再起の機会は二度と訪れなかった。

住民たちの特質

ほんのわずかな利益のために激しい情熱に取り憑かれる、ジェノヴァはそうやって大きな利益を失ってきた。コルシカ王国〔コルシカ島を領有し、王のように君臨していたということ〕に夢中になっている間に、ジェノヴァ人コロンブス〔一四九二年にアメリカ大陸を発見。一四五一頃―一五〇六〕が差し出すアメリカを拒んでしまうのである。

ジェノヴァの歴史は風変わりである。ぎくしゃくと散発的に生じる、うんざりするほど過酷な事件に満ちている。土地も同様、絶えず坂を下るために上らねばならない。住民個人の英雄的精神は町のいたるところに見受けられるが、それが常に卑小さと隣り合わせになっている。その卑小さを、わたしはジェノヴァに関する最も優れた注釈者の書物で知っていた。実業家であるヴァンサンは、シスモンディやその他どんな人よりも、その拝金主義的素質を申し分なく捉えていた(3)。

まるで野宿でもしているかのように、わたしは外套をかぶり、外套にくるまって仕事をした。すでに冬が来ていた。暖房が欲しいと思い、わたしは暖炉について問い合わせてみた。これがジェノヴァの人たちを大いに驚かせた。彼らは自慢げにこう答えた。イタリアでは暖房は使わないし、ジェノヴァで暖炉など見たこともない。乾燥した気候を考えれば暖炉は危ないし、肺を痛めてしまうとまで言う。氷点下まで冷え込み、屋根の軒から見事なつららが下がっているうえは正真正銘の冬である。だが、ジェノヴァの人々はそれぞれの商売に駆け回っている。寒暖計は残らず隠されてしまった。妻は小さな「火鉢(ブラゼーロ)」〔原文スペイン語。通常屋外で使用される金属製の火鉢〕の前に座って震えている。野外にでもいるというのか。一月中、彼女は痛む歯と青ざめた顔をモスリンの薄いヴェールで覆って過ごした。

粗野な、なんと粗野な土地であろう。イタリアというよりリグリア〔ジェノヴァを含むイタリア北西部の州名。名称は先住民族リグリア人に由来する〕の町と呼ぶに相応しい。イタリアの他の地域とまったく異なる言語はほとんどプロヴァンス語〔プロヴァンス地方を含む南フランスの地方語〕である。絵画芸術の趣味もない。大理石でできた彼らの寒い宮殿が祖国の絵画で暖められることはない。ここでわたしが目にしたのは、ほとんど〔北国〕フランドルの絵ばかりである。裕福な元老院議員たち、スペインの宮廷人たちは、(4)流行に従って、ルーベンス〔一五七七―一六四〇〕を手に入れる代わりにラファエロ〔一四八三―一五二〇〕を締め出し、ファン・ダイク〔一五九九―一六四一〕の代わりにティツィアーノ〔一四九〇頃―一五七六〕を締め出したのである。

フィレンツェの市場で、わたしはダンテが一日中そこに座って人を眺めていたという石を見た。果たして〔ダンテは〕ジェノヴァでも同じことができただろうか。疑わしいものである。堪え難いに違いない。幸か不幸か、わたしは同様の機会をここで得た。部屋の窓が市場に面していたのである。顧みるに、フランスやイタリアのどの土地でも、地獄というもののイメージにこれほど近い光景をわたしは見たことがない。耳をつんざき、心を引き裂くような叫び声、物のぶつかりあう音、怒号。元来おとなしく辛抱強い動物である牛たちがとりわけ酷い目にあっていた。無愛想で粗野な住民たちの慌ただしい動作とはまるで正反対。そのゆっくりした重々しい動作は、それで、彼らは牛たちをうるさく責め立てるのだった。薪を運ぶロバやラバたちも死ぬほど叩かれていた。鞭で叩かれるのではない、自分たちが運んでいる薪や丸太で殴られ

ピュジェの『アトラス』（トゥーロン）

るのである。彼ら山岳の動物が酷い扱いを受けながら常に利口に働く姿を見るにつけ、これは堪らない光景だった。真直ぐに立ったその耳、生き生きとした聡明な目は、彼らが心のこもった世話に値する優れた畜種であることを証していた。

　人間にも辛い言い分はある。彼ら自身が動物とさして変わらぬという言い分だ。実際、ロバのしていた仕事はすべて人の背の上でも行われていた。ジェノヴァの過酷な人足、哀れな「荷運び（ファッキーノ）」〔原文イタリア語〕、その不滅の肖像を商業会議所の古い建物の門扉（もんぴ）にある、かなり巧みな彫像に見ることができる。扉口〔の張りだし〕を支え、押しつぶされ、小さく身を縮めたその姿。トゥーロン〔フランス南東部の都市。地中海に面する軍港で海軍施設に刑務所が付設されていた〕にあるピュジェの手になる見事な彫像『アトラス』[5]は苦しげな表情をしているが、あれは彫刻家がガレー船漕役囚から採ったものだった。あのアトラスを眺めた人は、少なくとも、大きな彫像だと思うだろう。では、その表情についてはどうか。ひどい苦痛に歪んでいるのだが、そこには小人のアトラス、ジェノヴァのずんぐりしたアトラスに見られるような、卑屈な諦観、衰弱からくる哀れな静謐は見られない。

住民にはそれでも仕事への熱意があるのだから、運にはもっと恵まれていて良いはずだ。仕事に熱心なあまり彼らがロバを殴るのは、彼らの主人が彼らを殴るのと同じなのである。だが、そんな彼らの主人や商人たちもまた、彼らみんなの王、銀行家たちにひどく殴られているのである。

ジェノヴァでは万事がこうなのだ。これは昔から少しも変わらない。かつて、町の名士である資本家たちは銀行家たちと同様に高利貸しをしていた。その意味で、本当の会社はどこにもなかった。現在支配的な地位にある十数名ほどの人たちも同じである。そのうちの少なからぬ者は、手っ取り早く荒々しい手口でまずはアメリカで最初の資本をさらってきたのだった。それをうまく運用して（数スーの価値がある過ぎないリアール銅貨を数フランに変えるように[6]）、彼らはいまや彼らの属する狭い仲間内で、金融市場の領袖と目されている。ジェノヴァにおいて国立銀行〔注（2）にあるサン・ジョルジョ銀行のこと〕の創設ほど都合の良いものはなかった。金持ちを援助するには有益な機構で、金融危機の折には彼らにだけ金庫を開き、安い値で金銭を与えてくれる。それを彼らが、銀行には近づけない小さな店に高利で貸してくださるというわけだ。

こうしたことはすべて、わたし自身が見聞きしてきたことである。ロバの背に薪が振るわれるのと同じくらいはっきりと、銀行家が商人を殴りつけ、商人が庶民を殴りつけるのをわたしは見てきた。ロバが不平を言わないのと同じように、小さな商いをしている者は黙って苦しみに耐えるか、小声で呻(うめ)くばかり。ごくまれに、中堅の会社経営者が抑えた不平を漏らすのを耳にすることもある。上の集団にまだ属していないから、ジェノヴァの楽園から追放されているという憤りの声である。楽園とはつまり、集団が門戸を開いたり閉ざしたりする銀行に他ならない。「人ヲ選ンデ舟ニ入レ、他ヲ押シ退ケテ追イ払ウ[7]……」カロンは一方を船に乗せ、他方をタルタロスへと押しやる。

イタリアの病

ウェルギリウスの地獄に欠けるものがあってはならぬとでもいうのだろうか、こちらでも悲しげな亡霊が彷徨(さまよ)っている。たいへん多くの、大いに同情すべき人たちがイタリアへ移民している[8]。トリノなど別の土地に移れば、大多数の暮らしむきは良くなるだろう。彼らはその土地に留まりながら、愛着のこもったまなざしを海に向け、東風がある朝靄(もや)を吹き払い故郷を見せてくれはしないかと、常に左の方を眺めている。こなた、儲けにかまける者たちの町では、各々がうなだれつつ、商売のため金銭のために駆けずり回りながら、執拗に獲物を追う猟犬の群れが通りがかりの人に気をそらすのと同種の注意でもって、彼ら移出民たちを眺めている。祖国を離れた人のなかには、退屈や無為に虚しく苛まれるのに飽き飽きして、ジェノヴァの地獄をまた選び、銀行家の鞭の下で兵役についたり、苦役についたりする者もいる。しかし大半の人々は期待しないながら待つことのほうを好み、手をこまねいて彷徨い続ける――不幸な魂たちよ！　かつて火山のような激しさを持っていた魂は、自らの情熱に焼き尽くされ、いまやいくばくかの灰でしかない。とはいえ、こんな風に変わった人たちはごくわずかだ。〔イタリアの〕人々はかつて戦乱の時代にあった頃のまま変わっていない。都市ごと、住民ごとに寄り集まっているばかり。イタリアの病がこれほど目立って見えるところはない。どのような病か？　都市国家のそれぞれが一つの偉大な民族であったという比類なき過去からくる、記憶への固執、自尊心の過剰という病である。トスカーナに、ロンバルディアに、ローマ教皇領に三〇もの都市国家がある。その一つ一つが、ロシア[9]が語り得るよりも多くの歴史を、多くの年代記を、多くの歴史的事件を持っているのである。こういう人たちには手が出せない。ここイタリアでは、些末なことの一つ一つが不滅の閃光から輝き出る。だから、何事にも譲歩できないのである。何という難しさ！　町と町の間では小声で密かな会話が続いている。「わが国がアメリカを発見したのだ」とジェノヴァが言えば、「こちらはアジアだ。わが国のマルコ・ポーロがそれを見つけたのだ」とヴェネツィア。すると、フィレンツェ〔一五六四年に生まれ一六四二に歿したガリレオ・ガリレイの出身地〕が「空があれば何もいらないさ。空が地上を変えたのだ」。ナポリは五〇万の人口を誇る――ローマがローマを誇る。

地上の楽園パレルモ。輝かしい大河と人口を誇る力強きミラノ。アルプスの逞しい番人トリノ。かくして、これらのどの都市も譲歩しようとしない。

特権を持たぬ小さな町はどうか。ブレシア(10)を含め、そういう小さな町が四八年の凄まじい戦いでは大都市の影を薄くしたのだった。旅から旅へ、町から町へ移っても、住民の自尊心、御し難い対抗心には異なるところがない……　ああ！　栄光にしがみつく哀れな国よ、神の名において〔＝切に〕こう言おう。一日で良い、そんなものは忘れよ！

こうしたことから必然的に二つの傾向が生じている。生まれ故郷のために革命の玉座をつかみ得ると信じている者たちは、他の都市からの救援を極度に恐れている。友軍に助けられるという考えが彼らを戦慄させるのである。

愛する故郷のために一連の騒乱を利用することについて、あまり期待を持たぬ者たちもいる。彼らはしばしばアルプスの方を眺めつつ、何か救援が来ることを待ち望んでいる(11)。

二千五百万のイタリア人が、四八年にはその類いまれなる勇敢さを証した(12)。金持ちたち(13)はそれ以上だ（どの町でも教会財産や公共財産はさほどの資金を提供しなかった）。こうした国民であれば自らの力を頼むことができるとわたしは思う。彼らがたとえ一時でも協力しあうなら、全世界でも相手にできようものを。

注

(1) 一八五三年十一月七日にジェノヴァに到着したミシュレ夫妻は、ジェノヴァ中心部から海岸沿いに一〇キロほど離れたネルヴィに家を借りて長期滞在した（五四年四月七日から十九日まではジェノヴァ中心部のホテルで過ごしている）。ネルヴィで滞在した家について「ベレッタ家は狭い低地にある。視界がほとんど閉ざされている。雨風をよけるには良いが、北側が寒い。内装や家具のみすぼらしく陰気なこと」とその感想が日記に記されている（五三年十一月十八日、ミシュレ『民衆と情熱――大歴史家が遺した日記Ⅱ』〔大野一道編、大野一道・翠川博之訳、藤原書店、二〇二〇〕八七六頁）。また、続く十二月三十日の日記に「一冊の本『宴』を夢見た」（同書八八一頁）という記述が見られることから、本書『宴』がこの頃に構想されたことが分かる。ただし、このうち「ジェノヴァ」と題された本章がいつ頃書かれたのかははっきりしない。

(2) ジェノヴァ共和国（一〇〇五―一七八七）には、一四〇七年に創設された世界で最も古い公立銀行の一つ、サン・ジョルジョ銀行があった。有力貴族が銀行の役員を兼ねることが多く、国家と不可分の関係にあってその財政を支えていた。

(3) エミール・ヴァンサン（一七六四―一八五〇）。フランスの著述家。貿易商から国務院評定官・内務省商務局長。著作に『ジェノヴァ共和国の歴史』（全三巻、一八四二）がある。ジャン・ド・シスモンディ（一七七三―一八四二）はスイス出身の歴史家・経済学者。著作に『中世イタリア諸共和国の歴史』（全一六巻、一八〇七―一八）などがある。

(4) 十六世紀の半ばからジェノヴァの銀行家はスペイン王への融資を行い、海洋王国として栄華を極めていたスペインと密接な関係を築いていた。

(5) トゥーロン市庁舎の扉口上部に二体彫刻されたピエール・ピュジェ(一六二〇—九四)の彫刻『アトラス』(一六五七)。アトラスはギリシア神話に登場する巨人で、オリンポスの神々と戦って敗れた巨人族の一人。ゼウスにより世界の西の果てで天球を支える罰を課されたとされる。

(6) 「リヤール」は一八五六年まで流通していたフランスの少額銅貨。「スー」および「フラン」は貨幣単位で一スーが五サンチーム、二〇スーが一フランに相当する。

(7) ウェルギリウス『アエネーイス』(第六巻、三二五)。アエネーアースが亡き父に会うため、冥界の入口にあってその境をなす河アケロンを渡ろうとする場面からの引用。河の渡し守をしているのが次の文に出ている「カロン」である。カロンは死者から渡し賃を取って舟に乗せるが、渡し賃を持たない者は舟に乗せない。舟に乗れない死者は付近をさまよう亡霊になるとされた。その次の文にある「タルタロス」は『ギリシア神話』において冥界の最も深いところにあるとされる暗黒の世界。最も罪深い者たちが投げ入れられる冥界の牢獄である。

(8) ジェノヴァの後背地にあたるアペニンの山地では主に栗が栽培されていた。栗が不作になると、ピエモンテやロンバルディアの大農地で行われていた米作に活路を見出し、季節農業労働者や日雇農夫になるものが数万人規模でいた。

(9) トリノを首都とし、ジェノヴァを領有するサヴォイア家サルデーニャ王国はフランス、イギリス、オスマン帝国と同盟を結び、まさにこの時ロシアとの戦争に参加していた。クリミア戦争(一八五三—五六)である。

本文内容との関連もあるので、この同盟の背景にあったイタリア側の事情について簡単に触れておこう。サルデーニャ王国ではヴィットーリオ・エマヌエーレ二世(一八二〇—七八、在位一八四九—六一)による立憲君主制のもと首相に就いたカミッロ・カヴール(一八一〇—六一)がオーストリア帝国との対決を見据えてフランスとの関係を深めるべく画策していた。クリミアへの参戦はそのような意図のもと、議会の同意を得ぬままカヴールによって強引に進められたのである。実際、イギリスの黙認とフランスの支援を得て行われた一八五九年の「ソルフェリーノの戦い」では王国側がオーストリアに勝利を収め、ロンバルディア地方とヴェネト地方の一部を獲得することになる（密約によって、代わりにニースとサヴォワがフランスに割譲された）。その後、ジョゼッペ・ガリバルディ（一八〇七―八二）ら有力な革命家の支持と協力を得て、カヴールが主導するサルデーニャ王国はイタリア中部、南部の各地を相次いで併合。ついに一八六一年、トリノで開催された第一回イタリア国民会議においてヴィットーリオ・エマヌエーレ二世のイタリア王即位が承認され、（ローマとヴェネツィアを除く）イタリア王国が成立することになる。王国への併合が進んだ背後には各地の王党派の支持もあった。

(10) ロンバルディアの都市。民衆が蜂起して一八四八年三月二十三日から四月二日まで臨時政府が樹立されたが、オーストリア軍の容赦のない弾圧を受けて壊滅した。

(11) イタリアの独立を求める思想家や運動家にも様々な傾向があった。イタリア民族が主導する「革命」により社会主義の実現を目指す民主派が存在する一方、現状の変革を「改革」によって目指そうとする穏和派は、大国の介入に依存して平和裡に自国の産業と経済を進歩させることを望んでいた。そのなかにも、立憲君主制を支持する者、共和制を理想とする者、統一国家を目指す者、連邦制を目指す者などがいて足並みはばらばらであった（民主派を代表する運動家ジョゼッペ・マッツィーニ（一八〇五―七二）の出身地で、四八年にオーストリアへの徹底抗戦を主張する下層民の暴動があったジェノヴァでは民主派の勢力が強かった。他方、サルデーニャ王国では貴族のカヴールをはじめ穏和派が主流を占めていた）。

主に穏和派がフランスの介入に期待するのにはいくつかの根拠があった。一八四九年に軍事力をもってローマ教皇の復位を支援して以来、教皇国家にフランス軍が駐屯していたこと。それゆえイタリア問題においてフランスが一定の発言力をもっていたこと。オーストリア帝国がイタリアで圧倒的支配を行使するのをフランスが警戒していたこと等が挙げられよう。

(12) ナポレオン戦争終結後の一八一四―一五年、オーストリアのウィーンにおいてヨーロッパの領土分割が議定された。ウィーン体制と呼ばれるこの体制下のイタリアでは、シチリア島を含む南部を両シチリア王国(シチリア王国とナポリ王国を統合したもの、一八一六―六〇)が、ローマを中心とするイタリア中部の教皇国家をローマ教皇が、ピエモンテ地方を中心に北部をサルデーニャ王国が、北東部のロンバルディア地方とヴェネト地方をオーストリア帝国が支配し、その他、モデナ公国やトスカーナ大公国などもオーストリアの影響下にあった。一八四八年にヨーロッパ各地で起きた革命ないし騒乱は、多くの地域において、この復古体制に反旗を翻すものであった。

一八四八年一月、両シチリア王国からの独立を要求する暴動がシチリア島のパレルモで起こると、運動はイタリア各地に波及。三月にはオーストリア支配下にあったミラノ、ヴェネツィアでも革命が勃発。領土的野心を持っていたサルデーニャ王国もこれに介入し、オーストリアとの戦争に加わった。しかし、これらの革命はことごとく挫折する。四九年二月に教皇領で共和国樹立を宣言したローマも、教皇を支援するナポレオン三世(フランス国内のカトリック勢力からの支持を重んじた)の軍事介入によって六月に敗北。ヴェネト共和国を樹立してオーストリアに挑んだミラノも八月に敗北。オーストリアとの戦いに加わったサルデーニャ王国軍も三月二十三日の「ノヴァーラの戦い」に敗れ、国王カルロ・アルベルト(一七九八―一八四九、在位一八三一―四九)は退位に追い込まれた。

騒乱が起こった右の国々では憲法の制定が一度は約束されたものの、事態収束後にその約束は実行されなかった。唯一サルデーニャ王国がオーストリアへの反発と民主派運動家の懐柔のため四八年憲法を維持した。これによって、イタリア統一を求める運動家の間ではサルデーニャ王国への求心力が高まった。

（13）イタリアで独立運動を主導していたのは小ブルジョワ、小地主、小工場主、知識人など比較的限定された階層であった。とりわけ穏和派は民衆の盲目的な情熱を恐れ、革命運動が階級闘争に陥るのを警戒していた。

※　以上、イタリアの社会史的事情に関する本章の注記については、スチュワート・ジョーゼフ・ウルフ『イタリア史　一七〇〇―一八六〇』（鈴木邦夫訳、法政大学出版局、二〇〇一）を参照させていただいた。

純粋な思考への没入——欠食と飢餓の哲学[1]

事欠く食事

イタリアの、ある囚人の話である。絶食による自死を決意した彼は、自らの死を少なくとも有益なものにしたいと願い、この尋常でない状況を学問のために利用することにした。ペンを持てる間はペンを離すまいと日夜営々とノートを取り、苦しみとその性質をできる限り正確に記していったのである。目眩(めまい)について書き、失神状態から目覚めるとすぐに記憶をたどってその前後に頭に浮かんだことを思い出した。覚醒状態と仮死状態の一瞬のあわいに起こった出来事を記しつつ、決定的な死の訪れに彼は覚悟をもって臨んだ。

これと同じ経験をして、遠く及ばぬながらも、この克己的な実験者を模倣するという、たいへん貴重な機会をわたしも得た。かなり長期にわたって体が食べ物を受け付けなかったのである。なんとか口にできたのは少しばかりの乳清と生乳だけ。この地の貧弱な牧草地で、わずかな食べ物と水で生きている小動物たちが人に与えられるものと言えば、それらであった。彼らは達観したように岩をかじり、小石を食べている。彼らの欠食がわたしの欠食を養ってくれた。

時に、わたしは次のことを告白しなければならない。習慣の完全な変化、強いられた余暇に味わう無気力、働く人間にとっての紛れもない死、わたしはそれらに苦しんでいた。仕事の能力を失ったのである。われわれ働く人間にとってはこうした状況のすべてが堪え難いということを、働かない人間は決して理解できないだろう。自分の腕が突然萎え、頭がうまく回らないことに気づいた本物の労働者は、ただそれを深く悲しむだけではすまない。最初に来る本能的な動揺で、自己嫌悪に陥り、自分を卑下するようになる。「なんて無能なんだ！」病気になった労働者が自分に向ける卑俗な罵りがこれである。こうした気分のなかでは、自然からの呼びかけに同意するのにたいした努力はいらない。自然に身を任せよう、死んでしまおう、恨みっこなしだ。

こういう切ない自暴自棄のなかでも、わたしには若干の救いがあった。隠遁生活（ほぼ一月(ひとつき)の間わたしは引き籠もっていた）のなかで、わたしはもう自然に支配されてはいなかった。文書に魂を奪われて過ごした五〇年の歳月から初めて解放されたわたしは、いまや書物やインクではなく、自分の純粋な思考で自らを養っていた。昼夜の循環が、わたしにとっては唯一の出来事だった。

ルソーは『夢想』のなかで、メニルモンタン〔現パリ十一区、ペール・ラシェーズ墓地の西〕で転倒して意識を失ったあとで彼が味わった、むしろ甘美ともいえる感覚を申し分なく語っている。なんとか立ち上がって歩き出したとき、彼は自分が出血していることさえほとんど感じていなかった。「満天の星を見た……　周囲にある一切の対象を軽やかな自分の存在で満たしているような気がした(2)……」こうした状態には、欠食がもたらす半ば夢を見ているような、それでも目覚めて意識がはっきりしているような、そんな状態と似たところがある。

丘は全体がオリーブの木で覆われている。なのに、ここではオリーブオイルと呼べるほどのものを手に入れることができない。プロヴァンス〔フランス南東部、地中海に面する地方〕からの取り寄せになる。魚は滅多に手に入らず、値段も高い。あるのはひどい干し魚、ジェノヴァの貧しい船乗りにはお馴染みの、干鱈(ひだら)だけである。土地の一流店に行っても、インゲン豆もなければバターもない（四旬節(3)の時期だというのに）。ほとんど買う人がいないような贅沢品は、扱うのをやめてしまったと言うのである。

この地方においても、またイタリアにおいても、通常主食となっているのは胃に重いパスタである。とても粗悪なもので、たいへん消化に悪い（上等のものは外国人向け、イギリス人、アメリカ人向けである）。そういうパスタやマカロニを、ほとんど栄養のない大量の香草で和(あ)えて食べているのである。もっとひどいのは山岳地帯で、食べ物はわずかなトウモロコシ[4]に限られる。それを二つの石の間で焼いて食べるのだが、それも生焼け。草木のないアペニン山脈〔イタリア半島を縦走する山脈〕では燃料が極めて乏しく高価だからである。

消化しにくいもので節食する習慣は、ドイツの最も貧しい地域に見られる習慣と同じものだ。裕福な人ですらイタリアではひどい料理を食べている。昔からこういうものを食べていたのだろうか。十四世紀から十五世紀にかけて、イタリアはその生き生きとした活動で世界を満たしていた。才気に溢れ、軽やかで、想像力に富んだ人々は八面六臂の活躍をし、画家の技から技師の技まで、金融から園芸まで、あらゆる分野で新しい技術を発見しては、同時に発展させていた。その時代からこんな食事をしていたのだろうか。疑わしいことだ。むしろああした重い食事は近世〔ルネサンス以後〕のもの、最近の災厄だとわたしには思える。マカロニは、イタリア南部の後塵を拝していた北部から伝わったらしい。シチリアでは、老人たちがマカロニ売りを未だに「ジェノア〔「ジェノヴァの人」の意〕」と呼んでいる。

イタリアの衰弱

二つの事柄がイタリアを著しく衰弱させているように思われる。イタリアが思想の力で立ち上がったのは本当だ。だが、運命の二重の頸木（くびき）から逃れるには途方もない努力がいる。その頸木のせいでイタリアは再び地面の方に傾いている。

すなわち、栄養状態の悪さに起因する衰弱がその一つ。もう一つは、家庭の倦怠からくる衰弱である。この無気力状態は付添騎士制（シジスベイスム）(5)によってもたらされる。これで、最も活力に溢れた若い男性が既婚女性の悲しい囚われになってしまう。名ばかりの夫はといえば、暇な妻を構ってくれる愛人にしばしば感謝を抱く。彼がいなければ、妻の相手など面倒でやっていられないと思っているのだ。そうした状態から、夫は次第に自分の家に寄りつかなくなり、できるだけ家を留守にするようになる。そうして、自分の子供たちに会っても誰だかよく分からないようになってしまう。

これら無気力状態の原因に、もうひとつの原因を付け加えてはどうだろう。些細なことに思われるかもしれないが、それはすでに目に見えるかたちで致命的な悪影響を及ぼしている。大衆に最も広く流布した麻酔薬、煙草の使用がそれである。オランダではまず道理に適っているし、イタリア北部、マントヴァあたりの湿地でもその使用は正当化できるかもしれない。しかし、ジェノヴァとかイタリアのほとんどの地域のように空気が乾燥しているところでは、実に破壊的な悪影響がある。悲しくもこれはフランスを真似たものだ。フランスにしても、この有害な習慣を身に着けたのはつい最近のことである。ひどく粗野な人を除けば、フランスでも一八三〇年に煙草を吸っている人はほとんどいなかった。ましてイタリアでは皆無であった。一八四〇年といえども、少数の、ごく少数のイタリア人でさえこの悲しい暇つぶしの手段に頼ることはなかった。彼らは思考していた。それがいまは、夢想している。これは麻酔薬がもたらすとても残念な変化である。これを取り入れた国民はことごとく思考から夢想へ、覚醒から半睡状態へ少しずつ向かってゆく。若者たちは、こうした習慣が臨戦態勢下にはたいそう似つかわしいものだと思っている。そうして、軍の野営で夜を過ごすのに煙草を吸う。確かに、ドイツ兵たちの無頓着や受動的服従を強化するには打ってつけの習慣だ。しかし、反旗を翻したイタリア人にとって、これが適した習慣だと言えるだろうか。明日にも祖国は、彼らに主体性をともなう最高の頑張りを求めるかもしれない。祖国は完全に目覚めた行動を、十全な精神の参加を要請するだろう。そんな彼らにとって、煙草がふさわしい習慣だと言えるだろうか。そうは思えない。こうした夢想者たちが、おそらくは同じくらい敢然と、夢を見続けるのではないかとわたしは恐れている。若者よ、よく考えてほしい。空中に立ちのぼり、ぼんやり渦を巻いているのは実質をもたぬ煙ではない。それは君たちの魂の立派な一部なのだ。あのいつもの諦めが、生気を欠いた思考、活気のない思考を楽しませ、それを持続させる。そこで、君たちは一日に何時間も人間の肺と神経を衰弱させる。明日には、その人間が不足することになるだろう。さらに言おう。人々が一緒に味わっているように見えるこの無言の嗜みは、夢想者を本物の孤独で、本物の自己中心主義で覆ってしまう。主人に苦しめられている人、友人にたいして用心深い人にとりわけ必要とされるこの嗜みは、彼のあらゆる真情の吐露を〔「ああ」とか「いや」とか〕単音節で言えるいくつかの言葉に変えてしまう。

一八三〇年にマンゾーニ(6)から聞いた話である。ある日、ロンバルディア〔ミラノを中心都市とするイタリア北部の地域〕の農夫にどうして酒に酔っているのかと尋ねたところ、惨めな男はこう答えたという。「たまには何もかも忘れる必要があるものさ」。

全体として見れば、だが、飲酒の影響は麻酔薬のそれと比べてどれほど害が少ないことだろう！

忘れる？　いけない、イタリア人よ。決して忘れてはいけない。栄光に満ちた君たちの祖国のたいへん貴重な遺産も、君たちの怒りや君たちの苦しみという財産も、大切にまるごと守ってゆく必要がある。

「イマモ、ソシテ永遠ニ」〔原文イタリア語〕。この崇高な標語、これは新興のイタリアのことを言っているのではない。この言葉を君たちの耳元で繰り返す、大いなる不滅の追放者〔神のこと〕の啓示について言っているのでもない。これは、君たちの国の痛ましい貧困について言っているのだ。かつては豊かであったのにいまは禿げ山と化した、アペニンの不毛について言っているのだ。少なからぬ谷間の町で、今年も住人たちが茹でた野草を糧にして生きている、あのアルプスの貧しさについて言っているのだ。この不幸な国民たちの痩せた体について言っているのだ。それが君たちに、思い出せ、決して忘れてはならぬと大声で命じているのだ。

君たちの魂をいまに保て。偽の夢、偽の恋愛という有害な麻酔薬、勇者を俗人に変えてしまう重苦しい習俗。それらが君たちをカフェで過ごす無為の時間から待ち合わせの時間へ、仕事にかまける夫をもった女と過ごす無為の時間へと運んでゆく。若者たちよ、朝には、そうしたものに否を言え。その食卓で、そうしたものに対置せよ、高貴なる女囚のイメージを、不実な男に苦しむことのない誇り高い女主人のイメージを、美しきイタリアのイメージを！　イタリアが君たちを忘却から護ってくれる。君の心、君の精神が決して離れてしまわぬようにと、イタリアが抱えている苦悩の感情を一時も失わぬようにと、イタリアが求めている。そして、こう言っているのだ。「今日も、そして永遠に」。

衰弱の原因

旅行者たちはこんなふうに自問する。この国の人たちは生き生きとしているのに、どうしてあまり活動的でないのだろう。答えはしごく簡単だ。彼らが世界で最も貧しく、最も乏しい食事をしている国民に数えられるからである。通常、彼らは栄養のない、消化しにくい食べ物（とりわけ「ポレンタ」）で空腹を紛らわせている。食後二時間も胃をもたれさせるような、そうした食べ物が人々を虚弱で虚ろにし、力を回復させるのではなく怠惰にしてしまう。何が栄養の摂取を妨げているのか？　二種類の吸血鬼、税金と利息である。

体はひどく弱っていたが、わたしは、イタリアの貧困に関する〈聖書〉と勝手に呼んでいる、イタリア小国の予算に関する要覧（『経済年報（アンヌリオ・エコノミコ）』[7]）に目を通していた。わたしはそこに驚くべき事実を見出した。通りすがりの観光客には知られることのない、温暖で快適なイタリアの小さな国々では、ヨーロッパにある大国のどこと比べても、恐ろしく重い税が課せられているのである[8]。パルマ公国、モデナ公国の宮廷は、贅沢品やパレード、年金といった宮廷の支出だけで、国全体の公的な支出（行政、軍事、司法といった各機関の支出）よりも多額の予算を消費している。教皇国家では常識を欠いた政府が、ユダヤ人高利貸しという社会の癌にすべてを委ねている。ナポリでは、国債が増え続けている。どういうわけか？　国債は王領を担保にしているのだ。大半の土地所有者が税金を払いきれずに土地の没収にあっており、それで王領が拡大している。国王は深刻な貧困を糧に太り続けており、早晩、ただ一人の土地所有者になることだろう。土地所有者というのは本当だ、荒れ野の、放牧地の所有者だ。

仮に税金が他所より軽くなっても、小作料〔小作人が地主に支払う土地の使用料〕はいっそう高くなるだろう。いまは高利の食い物になっている土地所有者が今度は小作人を食い物にする。銀行家、貴族、聖職者といった貪欲な吸血鬼はアペニンの滋養を、リグリアの山々の滋養を吸い尽くしてしまった。十六世紀に耕作さていた場所が、今日ではほとんど不毛になっている。あの痩せた丘の上を痩せた人々が彷徨っているのは、今日見られる通りだ。もし、住民たちが何か救いを見つけるために海に向かっていなかったら、彼らはもうずっと前に死に絶えていただろう。漁師にとって好ましくない海ではあっても、海は果敢な航海者にいくばくかの利益を、交易による利益をもたらしてくれる。

こうした状況をごく間近に見ていなければ、わたしの私的な貧窮〔当時のミシュレはすべての公職から追放されていた〕のなかでそれを目にして、体験していなければ、わたしは決して貧しいイタリアの真の姿を知ることはなかっただろう。

観光客は「違う」と言うだろう。だが、投機家がイギリス風に設え、スイス人が経営し、しばしばサヴォワ人が接待しているような、要するに、初めから終わりまでイタリアにとってまったくの異邦人がやっているようなホテルで、彼らはこの国のことを知ったに過ぎないのだ。

素晴らしい「別荘（ヴィラ）」〔原文イタリア語〕にいる、たいそう倹約家でたいそう金持ちの、リグリアあたりの土地持ち貴族だとか、成金だとか、その真似を一生懸命にする船主だとか、そういう人もやはり同じように「違う」と言うだろう。その証人としては、貴族に仕える礼拝堂付司祭さながらに、彼に仕えてミサを行う家付の「司祭（アバーテ）」〔原文イタリア語〕を呼んでくるに違いない。

違う、と彼らは言う。この国の人々は幸福だと。

だが、わたしには彼らより近くで人々と暮らしを共にしたという強みがある。裕福な人、あるいは完全に貧しいとは言えない人でも、彼らは生活の快適さというものをまったく知らずに暮らしている。わたしはそれを驚きとともに知ったのだ。こう言わねばならない。娯楽のための品々についてはもとより、生活必需品について言っても、ヨーロッパを文明化した第一流の近代的国民が、驚くべき変化によって、野蛮状態に再び陥っているのだと。われわれみんなを育て、自らの才によって養ってくれた世界の母、われわれにあらゆる技芸を、煌（きら）びやかなものばかりでなく公益に資する技芸（灌漑、園芸）まで教えてくれた世界の母、イタリアがいまや乞食になっている、物乞いで暮らしを立てている。それなのに、このイタリア北部で人々が困窮に耐えているということを、彼らが苦しみに慣れてしまい、自らの困窮についてほとんどそれと気づかずにいるということを、誰も心に思い描いてみはしないのだ。

イタリアへ技芸を見に来た外国人たちよ、ここで大いなる技を学ぶがいい。苦しみに耐える技を、欠食に耐える技を。その忍耐を持ち帰るがいい。

わたしとしては、置かれた状況の偶然からイタリアの貧窮と自分の貧窮に相似を見出しても憤りを感じることはなかった。栄光に包まれた哀れな乳母イタリアはフランスを育み、私自身を育んでくれたのだし、おそらくはどのフランス人よりも、とりわけわたしを養い、育ててくれたのがイタリアなのだから。

　体力が衰えてゆくなかでも、精神の明晰さを充分に保つことができるという幸運が、少なくともわたしにはあった。次の仕事へと向かう前に、少しばかり自分を観察し、研究能力の欠如について研究することができた。

　こういう存在の仕方（お望みなら死に方と言ってもいい）にも、いくらか詩情がないとは言えない。詩情は想像力に絶えず翼を与えてくれる。そこには薄明りのうちに淡い光を帯びた夢想があり、一瞬に訪れる閃きのようなものがある。その刹那に、わずかながらも未知の世界を垣間見たような気がするのだ。そういうものに愛着を覚え、それを養う者には忘我の境に達する可能性が開かれる。

　こうした絶食の効用も使いみちがあるのはある程度までに過ぎない。（それをスウィフト〔アイルランドの作家。一六六七―一七四五〕は適切にも高揚の仕掛けと呼んだのだが〔出典不詳〕）絶食の実践にはその成果を固定する力がないのである。それは詩的なものであり得る。だが、自然がその詩情を明確に表現することを拒むのだ。詩情は、虚しくも一時の努力によって、把握され、表現され、分節言語を得て、黄金色の夢を記録し、それを持続させることを望む。だが、常に夢は飛び去ってしまう。そして無気力と幻だけが残されるのである。

そうだ。虚しい幻こそがこの状態の本質なのだ。あるいはまた、何らかの妨害によってその状態から引き出されることがあるとすれば、軽い妨害、強い妨害、突然の妨害が苛立ちになる。苛立った夢想者はしばしば狡猾な論争家になり、不実な論理学者になる。

中世の人々の常態であるこうした肉体的、精神的状態を理解するのに、周りにいる女性、ここリグリア沿岸地方の栄養状態の悪い女性を観察することほど有益なものはなかった。正確には絶食しているわけではないが、彼女たちはほとんど栄養にならない香草類という偽の食べ物で自分の胃袋をだましている。落ち着きがなく怠惰で、彼女たちはほとんど何の仕事もしていない。かろうじて、布をわずかに織るくらいだ。海に出ていて数カ月後に戻ってくる不在の夫を待ちながら、彼女たちは教会で時間を過ごすか、道端でぺちゃくちゃおしゃべりをするか、あるいは帰ってくるなり女房を殴りつける不在者の言い分を信じるなら、もっと悪いこと〔浮気のことであろうか〕もしている。女たちは過度にいらいらしていて、しばしば子供を殴りつけ、尖った声をあげながら女同士で諍(いさか)いを起こす。それがたいてい芝居じみて見える。過度の身振り手振りが常に感情よりも派手なので、見ていて気分が悪くなるのは、それがとても本当だとは思えないからだ。しかし、神経のピリピリしたこうした状態こそが普通のもので、荒々しく、乾燥した空気が潤いのない感情に与える影響なのだ。充分な食事でもそれを鎮めることはできず、和らげることもできない。

欠食のもたらす興奮が、心身を苛み刺激する気候そのものの影響下で、まるで調子の狂った鍵盤楽器に作用するように神経組織に作用し、彼女たちに絶えざる自動運動を強いているのである。

中世は言った。歯ハ鋭イ刃物デアリ〔原文ラテン語〕、歯は精神を研ぎ澄ますと。仮にそれが精神を研ぎ澄ますものであったとしても、精神を豊かにするものでないことは間違いない。絶食は創造力に関してまったく効果がなく、夢想家を生むか論争家を生むかするもので、それ以上のものではない。これこそは中世に広く見られる二つの性質である。中世の技巧は豊かなものか？神は気前よく、およそ千年も中世にそれを証明するための時を与えた。だが、何が見つかっただろう。四〇〇年から一一〇〇年まで、アウグスティヌス〔西方教会最大の教父で正当教義の完成者。三五四―四三〇〕からアベラール〔フランスの神学者・スコラ哲学者。一〇七九―一一四二〕までに。その後一三〇〇年まで、アベラールからダンテ〔フィレンツェの詩人、ルネサンス文学の先駆者で『神曲』の作者。一二六五―一三二一〕までに。無の後にまた無が続いた。例外は修道者の手引き『キリストに倣いて』[9]だが、倣うことはもはや創造することではない。期待しながら待つこと、これが絶望した人間に与えられた助言のすべてである。このような忠言は人間を尊重するものではなく、無視したものだ。

再生への道

もうすぐ二五年が経つが、当時わたしが考え、書いたことを思い出すと自嘲を禁じ得ない。大斎や小斎〔注(3)を参照〕、禁欲を行う教会がなければケルンの大聖堂〔一二四八年起工、一八八〇年完成〕もストラスブールの尖塔〔注(10)を参照〕も建てられることはなかっただろうと、そう書いたのである。その後に出版した書物ですっかり明らかにしたのは、それとは逆に、技芸が断食と禁欲を行う人間たちの手を離れた時に、初めてゴシック建築がはじまったという事実である。あのような大聖堂は、宗教とは無関係の〈石工〉によって、欠けるところのない真の人間によってのみ建設され得たのである。彼らは調和のとれた生活を営んでいた。自然が生産力をもつようにと、自然が望むものを自然に与えていた。一家団欒の宴をもっていた。彼らは食事をし、愛を営み、断食などしなかった。清らかな食卓で繰り広げられる豊かな晩餐。その席で、妻と子供たちのまなざしや無邪気な声にこもる愛情、純真さから、物思いに耽る労働者はしばしば仕事の着想を力強く得たのである。見事な尖塔の創造者エルヴィン[10]が、並外れた大仕事の長丁場、あの奇跡とも言える仕事のなかで、独自の大胆さを保ち得ているのはなぜか。彼が天に向かって建てるその作品に彫刻を施す娘がおり、その娘の父に向ける汚れなき神格化があったからではないか、清らかな心酔があったからではないか。それもまんざらあり得ないことではなかろう？

ストラスブールの大聖堂は、今日なお聖職者の持ちものではない。所有者は市である。これは当時の慣習の重要な名残であり、次のことをよく示している。すなわち、ああした大建築物は宗教的なものであるために、なお自治都市のもの、政治的なものでなければならなかったのだ。選挙はずっとそこで行われてきたのである。町に鳴り響く大きな鐘、人民主権の音を教会の内にも響かせるその鐘は、政治的行事やその他の行事が行われるたびに鳴り響いていた。ボッカチオ〔『デカメロン』の著者。一三六四年に『ダンテ伝』を刊行。一三一三—七五〕も、〔市政府の委託を受けて〕サンタ・マリア・デル・フィオーレ大聖堂〔フィレンツェの大司教座聖堂。一二九六年起工、一四三六年完成〕でダンテの注釈を講義していたのである。

中世が、そこに栄養物を見出せぬままスコラ神学を掘り尽くし、二重の断食によって痩せ衰えて、終末が来たと宣言するとき——あらゆる場所で、俗人の手から現れた新たな建築が、崇高にして永続的な否認を中世に突きつけに来る。新しい建築物が、あの「モウオシマイダ」〔原文ラテン語〕に突きつけるのは、現世の技芸、オジーヴ〔教会建築の丸天井に配される補強のための美しい力骨〕、彫刻、ステンドグラス。溢れんばかりの瑞々しい高揚が、渇いた民衆に降り注ぐ。またもすべてが閉ざされ、今度ばかりは完全に終わったと思われたとき、コロンブス〔一四五一頃—一五〇六〕が現れて、海の彼方にまったく新しい自然を指し示す。瑞々しく、豊かさと活力に溢れ、肉体的・精神的な滋養をはらんだ自然。世界が終わるという夢想に、またしても現実が突きつける広範にわたる荒々しい否認である。世界は汲み尽くされてしまったという思想に、大斎と小斎の教義、自殺を望ましいとする教義に、否認が突きつけられる。死の宗教に、不撓不屈の生命が頑強に抵抗するのだ。二種類の酩酊と二種類の恍惚が対峙して、激しく反発しあっている。歯の下に空虚を差し入れ、空虚こそ〈存在〉そのものだと宣言する偽りの宴に対して、力強い現実がまとまり、結集する。酒と初めて現れた酒気を帯びた精神が、悪に対して、あるいは善に対して、計り知れない力を一滴にこめる。フス派の信徒[11]はもう無駄口をたたきはしない。彼らは率直に叫ぶ、「民衆に杯を！」と。これはラブレーの叫びでもある。偉大な預言者にして、宿屋の主であるラブレーは、ルネサンスにたっぷりと酒を飲ませて、グラスの底に未来の秘密を見せてやるのだ。

自然の勝利

あらゆる反動と同様、ルネサンスは目的を超えてしまう。ルネサンスが力を発揮するには大きな努力が必要であり、それでまず極端になるのである。『ガルガンチュア』[12]において、また、あの最高の幻惑者が、恐るべきパンタグリュエリヨン草に与えた礼賛においてはとりわけ、虎〔酒神バッカスの聖獣のひとつ〕の牽く戦車に乗ったバッカスの回帰が見えるような気がする。さて、羽目を外したどんちゃん騒ぎが過ぎて、〈自然〉が残る。穏やかで力強い自然、学問によって、近代的精神の徳である中庸によって、大々的に勝利を収めた自然だ。その自然そのものが、生命を保ち活力を生み出す食欲の正当な充足を容易にすることで、また中庸に貢献するのである。

二つの実体の自由な働きによって均衡を生じた力の他には、いかなる力も存在しない。いつも腹一杯食べている人は断食を推奨するがいい。自然は彼らよりもっと大きな声で語りかける。よく張った乳房をもつ善良で豊かな乳母として、どこであろうとも自然は人間のもとにやって来る。自然が人間の宴に用意するのは栄養のない、滋養の乏しい食事ではない。北部を、西部を見よ、みなが不毛だと思いこんでいるあの風土を見よ。雨や霧という不滅の灌漑によって自然は豊かな牧草を養い、そこは無数の羊の群れで埋まっているではないか。南部を見よ、大草原の地上に浮かぶ、あの流れの速い、黒い入道雲を見よ。二万頭、三万頭もの牛の大群がそこにいるではないか。さらに豊かなのは海だ。ニシンの群れ、イワシの群れ。腹を空かせた魚たちの世界に食糧を与えたあと、その大群が自ら海岸へと乗り上げて来る。あれほどにもたくさんのイワシのおかげで、人々は大地を肥やすことができる〔干鰯のことか〕。食料に満ちた海はまた、それ自体が食料でもあり、いくつかの海域はクラゲでいっぱいだ。数え切れない海の子供たちが自然全体を養い、また彼ら自身が海によって養われている。海が彼らを優しく揺すり、彼らに食事を与える。彼らにとっては息を吸うことそのものが、栄養の摂取になっている。永遠の宴という無限のなかを、彼らは泳いでいる。

海の唸りを聞き、その声を野蛮だと思ってしまいそうになったこともある。だが北部の海岸にいて、わたしの足元に打ち寄せていた海は、生命に満ちた豊かな海、海の眷属（けんぞく）を養うのと同時に地上の民をも養う海であった。
　あの大海の記憶が、北部の滋養に富んだ海の力の記憶が、その力を想起するにはおよそふさわしいとは思えぬ場所でよみがえった。そこは不毛な海岸だった。海は光り輝いていたが、なかば砂漠のような場所だった。そのとき、わたしの胸で『宴』が着想されたのだ。わが子を生命と滋養で包み込もうとする自然の努力に抗して、世界全体を覆っている欠食がわたしの気持を弱らせ、わたしを喪の悲しみで満たした。わたしの眼前では、かつては肥沃であった不毛な山々が、昔の姿に戻りたいと願っていた。それが不毛なのは人間のせいであって、自然のせいではない。乾燥した厳しい気候によって、水不足によって、山々は自分を貧しくしたものに復讐しているのだ。いまや大地は人に水源の恵みを断っている、空気そのものが渇き、飢えている。

注

（1）『日記』一八五四年五月十三日に「『欠食の哲学』を書く」という記述が見られる。また、十五日には「『欠食の哲学』を書き直す」、十六日に「『欠食の哲学』仕上がる」とある。内容についての言及はない（前掲書二五五頁）。
（2）ジャン＝ジャック・ルソー（一七一二―七八）の『孤独な散歩者の夢想』（一七八二）、「第二の夢想」からの引用。一七七六年十月二十四日の午後六時頃、メニルモンタンの高台から坂道を下ってきたルソーは、疾駆してきた大型犬に足をすくわれて転倒し、顔面に大怪我を負った（岩波文庫、今野一雄氏の訳を参照させていただいた）。

（3）復活祭（春分後の最初の満月の次の日曜に行われる）前の日曜日を除いた四〇日間。イエスが荒れ野で四〇日間の断食を行ったことに倣って四〇日の断食がなされる。断食期間には、大斎（一日に一度だけの食事）と小斎（鳥獣の肉を食べない）が課される。

（4）後出の「ポレンタ」、すなわち、トウモロコシの粉に湯を加えて練ったもの、またはそれを冷まして焼いたもののことであろう。

（5）「付添騎士」と訳し得るフランス語の「シジスベ」は、イタリア語「チチスベオ」に由来する。チチスベオとは、十八世紀のイタリアで普及した習慣によって、夫の承認のもと既婚の貴婦人に昼夜付き従い様々な奉仕をした騎士のこと。時にこれが公然の愛人ともなる。この「習慣」にあたるのが「チチスベイズモ」、フランス語「シジスベイスム」であり、ここでは「付添騎士制」と訳した。イタリアが統一される過程で次第に見られなくなった習慣とされるので、ミシュレの時代にはまだそのような風俗が一部で見られたのであろう（ロベルト・ビッキオ『チチスベオ――イタリアにおける私的モラルと国家のアイデンティティ』〔宮坂真紀訳、法政大学出版局、二〇一九〕を参照させていただいた）。

（6）アレッサンドロ・マンゾーニ（一七八五―一八七三）。イタリアにおけるロマン主義を主導した詩人・作家。ミシュレは一八三〇年のイタリア旅行のおり、四月二十二日にミラノで彼と面会し、家に招かれて家族と夕食をともにしている。

（7）一八五三年十一月十八日の日記（前掲書八七六頁）に「きのう『経済年報』の中で、恐るべき予算のことを読んだが、それがこの貧しさを説明している……」という記述が見られる。

（8）以下に列記されている国々について、本書が執筆された一八五三年から五四年頃の統治者について略記する。パルマ公国は、スペイン・ブルボン家の傍流ブルボン・パルマ家のカルロ三世（一八二三―五四、在位一八四八―五四）が統治していた。カルロ三世は五四年三月に暗殺され、王位は六歳の息子、ロベルト一世（一八四八―一九〇七、王位一八五四―六〇）が継承することになる。モデナ公国はオーストリア・エステ家（オーストリア・ハプスブルク家とナポレオン侵略前のモデナ・エステ家の婚姻関係によって生じた家系）のフランチェスコ五世（一八一九―七五、在位一八四六―六〇）が統治。教皇国家は、フランスの軍事的支援を受けて一八五〇年にローマに戻った教皇ピウス九世（一七九二―一八七八、在位一八四六―七八）が統治に返り咲き、ナポリを首都とする両シチリア王国はスペイン・ブルボン家の傍流、シチリア・ブルボン家のフェルディナンド二世（一八一〇―五九、在位一八三〇―五九）が統治していた。

（9）ドイツの神学者トマス・ア・ケンピス（一三八〇頃―一四七一）によって十五世紀前半に書かれた信心書。

（10）エルヴィン・ド・ステインバック（一二四四頃―一三一八）。ドイツ出身の建築家で、一二七七年から死去するまで、ストラスブールのノートル＝ダム大聖堂（一四二メートルの尖塔を備える。一一七六年に起工、一四三九年完成）の建築責任者を務めた。娘のサビーナ（生没年不詳）は彫刻に長けた石材加工職人で、父親と同じ現場で彫刻グループの責任者をしていたといわれる。

（11）ボヘミアの宗教改革者ヤン・フス（一三六九頃―一四一五）の教説に従う改革派。一四一四年のコンスタンツ公会議でフスが断罪され火刑に処された後には民族運動の相を帯び、カトリック教会、神聖ローマ帝国との間に「フス戦争」（一四一九―三六）を引き起こした。信徒はチェコ語による典礼のほか、平信徒であってもパンだけでなく葡萄酒での聖体拝領に与れるよう要求を掲げていた。

（12）フランソワ・ラブレー（一四九四頃―一五五三頃）による『ガルガンチュアとパンタグリュエル』（一五三二―六四）。中世の巨人伝説に材をとった全五巻からなる物語のうち、第一之書「ガルガンチュア」は、主人公ガルガンチュアが酒宴のさなかに母親の耳から「飲みたーい、飲みたーい、飲みたーい」という産声をあげて誕生するところから物語がはじまる。第二之書「パンタグリュエル物語」以降は主人公がガルガンチュアの息子、パンタグリュエルに代わっており、ミシュレがここで言及しているのは、第三之書の第五一章「なぜパンタグリュエリヨン草と呼ばれるのか、またそのすばらしい効能について」。

パンタグリュエリヨン草とは背の高い繊維質の植物で、（喜劇的、風刺的で荒唐無稽なものまで含めて）様々な用途に資するということがここで矢継ぎ早に語られている。この草は人間の未来に種々の可能性をもたらす一種の霊草として提示されており、パンタグリュエルがこの草の効力を発揮させた場合には「天界の領分が犯される」と、オリンポスの神々が恐れを抱くくだりまでが章末に挿入されている（パンタグリュエリヨン草に「恐るべき」という修飾語が付されているのはそれゆえであろうか）。

ここからミシュレは神々の統治をも凌ぐ人間（＝パンタグリュエル）の技芸に関する発展可能性の暗示を書物から受け取りつつ、霊草には自然の豊穣さの象徴を見ているのであろう。また、このパンタグリュエリヨン草をめぐる描写が、古今の学術書から得られた知見に酔い痴れているかのような衒学的文章で綴られていることから、過剰で奔放な言説を繰り広げるラブレーに、古代の酒神バッカスの姿を見ているのであろう（ラブレー『第三之書パンタグリュエル物語』〔渡辺一夫訳、岩波文庫、一九七四〕を参照させていただいた）。

富裕者と貧困者の戦争

貧しき人々の守り手

ネルヴィの判事[1]が心を打たれた深みのある調子で「哀レナ人々！」〔原文イタリア語〕……と言うのを初めて聞いたとき、わたし自身はそれにすっかり心を打たれた。そこに無私の力を聞き分けたからだ。彼は思索家の部類に入る人である。それについては幾度となく観察の機会を得ている。

この人は群れに属さない。真の意味で人間の友であり、貧しい人々の、粘り強い、勇敢な、熱烈な庇護者である……　権力者の前では時に用心深く、政治的駆け引きもすれば謙虚にもなる。内に秘めたる熱意もまた、同じように揺るぎなく、老練なのではあるまいか？　自分が庇

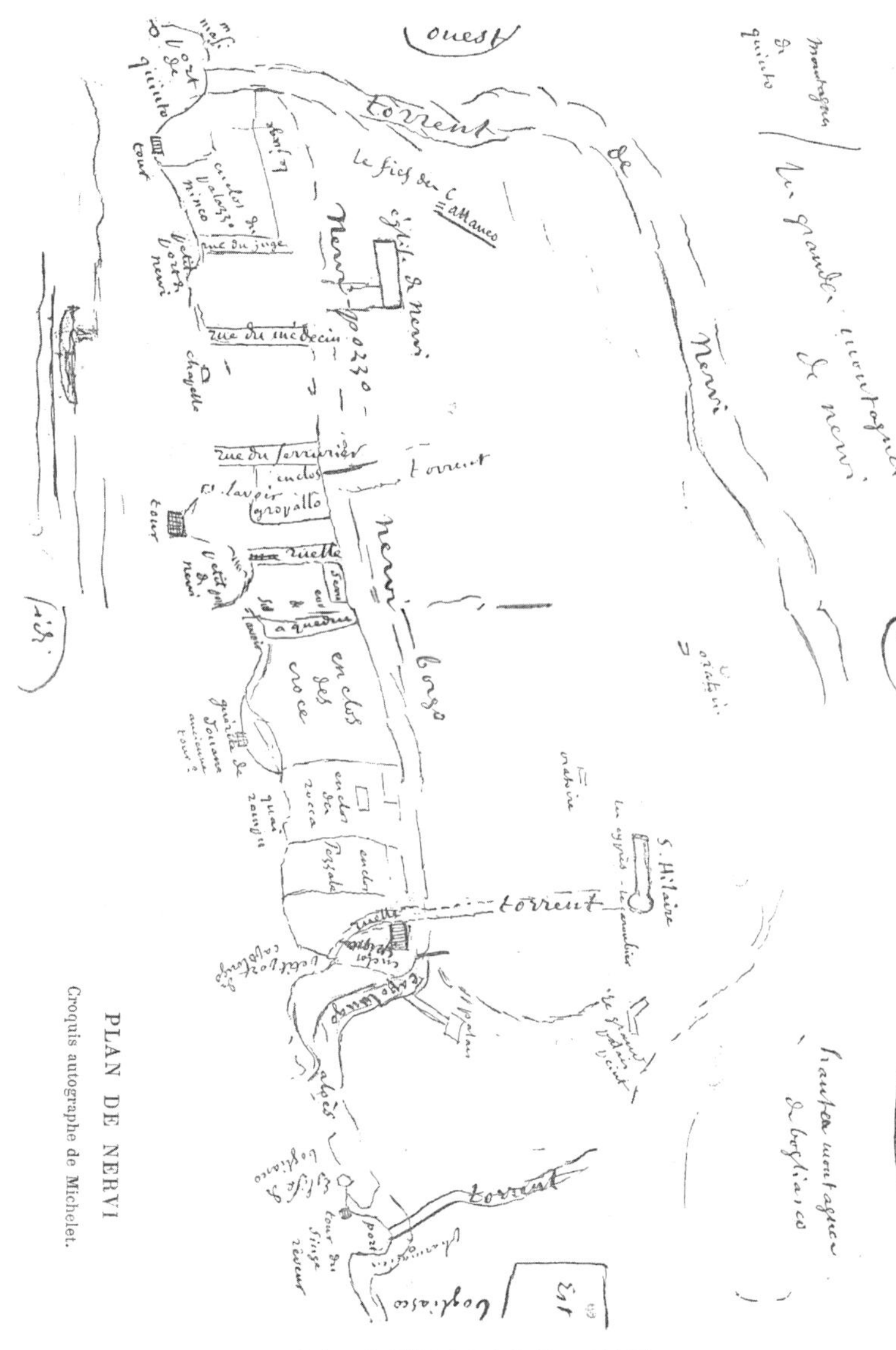

ミシュレ手書きのネルヴィの地図

護する人たちと一緒にいても、敵対者のなかにいるときでさえも、なんとか信のおける援護がないかと彼はいつも探している。そのためには、神に対して策を弄することもおそらく厭うまい。構うものか！　彼を取り巻いている障害や危難を思えばそれも当然だ。困難と最初から存在する敵意の渦巻く、なんと悪しき世界のなかで、この気の毒なイタリア人ががんじがらめになっていることか。蜘蛛の巣のように張りめぐらされた、なんと老獪な策略のなかで彼が行動し、格闘し、戦っていることか……　その努力がわたしを深く感動させ、驚きと敬意で心を満たすのである。

土地の人がわたしにこう言っていた。「彼をああして見ている分には、とても穏やかな人だと思いますよね。ちょっと神秘的なところがあって、いつも無力に天を仰いでいるような……ところがね、本当は激しい人なんです。貧しい人の権利に関わることとなると、怒りをあらわにして妥協しない！……　議会でそうしたことがひとたび問題になると、あの人が自分を抑えるのに苦労して、ペンを噛む姿が見られますよ……」。

「哀レナ人々！」というあの言葉は、ここで、彼の口から自然に漏れた言葉なのである。

重荷を背負う人々

思い出すことがある。ある日、山に登った。体が弱っているわたしにはとてもたいへんな事だったのだが、なんとかサン＝ティラーリオ〔ネルヴィの東方数キロにある標高二〇〇メートルほどの山〕に到着した。冬のことだったが、それでも陽射しは強く、暖かかった。日陰をあまり作らないイトスギからは離れて、立派なイナゴマメ〔マメ科の常緑樹。高さ一五メートルほどまで育つ〕の葉叢の下にわたしは座った。そこから頂上までは、あとほんの千ピエ〔約三五〇メートル〕ばかりだったが、乾燥していて、貧弱な樹木も疎らな頂には少しも気が惹かれず、最後まで登るつもりにはなれなかった。何を見るでもなく、わたしは目を湾のほうへ遊ばせて、青い鏡のような海面を小型船の白い帆が滑ってゆくのを眺めていた。すると、山のほうからこれとは対照的な光景がわたしの目に飛び込んできた。

尖った小石がごろごろしている、起伏の多い曲がりくねった急な山道から、貧しいなりをした荷運びが三人、栗の木の束を背負って下りてきたのである。汗でぐっしょりになって、しかも裸足で、下りてきたというより転がり落ちてきたと言ったほうが良い。一人は二十四歳の男性だったが、四十歳くらいに見えた。別の一人は十五歳の「少年（ラガッツォ）」〔原文イタリア語〕で、やつれた顔が青白く、体もやせ細っていた。三人目は、モンゴル人のような顔をした醜い少女。過度の労苦と疲労がたまりにたまって、イタリア人の体型は損なわれ歪められ、みなとてもやせ細っている。それでも、ここリグリアではそれが上品に見えなくもない。だが、その不幸な少女は、まだほんの幼いのに、背負っている荷のせいでさらに背が縮んで猪首になっていた。他の二人とほとんど同じくらいの荷をその子は背負っていた。釣り合いから言えば、実際それは二倍にも相当するというのに。三人はそこでしばらく休息をとり、背負ってきた木束に腰を下ろした。目の前にわたしたち〔ミシュレ本人と妻のアテナイスであろう〕がいたので、彼らは粗野な目つきでわたしたちを見た。敵意がこもるというよりは、むしろ好奇のまなざしに近いものだった。わたしは心のなかで一粒涙を流した。涙をこらえていると涙の声が聞こえてきた。「哀レナ、哀レナ人々！」。

そこで目撃した貧困が、とりわけ深刻な貧困だと言えるのだろうか？　そうではあるまい。船乗りはどうか。山で材木を運んだり枯葉を集めて運んだりしている「荷運び（ファッキーニ）」〔原文イタリア語、複数形〕に比べれば、船乗りなぞは貴族と言っても良いくらいだ。だが、彼らは彼らでまた別の重荷を背負っているのだ。彼らが背負う宿命という荷は、それなりに重い。

小型船にあまり人が乗っているのを見かけないが（いまし方、大西洋を横断するという船に乗組員が三人しかいないのを見たばかりだ）、これは一体どうしてだろう？〔船乗り同士の〕競争のおかけで安楽に暮らしているジェノヴァの船主が、おそらく、航海の掛りをできるだけ安くあげようとしているからだ。

同じ理由で、ここの船乗りたちは世界で最も栄養状態が悪い。肉類は一切なし。常食は粗悪な乾燥野菜〔特に豆類のこと〕、それを温める酸化した油、あとはお決まりの鱈（たら）。

イギリスの船乗り一人に割り当てられる食事、塩漬けの牛肉、ビール、質の良い多種多様な糧食、それだけでイタリアの船乗りなら四人を養えるだろう。

それでも彼らには何の不満もない。習慣がかくも堅固であるために、自分は陸（おか）で働く人間よりよほど幸せだと思い込んでいる。三月（みつき）か四月（よつき）、あるいは半年ごとに、彼らはいくばくかの金を妻のところに持ち帰る。怠惰な妻だが少しばかりは布を織るようだ。もっとも、布をたくさん織ったところで一日六スーの稼ぎにしかなるまいが。

日常がそんなふうに過ぎて行く。揉め事はなし。夫が帰って家族が揃えば、家にはちょっとしたお祭り気分さえただよう。けれどもそれは、誰も先を考えていないからだ。船主に都合良く使われ、ろくなものを食べていないこの男は、とても苦しい生活を続けるなかで早い時期から病気がちになり、きっと若死にするだろう。

留まる人はいない。誰もが運を賭けている。誰もが海に目を向けている。そして誰もが陸に背を向ける。なぜか？　陸には飢えがある。だから別の場所を目指さなければならないのである。

陽にさらされているあの丘はどうだろう。恵みをもたらす陽光は力強く、夏になれば海からのそよ風が陽射しを和らげてくれる。一番値の良い農産物を生み出そうとしているようではないか。あの丘が不毛だというのは本当なのか、すっかり見捨てられているということも？

遠くから見ると、あの土地には草木がない。だが近づいて見るがいい。岩山の尾根の間に挟まって、腐葉土が縞模様をなしているのが分かるはずだ。

遠くから見ると、あの土地は乾ききっている。だが注意深く見るがいい。高地はいつも霧に覆われていて水を保っている。それが急勾配のせいで失われてしまうのは本当だ。海まで一気に水が流れてしまうからである。だがもしそれを、もっと勾配の緩やかな、水平に近い平面で受け止めることができたなら、傾斜地にも水が保たれて、繁殖の循環を作りだすことができるのではないか。

「あそこには水もないし、土もない」とあなたたちは言う。嘘だ、ひどい嘘である。自然を非難してはならない。非難されて然るべきなのはあなたたちだ。人間による不正とその頑迷さこそが非難されるべきなのだ。

大地よ！　わたしは見た。同じくらい乾燥した地方、あのアルデーシュ〔フランス南東部にある中央山地の南東麓に位置する県〕では、木々が土のない場所で、岩に足を掛けながら小石のかけらのなかで生きていたではないか？　栗の木は、わずかな養分で生きるあの健気な植物は、なんの助けも借りずに大木になっていた。空気だけで生きているように見えながら、自分が落とした葉のくずを、ついには自分の土に変えていたではないか？

自然を擁護し公平を愛する人

これと同じく真実を語る発言が、この地では不穏な言動と見なされてしまう。ネルヴィの判事は大胆にもこう言った。アペニンはかつて肥沃であった。みんながそれを望むなら、またそうなるはずだ、と。

かくして、山は自分を擁護してくれる者の声を聞き、自然は自分の正当性を主張してくれる擁護者を見出したのである。

もし彼がこの地方の出身者であれば、こんなことが言えたであろうか？　そうはいくまい。地元の利益集団に取り込まれてがんじがらめにされ、いまある秩序の保持を望む貴族何某（なにがし）の絶対的意見を重んじるよう、あらかじめ服従させられてしまっていたことだろう。ああ！　イタリアのかつての共和制には勇敢なポデスタ(2)を外から招くという立派な分別があった。彼らは裁定にあたってゲルフ党員ともギベリン党員(3)とも近づきになろうとせず、自ら裁決を下し、それを執行した。咎むべき罪人がいれば、軍旗に風を孕ませ正義の剣を手に、堅固に守られたその家を囲い攻めに行く。鉄の門扉を次々に打ち壊し、櫓を破壊する。あのブランカレオーネ(4)（永遠不滅のライオンの爪）は、オルシーニ家〔ゲルフ党に属するローマの名家〕もコロンナ家〔ギベリン党に属するローマの名家〕も公平に討伐して、ローマに公正をもたらした。すべての人が彼に抗って団結し、彼を生贄にした。しかし、彼を殺してみると、自分たちが平和をも殺してしまったことに気がついた。みんなが彼を悼んだ。そして、自分たちが刺し貫いた非の打ち所のないその〈公正〉の心臓を、まるで聖遺物のように、貴重な赤色玢岩（ひんがん）の壺に収めたのである。

ネルヴィの判事は少しもブランカレオーネのような人ではない。彼は剣を憎み、戦いを憎んでいる。平和の人である彼は、それでも非常に大きな勇気を示した。権利のあらゆる敵に対する激しい憎悪を、自らに逆らって生み出し、わがものとして受け入れたのである。

ノヴィ（活力に溢れるこの地方のなかでもとりわけ活力のある町[5]）生まれのピエモンテ人である彼は、一五年前にここに来た。なすべき善と打ち砕くべき悪が彼には見えた。そして、もうここを離れようとはしなかった。より良い待遇も、昇任（彼に激しく敵対する人たちが彼をここから去らせるために受けさせようとした）も、彼は受け入れなかった。彼は残り、論争の戦場に根をおろした。

彼が何をしてきたか？　敵対者たちと一緒に、彼はこの見捨てられた土地に――彼らの言によればこれまで何一つ生み出したことのない土地に――住みながら、彼らの前でいくつもの古い切株を掘り出してみせた。その切株が、かつて実りを生み出していたことを証明した。彼らの前でいくつもの水源を見つけ出した。その水源が、未だ物を生み出す力があることを証明した。

彼は言った。「共有地を分配すべきです。それで、実り豊かな土地にまた戻るでしょう」。

「分配に与る居住者は五千人います。三百人の地主がいて、そのうちのたった四五人が分配に反対しているのです。いったい誰が？　大地主です。家畜を飼育している彼らだけが、人手の加わっていないこの土地を利用しています。彼らの家畜はそこで死ぬほど草を食べていますが、そのせいで、いまや耕すことのできない荒れ地の状態にまで土地は荒れ、荒廃しているのです」。

「いったい誰が？　ここのすべての土地を占有している人たちです。彼らは、分配によって貧しい人の労働がより高い価値を生むことを、ひいては、富裕者の財産の価値が減ることを恐れているのです」。

いったい誰が？　彼がこの問題に関わるまで、論争はひどく曖昧なものだった。何も明確にはされず、反対している人が誰なのかも明らかにされていなかった。一〇年もの間、匿名の有力者たちの代理人〔町会議員のこと〕、尊敬され恐れられている富豪たちの代理人は、自分たちの思いどおりに策をめぐらせて、やりたいように議会を編成してきた（中央政府から発せられた非常に重要な書類をまる一年ものあいだ隠し通すことさえできたのだ）。こうした陰謀は自治体の秘匿性や保守性のなかで容易に行われてきた。その黙秘の掟を判事がついに破ったのである。あのネズミの寓話とラミナグロビスの寓話にある諺を実行するために、彼はあえて誰も近づこうとしなかった恐ろしい権力者の前に進みでて、彼らに鈴をつけたのである(6)。

数年前、ノルマンディーの田舎にある小さな町から、友の一人がわたしにこんな手紙を送ってきたことがある。「古代バビロニアの大建造物にも劣らぬ町役場がもうすぐ建ちそうです。

というのは、こういう次第です。建築家の町長が、重要な施設にふさわしい威厳のある正面（ファサード）を備えた役場を建てる必要があると、あれこれ訴えました。『円柱です！　とりわけ円柱が重要です！』彼は熱弁を振るいました。それに助役がこう答えました。『分かりました。ただし、それと同じくらい内装にも気を配らなければなりません。この湿度の高い土地柄で何より大切なのは、各階とも樫の良材を使った板張りで念入りに仕上げることです……　昔は天井すら木材で仕上げたものなのです』。あなたにはもうお分かりでしょう！　助役というのが内装屋なのです。これに、屋根屋でスレートも扱っている町会議員が生き生きと言葉を続けました。『それほど金をかけるなら、建物を長持ちさせなければいけません……　父祖の時代から続く、古き良き伝統になぜ戻らないのでしょう。彼らは建物の壁を雨から守る方法をよく心得ていました。上から下までスレートで覆うのです』」。

この町のように、ネルヴィの町議会はもっぱら建築業者で構成されているわけではない。ただしそれは分別を備えた、用心深い人々で構成されていて、そのうちの少なからぬ者が富豪たちに使われており、その庇護を必要としている。他方、そのうちには何人か無私の人もいて、彼らは町から安い値で買い取った土地に生活困窮者用の建物を建てている（もちろん、貧窮者にも払えるだけの家賃は払ってもらう）。だが大多数は中産階級の素朴な人たちで、司祭なり貴族なり、有力者に敬意を払い、配慮しながら暮らしてきた者たちだ。何を行い、何を計画するにしても彼らには有力者に楯突くつもりはない。

有力者に気遣う町議会

町議会が地位の高い人たちをどれほど敬い、彼らにどれほど気を遣っているかを示すには、二つの例を挙げれば充分だろう。

穀物の投機家で、ジェノヴァで影響力を持つある船主が、海岸沿いの見晴らしの良い場所に自分にふさわしい豪邸を建て、屋上にミラノ風の塔を建てたいと思った。すでに建つ他の豪邸は海岸より奥まったところにあって、たいていは高い塀で隠されている。だが、この人は自分の邸宅が海岸でひときわ目立つように、この地方でよく見られるけばけばしい色合いにして、行き交う小型船にレヴァントの沿岸にいることを知らしめるようにするつもりでいる。「見えたぞ、R家の塔だ！」という具合に。あの人は洒落者だ、あの人は大地主だ。貴族階級のはじまりとはとかくこうしたものである。おそらくは、そうしたことでその人の信用さえ増すのではないか？　しかも、こんな金のかからない道楽で。石材はいたるところにある。この地方全体が石でできていると言っても良いくらいである。それにもかかわらず、彼らのような種族はふとした思いつきで、門の下から石を持ってくればそのほうがよほど経済的だと考えるのだ。そこにちょうど波戸場がある。石でできた波戸場で、公共用物である。岩礁に沿った取るに足りない小さな波戸場だが、ここは税関の巡回路であるうえに、五、六隻の小型船の船着場への通路にもなっている。これより向こうにもう道はない。C侯爵夫人の邸宅で行き止まりになっているからだ。この大邸宅も海岸を独り占めしているのに、それでも夫人は敬われている。「たぶん町議会が許可を出さないのではないか？」そんなことはまったくなかった。別の波戸場を作る計画もなしに、一年かけてこの波戸場を取り壊す許可が出る。それまでの期間、深場にあたる海岸で生命にかかわる事故が生じた場合以外、この場所を通行することが禁止されるのだ。

もう一つの例を挙げよう。ネルヴィの真中あたりに、岸全体が腹のように海に向かって少し突き出しているところがある。その突端に一つ低い塔がある。かつてはバーバリ人の接近を監視していた塔で、いまなおそこに建って湾の両側を睥睨（へいげい）している。一方の側は、美しく、謹厳な感じのするポルトフィーノの岬〔ジェノヴァの東方、四〇キロほど〕で、ラ・スペッツィア〔ジェノヴァの東方、百キロほどにある町〕の展望を塞ぐ巨大な大理石の塊である。もう一方の側は、ジェノヴァからニースにかけて広がる広大な岩礁帯で、それが不動の山々に絶えず動きを与える靄（もや）の間から見え隠れしている。ここからの眺めは比類なく、ナポリ湾の眺めより好む人も多い。ちょうどこの場所に美しい庭園を持っているグロパーロ侯爵が、この小塔をいたく欲しがっていた。ひとつは趣味で、ひとつは名誉という実益によって。塔だ！　大地主だ！　この塔はもう防御の役に立ってはいない。そう言っ

ネルヴィのグロパーロ塔

て、彼は町議会に購入を申し入れた。彼が提示したのは一六〇〇フラン。資材だけでも間違いなくもっと価値はある。確かに、いまや海戦の心配をする必要はまったくなくなっている。それでも、防御のためというのではなく、監視所としてはこの塔がまだ役に立つのではないか？　もう少し背を高くして、たとえば海上の船に信号を送るための通信塔にするとかは？　しかし結局は、とてもきっぱりと、塔は何の役にも立たないと判断された。グロパーロ氏から一〇ピエ〔約三メートル〕ばかり土地を買い、塔の建つ台地をもう少し広げて、この美しい場所をネルヴィへの散歩道にするとか、この手の人の趣味には絶対にないだろうが、椰子の木を何本か周囲に植えてみるとか、そういうことは少しも考慮されなかった。そうなれば、塔は憩いの場となり、ジェノヴァから流れてきた老いた船乗りがまた海を見に来たかもしれないのに。通り過ぎてゆく小型船を眺めながら、かつて経験した嵐のことを思い出したかもしれないのに。(7)

こんなふうに挙げてみた言い分よりももっと真面目で、もっと決然とした言い分がネルヴィの判事からおずおずと提起された。「あの塔は町の所有物ではありません。他のすべての要塞と同様、国の所有に属するものです」。この発言で町議会が頭を悩ませた。

考えてもみてほしい。ロートシルト氏(8)が、所有する庭園の一つにと思いついて、用済みになった砦をひとつ買わせてくれないかとパリ市に頼む……　これはそれと同じ問題なのだ。

すっかり参ってしまった町会議員は象牙椅子〔権威の象徴〕で冷や汗を流していた……　いやはや、あの愛想のいい殿様に断りなど言えるものか。グロパーロ侯爵様のご機嫌を損なうことなどどうしてできる？　できっこない！　むろんのことだ。頭を悩ませたあげく、彼らは無視すべきだと、法律に疎(うと)いということで押し通すべきだと思った。「あの方が買いたいと言うのだから、買わせてやればいい。すべてあの方の責任ということで……　売却額はたいしたものではないが、一六〇〇フランを受け取ろうではないか。町には必要な金なのだから……　そうすれば、われわれは、あの善良な侯爵に不快を与えてしまうという不安や悩みから解放される。要するに、彼には影響力があるのだ。後々まで根に持たれたりしたらどうする」。

ベッティーニ弁護士〔不詳〕は町議会の依頼を受けて、一八四八年に共有地に関する非常に優れた報告書を作成し、そこに賞賛をこめて「ネルヴィの勇気ある雄々しい町議会」と記したものだが、これが同じ町議会でないことは一目瞭然である。

自らの企てのために判事が取り付けてきた支持。それはもうみな承知して、分かっている。一八四三年に町議会は共有地の分配を可決しているのだ。だが、一八五三年になっても事態は動いてない。

地区監察官のデスマレゼ〔本章の後段で話題になっている〕は強い言葉でこう言った、「共同牧草地における蛮行は富裕者と貧困者の間で発生した紛れもない戦争である」と。

終結させることの難しい戦争だ。ここまでこうして言葉を費やしてきたのは、これから判事がぶつかることになるあらゆる種類の障害を理解してもらうためである。

判事が議会で語ったこと

大胆であると同時に巧妙でもある判事は、最初の一手を試みたとき、町議会を籠絡できるものと思っていた。計画の実現で町議会が得ることになる大きな利益、大きな信望をちらつかせたのである。議員の野心は感度が高く、それを刺激すればたいていい間違いなく彼らを操ることができる。

以下はおおむね、言葉巧みな判事が過去に語ったことである。

「議員の皆さん、皆さんはキリスト教徒です。皆さんはまた優れた議員でもあります。わたしは皆さんに深い情けがあることを存じております…… ええ！ そうです。ご覧になってください、あの人たちを。あの哀レナ人々を！ 彼らには道路がありません、水も、病院も、学校も…… なんと大きな栄光が皆さんのものになることか。皆さんはそうしたものを彼らに与える政策をとるだけで良いのです……」

「彼らにはみんなで集まる場所さえないのです。お互いにほとんど顔を知らず、理由も分からずに疑い合ったり憎み合ったりしているのはそのせいです。ネルヴィは大きな町ではありませんが、山間部と沿岸部があって互いに交渉がありません。沿岸部だけでも、道路を境に二つの地区（中心部（プール）と井戸（ピュイ）と呼ばれる地区）があって、わけもなくいがみ合っています。聖母マリアの信心会も二つあり、互いの敵意は根が深く、執拗に攻撃し合っています。友愛組合まで二つあって喧嘩をしている…… 何ということでしょう！ 住民たちの生活があまりに苦しいせいで、そうした団体が不和の原因になっているのです。他の町では社交の機会を作る場が、ここでは野蛮を生みだしている」。

「ええそうです！ ここの暮らしは苦しい！ ロバやラバが山を登るのを嫌がって、使いものにならない場所ではどこでも、荷を負うのは人の背なのです…… 道路を作ってください！

皆さん、道路を！　人間が動物以下になって、その貧弱な背に何でも背負うから、彼らはみんな仕事で背が丸くなっている……　人をへとへとにする辛い仕事で形が歪んでしまうのは、何も肩ばかりではありません、頭だって、精神だってそうなのです……　尖った頭をしている人も珍しくはない。おそらくイタリアのどの地方でも、これほど人の頭蓋が（幸運にもたいへん才能に恵まれた人が住んでいるのに）締めつけられている土地は他にありません」。

「最も重要なのは道路です。山の水源に通じる道路を作ってください。あるのです、水源は。なのに、誰もそれを利用していません。水が無駄に流れているのです。ただ流れていってしまう……　乾期になると、大勢の人が喉をからからにして、舌をつきだして、水汲み場でまる数時間も順番待ちをしている。あの光景といったらどうでしょう。女房たちは日がな一日そこで時間を過ごしています。しかし残念なことに、夕方、最後のほうの人たちにはもう何も残っていない。最後の一滴まで涸れてしまうのです」。

「手に入らないのは野菜も、香草も同じです。かろうじて果実は手に入りますが……　でも、なんとひどい果実でしょう！」

「喉をからからにした人たちが水汲み場を取り囲んでいる姿を目にされれば、皆さん、知的な乾燥がこの地域全体を荒廃させる様が、残酷にもごく自然に見えてくるでしょう。活力に溢れ、鋭敏な精神をもっている住民たちが、必要から見放された運まかせの生活のなかで、最低限の援助さえ受けられずにいるのです…… だから皆さん、わたしたちはこう認めなければなりません。わたしたちはわたしたちの子供に日光浴もさせず、まるで飢饉の国にでもいるように、食べ物も与えない。そのまま、海に打ち捨てている…… いったいどういうつもりなのでしょう？ 海に物があるわけではない、商売があるわけでもないのに…… 実のところ、ただの習慣なのです。それが続くかぎり、習慣が人を型にはめるのです……」

「習慣が人々を型にはめる。あるいは、習慣が人々を溺死させるのです…… 彼らは海図を読むことさえできません。自分がどの緯度にいるかも分からない…… 海図を持っているとすれば、それは各人が自らの危険と引き替えに手に入れた、頭のなかにある海図です。暗礁がどこにあるかを彼らが知っているのは、そこで死んだ仲間がいるからなのです」。

「ジェノヴァの船主の皆さんには、なんとたやすいことでしょう（それについて悪口を言うつもりはまったくありません。わたしは然るべく、彼らを畏れ、敬っています）。あのような無知な人たちを使って利益をあげるのは、なんとたやすいことでしょう。彼らはほとんど計算ができません。かろうじて契約書は読めますが、それで自分の命を質に入れているのです」。

「彼らは航海から戻ってくると（戻ってくることができれば、ということですが）、多くが疲労困憊し、病気になり、だるさや発熱などを訴えます。そこで、ジェノヴァの病院に行かせる。するると、門前払いをくらう。『いったい何をしに来たのですか？ 腕の骨でも折れたのですか？』

受け入れてもらえるのは、怪我人か重病人だけなのです」。

「皆さん、病院を作ってください！　三万フランでできます。わたしが、どこか大きくて造りのしっかりした修道院を買収します。それを病院にしてください。一から建てるとなれば一〇万フランかかりますから」。

その通り。しかし判事が目にしたのは、買収にはとても冷淡な議員たちの反応であった。これが新築となれば、彼らも熱意をもったはずである。建築家、大工、石工、塗装工、地域をあげて一致団結し、事を進めたことだろう。

さて、判事は、とてもうまくいった投機の例を挙げて、ついにあの裁決〔共有地の分割〕を議会から引き出した。かって、カッターネオ侯爵〔不詳〕が「哀レナ人々（植木屋、船乗りなど）」のために多数の家を建てることを思いつき、それで個人収入を大幅に増やしたことがあった。この例にクイント[2]の町議会が倣った。町が土地を売って、そこに投機家たちが「哀レナ人々」のための家を建てたのだ。これで建築業者も町も両方が潤った。町は突如十倍も収入をふやした。ネルヴィにも同じことができないでしょうか、道路、水道、学校、病院、要するに何でもいいのです——おまけに町議会には不滅の栄誉が与えられるのですよ？　治安判事の人たらしの論法とはこういうものだった。

支持者を得るために、少なくとも、聖職者たちから反対を食らわぬように、彼は慎重にこう付け加えた。「利益のいくばくかは宗教事業費の助けになるでしょう」。

政治的な駆け引きである。金銭的に大いに助けられる側の宗教は何も必要としていない。他方、判事には、すべてを止めることのできる絶対権力を敵にまわさない必要があった。

反対者たちの策動

計画は庶民にうけた。庶民の期待があまりに大きくて、直接の反対意見はほとんど出されなかった。反対者は密かに動いた。

そしてこんな話を広めた。投機家たちは、訴訟でも金でも何でも使って、分割された共有地を丸呑みする手を考えるだろう。だから、貧乏人は土地を手に入れることなど永久にできっこない。

それから、こう考えた。一五〇〇年頃に町の指導者たちに売却されたあれらの土地は、彼ら個人、ないしはその一族のものだ。それで、ずうずうしくこう言った。本当のところ、あれは私有地なのです！

それから、「哀レナ人々」への対抗を「哀レナ人々」に呼びかけるという、一つの仕組みを思いついた。どんな人々に呼びかけたか？　貧しい人々からなる二つの身分を作ったのである。これは意図的に作られたもので、実際にはこの地域にそんなものは存在していなかった。

まず羊飼いという興味深い身分。貴族のもとで働く人足や使用人を一ダースばかり呼びつけて、これに羊飼いを演じさせた。

そして秣刈り人夫という身分。もともとこの地域には、干し草の刈り入れ時期にたまたま空いた手を貸す人たちがいるだけで、専門の人夫はいなかった。元来、土地の分配によってより多くの仕事を得られるはずの人たちである。

さて、去年の冬のことだ。ひどい寒気が霜害をもたらし、沿岸部のオレンジがほとんどやられてしまった。三月の、収穫を決める一番重要な、気を遣う時期のことだった。残されたのは、取るに足りない穀物、ごくわずかな麦で、緑の苗が育っていた。大理石からなる不毛の土地では、死ぬほど苦労してやっと収穫できる穀物である。そこへ、クワルト〔ネルヴィ北西の内陸部〕とアパリツィオーネ〔ネルヴィ北西の山間部〕の高地から、ドーリア家、スピノーラ家、その他（二四名の大地主）の羊の群れが下ってきた。群れは共同牧草地の草を食べ尽くすだけでは満足せず、沿岸の私有地にある麦の苗を食い荒らしに来たのである。食い意地の張った動物たちは、他者の財産に引き寄せられて、若い麦をじっくりと味わい、その味が気に入って、そこに居座り、この素晴らしい御馳走のうえで転げ回った。痩せた農夫たちが駆けつけてきて、叫びをあげ、愕然とした。堂々とした羊飼いたちは生来怠け物で、それにどれほどの価値があるかを知らず、動揺することもなかった。彼らは屈強で、「俺たちは良い主人に恵まれている」と思っており、悶着を面白がっていた。農夫たちは我を忘れて怒り狂い、石を投げて彼らを追い払おうとした。それでも相手はまだ去らない。農夫たちは各々、家まで銃を取りに行かねばならなかった。彼らは何発か発砲した。空に向けて撃ったのであろう。というのは一発も当たらなかったからだ。

　これはゆゆしき問題であり、火種が広がればたいへん危険なことに、農夫と羊飼いの戦争になる。それはとどのつまり、農夫と貴族（血統あるいは財産に基づく貴族）の戦争を意味する。

　すべてをすぐに止めなければならない。判事は地区監察官〔前出のデスマレゼ〕のもとへ走った。監察官はいたく心を動かされた。正義は彼にある。判事が動いてくれれば、みんなが彼を支持するはずだと。しかし、彼が行動を起こしかけたとき、トリノ〔ジェノヴァを領有するサルデーニャ王国の首都〕からどんな風がふいたものやら、事はすでに動いていた。冷たい風だ。監察官はすっかり冷めた。「平和です！　何よりまずは平和です！　事件をもみ消す必要があります」。

　さていま、判事はあいかわらず危うい立場にいる。近くで羊飼いどもが笑い、羊の群れは動かずにいる。その食欲は満足することを知らない。麦が実った。それを目の前にちらつかされて、いずれこの羊たちは領民たちの労働に領主の権利を振りかざすことになるだろう。

注

（1）ネルヴィの治安判事、フェッラーリ氏。それ以外の詳細は不明である。ミシュレの日記には一八五四年三月十四日に「ネルヴィの判事の来訪」（前掲書八八七頁）という一文が見られ、その後四月末にフェッラーリ夫人の訪問を二度（二十一日、二十四日）、五月に夫妻での訪問を一度（一日）受けている。

治安判事は小郡（カントン）を単位として設置される公職であり、民事調停を主な任務とし、日常生活で生じた比較的小さな係争を和解させることを目的としている。したがって裁判所の裁判官とは区別される。治安判事は自治体の選挙で選ばれることもあるが、ネルヴィの場合はジェノヴァを統治するサルデーニャ国王から任命され派遣されたものと推察される。というのは、彼が王国領ピエモンテ出身であること、また本文でミシュレが彼を取り巻く困難な状況について「最初から存在する敵意」を指摘しているからである。ジェノヴァの住民は統治者である王国に敵対心を抱いていた。

（2）ポデスタは中世イタリアにおける都市国家の執政長官。もともとホーエンシュタウフェン朝の神聖ローマ皇帝フリードリヒ一世（一一二二―九〇、在位五五―九〇）がロンバルディア地方の諸都市に侵害されていた皇帝特権を回復するために設けた地位であったが、その後、各都市国家の支配階級のあいだで皇帝派と教皇派の抗争が激しくなると、党派抗争に巻き込まれない行政的地位が求められるようになり、ポデスタ制が広まっていった。こうした要請から、ポデスタとなるのは他の都市の出身者に限られていた。

（3）神聖ローマ帝国の帝位をめぐり、ホーエンシュタウフェン家に敗れたヴェルフ家がローマ皇帝と結んで対立したことに端を発する党派争いにおいて、イタリアでは教皇派をゲルフ党、皇帝派をギベリン党と言った。

（4）ブランカレオーネ・デギ・アンダロ（一二二〇―五八）。ボローニャの貴族で一二五二年よりローマの上院議員、執政長官を務めた。一二五八年、何者かによって毒殺されたと伝えられる。

（5）サルデーニャ王国ピエモンテに属する町、ノヴィ・リグレ。ジェノヴァの北北東、五〇キロほどのところにある。

（6）猫の首に鈴をつける話は、ラ・フォンテーヌの『寓話』第一集、巻の二「ネズミの会議」に見られる。ロディラルドゥスという名のネコに怯えるネズミたちが会議を開き、思慮に富む議長がその首に鈴をつけることを提案する。一同がその意見に賛成するが、誰もその任務を引き受けるものがいないまま会議が散会になるという話。末尾に「議論するだけなら議員は大勢いる。実行が問題になるとだれもいなくなる」という教訓が付されている。

もう一つの「ラミナグロビス」は『寓話』第二集、巻の七に含まれる「ネコとイタチと子ウサギ」に登場するネコの名。ウサギの留守中、その宮殿をイタチが占領して口論になる。最初に占有したものに権利があると主張するイタチに対し、ウサギは父から子への相続権を認める慣習法を引き合いにだす。決着がつかずに信心深い隠者として暮らすネコの「ラミナグロビス」に裁定を求めに行く。すると、両者ともこのネコの餌食になってしまったという話。これには「小国の主権者たちがときどき争いを起こしては、大国の王に裁決をもとめる」のに似ているという教訓がつく。

「ラミナグロビス」と「ネルヴィの判事」にまったく共通項がないとは言えないが、権力者が争い合う弱者を餌食にするという寓話の結末はここの文脈にそぐわないように思われる。ミシュレがそれぞれ別の話に登場するネコの名前、「ロディラルドゥス」と「ラミナグロビス」を混同したという可能性はないだろうか（今野一雄訳『寓話』上・下〔岩波文庫、一九七二〕を参照させていただいた）。

（7）ここで話題になっている小塔は「グロパーロ塔」（トーレ・グロパーロ）としてネルヴィの海岸に現存している。

（8）ジェームス・ド・ロートシルト（一七九二―一八六八）。ユダヤ系大銀行家の五男としてフランクフルト・アム・マインに生まれ、一八一一年、パリに移住した。ロートシルト商会を開業して鉄道建設などへの投資で事業を拡大し、巨万の富を得た。

（9）クイント・アル・マーレ。ジェノヴァ中心部の東約八キロに位置する、ネルヴィに隣接する町。

死を糧とする生

病苦とそれからの回復

三つのことがわたしの体調回復を大いに助けた。

まずそれを望まないこと、それについて考えないこと、考えて疲れないようにすること、これである。忘れることだけが良い薬になる。わたしは忘れた。あるいは、受け入れた。寛大なる自然が、仕事に明け暮れた三〇年の間、わたしに素直に従ってくれていたのだから、今度はわたしが自然につき従う番なのだ。要はそういうことなのだと思われた。自然は概して、とても善良で母性的である。自然がわたしたちを苦しめるなら、それがまたわたしたちのためになるからだ、そう思わねばならない。病とか機能の不全とか呼ばれているものは、それ自体ひとつの機能なのだと、わたしはかねがね考えてきた。病というものは、疾病と同時に健康な状態では決して持ち得なかった感覚や思考をもたらす。生命に勢いがあり、続けざまに行為し、それで目が眩んでいては上手く判別できない事柄がある。病はそうした多くの事柄をわたしたちによりよく見せてくれる。健康、運動、血液の活発な巡り。実際、これらにはそれ相応の目眩があるものだが、それを病が散らしてくれるのだ。したがって、このように言うことができる。病とは健康からの回復であると。そして、おそらくは死というものもまた、それ自体、ひとえに生からの回復なのだ。

　これがわたしにとってとても良い薬となり、自分の個について、自分の病苦について、さらには世界の病苦について、あまり考え込まぬようにするのにたいへん効き目があった。

　世界と言えば、いまわたしを取り囲んでいる小さな世界が、ネルヴィという世界がまずあった。どの医師よりも助けになったのが、あの素晴らしい治安判事であった。厳しい環境にあって不毛な山も絶望的ではない、あの山はまだ作物を生み出すことができる、また蘇って花を咲かせ、生命と豊かさを取り戻すことができる、判事がそれを証明してくれるたびに、わたしは自分の病をますます意識しなくなっていった。人間への愛がもたらした透視力を使って彼が水源を見つけ出すたびに、わたしは自分の喉の渇きを忘れ、水の湧出を自分の内にも感じるようだった。数世紀の歳月に消尽され、貪欲なジェノヴァに消尽された老アペニンが、また青春を取り戻すことができる。森の王冠をまた優雅に頭へ載せることができる。ならば、わたしにもそれができないはずはあるまい？　わたしの枝は切り落とされたが、過酷な運命によって一新されて、そこからまた生命の花々が芽吹くかもしれないではないか？　かの聖人の大いなる善意のもとで荒れ野が生き返り、希望に活気づくのを目の当たりにすれば、善意をもってすべてを回復させる全能の神の存在を信じぬ謂われがあるものだろうか？

わたしは最初、鉄のように固いものを感じていた。しかし、自分の内に何とも知れぬ生気が樹液のように流れるのを感じてもいたし、いまも感じている。自然よ！〈摂理〉よ、わが母よ！自然は破壊ではない。おまえがわたしに施してくれたのは、恵みをもたらすための枝打ちであり、接ぎ木である。おそらくは、より若い精神の植え付けである。

自分が病んでいるから、それが何だというのだ！　世界もまた病んでいるではないか！　目下おまえの世界であるイタリアは、お前の哀れな乳母イタリアは、おまえの看護婦は、少なくともこの厳冬期に穏やかな気候でおまえを申し分なく包みこんでくれた。自分の調子もあまり良くないというのに。おまえの生命の調和を乱し、おまえが自分の病と呼んでいるものを生み出したのは、相反する要素の闘争、相容れぬ気分、相容れぬ思惟のあいだの闘争だ。イタリアにも確かにそれがあり、未だ自分自身と調和していない。病がある。じっくり考えるに値する病だ。おまえの病に構うな。そして、もしできるなら、病人から医師になれ。

この厳しくも穏やかな荒れ野で陰鬱な数カ月を過ごすにはめになったと感じているとすれば、〈摂理〉を好意的に見てはいないことになる。自然が一年を準備するこの時期に、魂の健康に役立つ何らかの果実を大事に見守るべく、おまえは招待されたらしい。寒さに震える北イタリアの哀れな住民がたくさん命を落とすこの季節に、おまえは丁重に扱われ、いたわられている。おまえは感謝しなければならない。

帝国砲兵隊の、ある純朴で控え目な士官がしばしばわたしに語ってくれたこと。（砲兵隊のおかげで）ワグラム[1]で勝利した後、通告された当然とも言える昇級を受けなかったのは、すべてに嫌気がさしていたからで、彼は剣を置いて神秘主義にはしり、現実に背を向け、頭と心の赴くままに宗教的夢想に没頭した。

イタリアの逆境から、それをもとにして、苦しみ期待し喘（あえ）ぐ世界の逆境へと自分の思考の地平を広げること、また忍耐の限界を広げること。自分の状況を引き受けるだけでなく、まだ穏やかな啓示としてそれを心の底から受け入れること。無数の民の不幸を自分の分け前として受け入れること。兄弟たちの大きな不幸に比べれば、それしもささやかなものに過ぎない。かくして、この状況は承認できるものに、というよりむしろ、わたしにとって貴重なものになった。

夜に想う

一月三十日、わたしは午後六時に夕食をとっていた。開け放ったすべての窓の前に、清らかで穏やかな海があった。ざわめきというより、ときめきを示していると言うべきか、海はまるで命を宿して生きているようだった。闇があった。ずっと前に日は暮れて、月はなかった。闇の全体が透き通り、無数の星がダイアモンドのように輝いていた。闇を透かしてわたしは海を眺め、わたしの純朴な隣人を眺めていた。大理石でできた生真面目な人物、ポルトフィーノの高貴な岬のことである。わたしは神について、それから食卓を共にしてわたしと一緒に座っている若き聖女、愛する妻について考えはじめた。この妻を通じてわたしは日々の糧を得ていたのである。非の打ち所のないその手を経てやって来るものでなければ、わたしの糧になるものは何ひとつなかった。砂漠の修道士たちより多くの恵みを私は神に負っている。パウロスはライオンからパンを受け取り、アントニウスは天のカラスからそれを得た[2]。わたしのそばにいる神の使者は、このイメージそのものである。イメージ? それとも現実? わたしは心のうちでこうつぶやいた。天上のあの煌（きら）めく世界のすべてを見回しても、わたしの近くにあってわたしが手にしているものと同じくらい純粋なものは、一つとしてあるまいと。

輝く空の高みには、全世界にとっての幸いとも思われる、易々として素早い、調和を保った運行があり、そこにわたしは世界の完璧な調和の展開を見ていた。明らかに、世界が犠牲を払う要素はどこにもない。世界は毎夜その至高の運行を、荘厳な喜びのなかで遂行しているのだ。

地上に存在するわが天国。純粋で若々しく、自然を備えたこの花には、これと別のものをわたしは見ていた。心の底から受け入れられた義務、愛情または友情から志願された義務、漠たる犠牲的精神から生じる甘受のなかで淑やかに続けられる義務である。それで、わたしははっきり直感したのである。神が至高のまなざしとその好意を注いでおられるのは、天でもなければ、そこでダイアモンドのように輝く星々でもないと。

ではどこに？　疑いようもない。地上だ。書物の他は持ったことがなかったのに、貧しい所帯の無骨な仕事で培われた、この献身的な手があるところ、この暗い部屋にだ。

長い時間、彼女は様々な家事に心を砕いて過ごしていた。それに加わること、彼女の相手をしてやることは、わたしの健康状態が許さなかった。これはあらかじめ分かっていたこと、理解していたことではあるが、わたしはこう感じていた。貧しさだけが生きる術を知り得るのであり、実際、家事や食事と呼べるものは家族の内にしかないと。

なぜか？　別のところ〔『民衆』第一部第三章「労働者の隷属」等〕で言ったことがある。この家事、この食事に、真の交感が、感情の一体性があるからだ。妻はそこで夫の妻でありつつ、母であり乳母なのである。夫は日々の糧を愛する者の手から受け取る。毎夕、夫が妻に労働の果実を運んでくるとしても、夫は妻の傍らで労働の忘却を手に入れる。神は自然に対して日々の再生力を注ぎ入れるが、妻はそれを自然から受け取り、夫に与える。このときそれは愛の魔法によってさらに力を増し、活気づけられている。〔神による〕この地上への優しい贈与は、感情を共にする手を介して、そこに無限を加える善意と熱意を介して、人格化する。言ってみれば、人格を帯びた糧となり、〔その糧が〕これに触れこれを加工した人に、最愛の人になるのだ。となれば、辛いことなどどこにあろう？　こうした事柄のどこに凡庸なものがある？　あるわけがない。これ以上の何を求める？　このうえ神に何を示せというのか？

　気づいたことがある。病みはじめのころ、実際に口にできる食物は乳だけだった。あの石ばかりの牧草地から生じる、軽くて薄い貧しい乳だったが、それには味わいと風味があった。これは体のためになる成分を含む特筆すべき糧である。気づいたことがある。わたしは続いて果物も口にできるようになった。農法全般に関する知識がないために、それはなかば自生の果実のようであった。ところが、器用で愛情のこもった手、感情を共にする優しい手によってそれに仕事が施されると、野生的な刺激が和らげられ、取り除かれたのだった。苦味のある果汁はすっきりした味になり、新鮮な味わいだけが残された。わたしはこれで活力を取り戻した。こうした好ましい食物を摂りながら、数世紀に関する歴史と仕事からわたしは離れていた。とりわけ、あの堪え難い九三年〔―九四年〕を扱った最後の本〔『フランス革命史』第六巻、第七巻〕の苦味から解放されていた。あの仕事がわたしの臓腑を苛み、わたしの血をすすり、骨の髄までわたしの生から生を奪い取ったのだった。

イタリアの聖なるパンを、孤独のなかでわたしに〈祖国〉を思い出させてくれる女性の手から、わたしは毎日受け取った。このパンがまた、わたしの活力を増進させはじめ、わたしの心を高めはじめた。一口一口が、不毛なアペニンを蘇らせるための思考となり願いとなった。一口ごとに、わたしはかのフランス人〔不詳〕とともに、飢えから強い着想を得て、こう言った。「アア！　何ト多クノぱんガ眠リニツイテイルコトカ！」〔原文イタリア語〕。

生と死はひとつのもの

彼女の愛情はあらゆる動物たちにまで及び、自分が供する食事も自分で味わうことができなくなっていた。自然が私たちに課している必然、それは、わたしたちはその生を死から引き出すということだ。あれら山の動物たちは、実に、こうしたことへの嫌悪感をおおいに高めるようつくられていると言わねばならない。

彼らが肉屋の門口に立ち、宿命の到来を待っているとき、それでもわたしたち通行人に好奇心にあふれたまなざしを送ってくるとき、自信に満ちて、自由で優しいそのまなざしが、まさしく人間のそれだと、少しも悪意のない人間のそれだと思えてしまうとき……　ああ！　わたしたちはこれまでもしばしば自分を責めてきた。わたしたちの本性に備わる運命と宿命を責めてきた。

死を糧にわたしは生きねばならない。枯渇した生を他のものの生で回復させねばならない……厳しい掟だ。もっとも穏やかな宴も、祝祭にはなり得ない。

この世界ではすべてが混じりあっている。「厳シイ優シサ」〔原文イタリア語〕、苦い甘さ、いたるところでそれが目につく。

一月三十日のあの晩、あの海が、あの輝く闇が第三者としてわたしたちと共にいた。わたしたちは静かなひとときを過ごした。わたしたちのまなざしが深くなった。

深く。それが向けられていたのは空でもなければ海でもなかった――それより目立たぬ、また別の無限であった。

最後に一つの言葉がこの沈黙を破った。二人のうちどちらがそれを言ったのか、わたしには分からない。「けれど他の人たちは、みんなはどこにいるの？」

みんなはどんな目に遭っているの？　みんなは生きているの？　それとも、みんな死んでしまっているの？……

わたしたちは再び沈黙に戻った。闇よりも暗い思考の声に、それ以上耳傾けることをあえてせずに。

注

（1）オーストリア北東部、ウィーンの北東一五キロにある村。一八〇九年七月五日から六日にかけて、ナポレオン一世のフランス軍とオーストリア軍がここで戦った。大砲の数でオーストリア軍を上回るフランス軍が勝利した。

（2）ヤコブス・デ・ウォラギネ『黄金伝説』に含まれる、聖パウロスと聖アントニオスの伝説に基づく。

エジプト、テーベ生まれのパウロス（二二八―三四二頃）は、ローマ皇帝デキウス（二〇一頃―二五一、在位二四九―二五一）がキリスト教徒を迫害したとき砂漠に逃れ、六〇年以上禁欲と観想の生活を送って最初の隠修士となった。そのころアントニオス（二五一頃―三五六）という修道士も砂漠にいて、眠りのなかで自分よりも立派な隠修士がいることを告げられた。アントニオスはパウロスの洞窟を訪う。食事の時間になると、パウロスのもとに一羽のカラスがいつもの二倍の大きさのパンを持って飛んできた。だが両者とも、このパンを自分の手で割るのは失礼だと思って遠慮しあう。客人を敬うパウロスと主人に敬意を表するアントニオスがついに一緒にパンに手を添えると、パンは真中から二つに割れた。この面会の後、アントニオスは自分の庵にもどる途中で、天使たちがパウロスの魂を天に導いてゆくのを見る。アントニオスは引き返して彼を埋葬しようとするが、土を掘る道具がない。その時、二頭のライオンが現れて、パウロスのために墓穴を掘った（以上、前田敬作・今村孝訳『黄金伝説』1〔平凡社ライブラリー、二〇〇六〕を参照させていただいた）。

これによれば、カラスを介して日々のパンを神から与えられていたのはパウロスである。ライオンがパウロスにパンをもたらしたとするのはミシュレの記憶違いであろうか。

追放の歴史家、ウェルギリウス

幼年時代からもう、わたしは本能的にウェルギリウス[1]に帰依して、〔その詩篇を〕聖書にしていた。どうしてそうなったのか、根本的な真の理由がわたしには長いあいだ分からなかった。いまはそれが分かる。ここ三〇年は一度も読んでいないが、それはその必要がなかったからだ。彼は常にわたしと共にあり、詩篇をそらで覚えていたからである。

わが同伴者ウェルギリウス

わが研究、わが人生の忠実な同伴者である彼は、わたしが古代に足を踏み入れるたびに幾度となく去来した。彼はそこに存在し、その心ですべてを照らし出してくれた。中世においても同様である。救済が何も救わなかったあの時代、農奴において粗野な隷属が続いていたあの時代、飢饉や悪疫による人口減少、宗教的追放の名残である荒涼、荒廃したアペニンの人離れ、熱病を引き起こすマレンマ〔イタリア西部沿岸の海岸沼地〕のあったあの時代にも。折に触れて、古代イタリアの追放者の強い声がわたしの胸によみがえった。シュワーベン地方その他のアメリカ移民(2)もまた、わたしに詩人を思い出させた。

同様の印象とは最も遠いルイ十四世の世紀にさえも、選ばれた人たち〔迫害を受けたプロテスタントのこと〕はそこに過去数世紀の谺(こだま)を確かに聞き取った。ナントの勅令の廃止〔一六八五〕、六〇万のフランス人の亡命。その誰も不平を言おうとさえしなかった。この非力で穏和な魂たちは古代の不幸にさかのぼり、それについて語ることができただろう。

ウェルギリウスを描いたモザイク画、3世紀

例として、シレノスの美しい歌から数行を引用してみよう。古代の数々の変身譚のなかからウェルギリウスが物語るのはトラキア王、テーレウスのそれである。テーレウスは鳥に変わり、自分の家を、失った住処(すみか)を見に帰る。「イカナル翼ヲモッテ、ワガ家ノ上ヲ飛ビ回ッタカ(3)!」なんという不幸！かつて自分のものであった家の上を彼は舞っているのだ！

ここから聞こえてくるのは、おずおずとした声、マエケナス[4]の庇護を受ける老ウェルギリウスの抑えたため息である。若い頃の彼はもっと大胆で、ウァルスやガルス[5]の寛大な庇護のもと、もっとはっきりした物言いをしていた。鳥に変えられる老王に材を求めようとはしなかった。追放された者の名において、彼ははっきりした拒絶を口にしていたのである。

アア、長イ年月ノ後ニ再会ノ機会ハ与エラレヨウカ、父祖ノ土地ニ
藁葺キ屋根ノ貧シイワガ家ニ会ウ機会ハ
アル日、私ハ見ルノダロウカ、ワガ王国ガ数本ノ穂ニマデ減ッテイルノヲ!〔『牧歌』第一歌、六八―七〇行〕

「ああ! 長い年月の後に、わたしは父祖の土地なる〈境界標〉に再びまみえることができるだろうか、貧しくも幸福なわが家を、苔に覆われたわが屋根を、常にわたしのものであった穀物の穂を、わたしのものであるわが王国を再び目にすることは」。これは、穀物の実りを奪われた哀れな労働者、王座から追いやられた王の胸に迫る嘆きである。数年を経て書かれた第六歌の「テーレウス王」に、この胸に迫る残響が響いているのだ。第六歌は、おそらくアウグストゥスに孫の誕生を祝ってほしいと頼まれて、その求めに応じて書かれたものであり、オク

タウィウスだった者[6]を悲しませてはならなかった。追放からはすでに歳月を経ており、庇護者たちはそれを忘れていた。だが、ウェルギリウスは忘れていなかった。追放が彼に深いため息をつかせる――ほとんど言葉にならないため息は、ほとんど無言の歌になる。ああ！　歳月を経て、追放者は声を失った。彼は言葉を忘れ、祖国を忘れた。そして、人間の言葉をも。残されたのは意味の通じぬ声ばかり、野生の明瞭ならざる声ばかり。鋭い鳥の鳴き声で、名を失くし、誰にもそれと分からぬ姿で彼はまた、永遠に打ち捨てられたわが家に別れを告げに帰るのだ。

土に根付く想い

心の鍵で、時間の鍵で、わたしたちはウェルギリウスを開いた。わたしたち自身の苦難や不幸で。あるいはまたそれ以上にわたしたちに血を流させる、わたしたちの仲間の不幸でも。

古代の歴史家たち、というよりむしろ、こうした出来事を幾たびとなくよみがえらせる不易の循環[7]に属する〔本物の〕歴史家たちは、ご承知であろうが、リウィウス〔『ローマ建国史』を著した古代ローマの歴史家。前五九―一七〕のごとき空疎な美文家でもなければ、タキトゥス〔『ゲルマーニア』や『年代記』を著したローマ帝政期の歴史家。五五頃―一二〇頃〕のごとき劇作家でもない。彼らの書物のどこを読んでも、民衆から生じる大いなる変革の思想は少しも読み取ることができない。

他方、出来事に耳を傾けることを知っている者にとっては示唆に富む、真の書物がある。第一に、「土地測量家タチ」〔原文ラテン語〕が遺した断片、極めて高い価値をもつエトルリア―ラテンの古文書である。わたしたちはそこに、権利と慣習に基づく固定した所有権に従って国を建設しようとした、イタリアのこのうえない努力の跡を垣間見ることができる。所有がなければ国土は不毛なままであったに相違ない。彼らは大地に〈境界標〉を、家の守護神の石碑を打ち込んだのである。第二に、わたしが同じくウェルギリウスの断片と呼ぶところのものがある。つまり、彼の詩篇にちりばめられている歴史的な文章、嘆きを含んだ聖なる詩句のことだ。詩人は、時代の過酷さによって、その内気な性格によって、庇護者に対する名誉を伴う服従によって、傷つけられている。その素晴らしい詩篇には、彼が遭遇し味わった幾多の苦難が、甘くて苦い涙とともに歌われている。だが、その聖なる詩句に、偉大な詩人はイタリアの苦痛をも記録しているのだ。第三の歴史的資料、明快な資料、あまりに明快でありのままに残酷な資料、それは、植民地と入植者に関する、奴隷入植者に関する、一群のローマ法である。「植民地」、「奴隷」〔原文いずれもラテン語〕、あるいは農奴に関するそれだ。そこには、ウェルギリウスが嘆きを与えた種族の後に続く種族の歴史がある。誰が何と言おうと、古代の奴隷は中世の農奴の源流をなす種族であり、現代のプロレタリアとも違いはほとんどない。

〔ウェルギリウスの『牧歌』〕第一歌は全体が二人のイタリア人の対話から成っている。故郷を追われるメリボエウスと、すでに老いて（年齢のせいではなく、苦難によって）憂愁に沈むティテュルスの対話の余白には、地方の荒廃を示す証言が遺されている。これは大きな価値をもつ歴史的記念碑であり、ヴィーコならばここに不易の歴史の循環を、その最も完全な表現の一つを認めたことであろう。

詩人には身分の高い有力な庇護者が何人かいた。その作品が彼らの名を永遠に伝えることになったのだが、それにしても、詩人は不幸と縁が切れぬよう生まれついていた。庇護者の一人、ウァルス[8]は、文明世界の最初の敗北、ゲルマニアに住む蛮族の最初の勝利という史実によって、歴史に汚名を遺した。彼が森の奥で悲惨な死を遂げたことはよく知られている。別の一人は、詩作もよくする総督、薄幸のコルネリウス・ガルスである。ウェルギリウスは彼をとても愛したが、心痛に打ちひしがれ、宮廷の憎しみに打ちひしがれ、彼は残酷な追放による痛手を抱えて、どこか人知れぬ場所で命を絶った。最後の庇護者が、女々しくも狡猾な政治家マエケナスである。彼は主人を操り、自らオクタウィウス・アウグストゥスを演じた。慎重で地味で口の重いこの男の、甘い言葉とお世辞が詩人の才能を圧迫し、窒息させる。ウェルギリウスが早世したのはそのせいであり、この重苦しい友情の影響下で書いたものを燃やしてしまうようよく命じて、彼は世を去ったのだ[9]。

マントヴァの哀れな追放者が奏でる苦悩のリラに、おとなしいマエケナスが弱音器をつける、そのご機嫌取りがどのようなものであれ、そこには詩人の肉声が遺されている。肉声が、意味ありげなため息が、本物の涙が。公式に依頼された歌のうえにも、涙は絶え間なくこぼれている。過去と未来が詰まった、比類なき言葉として固定され結晶化されたその涙は、エレミヤ[10]の涙と同じように、聖なる詩句になる。そして、あらゆる時代の人々がそれを歌い、それに泣くのだ。

詩人の文明化された精神にして、詩篇に見られる格別の素朴さには驚くべきものがある。真実、その底の底には、ロンバルディア生まれの哀れな農夫がいるのだ。彼は自らの土地を愛し、動物を、家畜を愛している。人間たちの不幸よりも、動物たちの不幸のほうが人の関心を惹くものと彼は信じている。彼が書いたもののなかで最も心に触れるのは、彼ら動物たちについて、その宿命について書かれたものである。

追放される者は土地に残る者にこう語る。

幸せな人よ！　君の若い雌羊たちは、体になじまぬ新しい牧草地で死ぬことはないだろう
〔『牧歌』第一歌、五〇―五一行に該当する。ミシュレによるフランス語訳〕。

雌羊の話がこれに続く。雌羊はもう歩こうとしない。岩山で子を産み、路上で死ぬのである。

おそらくは、その場所で死ぬこと、祖国で死ぬことを望んでいるのだ……

「ああ！　こいつをなんとか引っ張ってきたが……　こいつはさっき、雑木林で双子を産んで捨ててきた。あれでまた群れができただろうに……　なんという不幸！　なんという不幸だ！　こんなことが起きると分かっていたら、わたしに分別があったなら。雷に打たれたコナラが、これまでしばしばわたしに予言をくれたのに！(11)」というのも、彼にはこの出来事で世界が揺れているように見えるからだ。動物たちの追放は天の心をも打つとはいえ、雌羊たちの不幸を予告するのに、コナラに雷を落とすより他にユピテルにもなすすべはない。

胸に染み入るこの短い言葉から、詩人はその後、詩篇全体にわたる彼の歌のなかでも最も美しい歌を引き出す。それに適切な見出しをつけるとすれば、病む動物たちとなろう。移住した動物たち、追放の野へ移住させられた動物たち、彼らは慣れ親しんだ草を探し、見知った美しい花を探し、若々しい彼らに水を飲ませてくれた清らかな泉を探し求める〔該当箇所不明〕。背景にあるのはこんな時代である。イタリアが軍人たちに分配された後、戦勝者たちは自分たちが荒らした土地にやってきた。軍人は耕すことを知らなかった。彼らは土地を売り払い、ある者は立ち去り、ある者は死んだ。国土の荒廃が広がり、国の統治者たちを不安にしはじめる。ウェルギリウスは彼らにそっと遠回しに語る。「これはあなたがたの仕業です……　移住させられた者たちは、人間にせよ、動物にせよ、生きてはいません。みんな死ぬのです。」人間についてあえて語らずに、彼は動物たちの不幸を嘆いたのである。
〔彼の同時代人にも〕こうしたことは切々と感じられ、理解された。言い伝えでは、ウェルギリウスが粗野に髪を伸ばした姿で、乙女のように赤面しながら劇場に入って行ったとき、ローマじゅうの人々が立ち上がり、立ってこのマントヴァの追放者に、田舎者に、古代イタリアの元農夫に、敬意を表したという。この時、彼は偉大な詩人であるばかりでなく、哀調を帯びた声そのもの、深い憐れみそのもの、内気な異議申し立てそのものだった。滅び消え行く農夫の種族の、うめきを宿した最後の影そのものだった……

思うに、こうしたことが告げているのは、この哀れな詩人がすでに極度の衰弱に陥っていたということであり、その点において、彼はその時代に似ているということである。民族が滅び、時代が終わり、神々が去ってゆく。ウェルギリウスが愛した人々はみな年老いて、盛りを過ぎている（幸セナ老人ヨ〔『牧歌』第一歌四七行および五二行〕……こりゅくすノ老人ヲ見タ……[12]）。ただ落日だけが彼の書物を明るく照らしている。「家々から夕餉の煙が立っている。高い山々から落ちる影はすでにより長くなっている」〔『牧歌』第一歌、最終八三―八四行〕。

沈む太陽、沈む時代。収穫はもう終わっている。熟レタ果実〔同八一行〕（林檎はすでに甘く熟した）。柔ラカイ栗ノ実〔同八二行〕（栗の実は毬(いが)が割れて柔らかい）。

食料の蓄えは乏しい。今夜の分しかない。「ソレデモ、今夜ココデ私ト共ニ休ンデユケバ良イ」

〔同八〇行〕。友は、追放される友に一夜の宿を提供する。

貧しさがはじまる。追放を免れた農夫に残っているのは、不毛な土地でしかない。

コノ人ニハ数ゆげるむノ土地ガ残ッテイタガ、
牛デ耕スホド肥沃デナク
イタルトコロニムキ出シノ石ガアル(13)。

「彼に何が残される? 取るに足りない土地、渇いた土地…… ああ! 石ばかりの土地だ……あるいは、大きな沼が地を覆い、泥にまみれたイグサが茂っている……」〔『牧歌』第一歌、四八―四九行に極めて良く似た表現がある〕。

こんなふうに土地が貧しいので、魂もまた貧しくなってゆくようだ。活力と希望が尽き果ててしまう。臆病で単調でせせこましい安寧、それが胸にある思いのすべてだ。

多くの災厄によって衰弱してゆく社会を忠実に体現しているこの詩人は、救いを神々にも、法にも見出さない。救いは一人の人間にある。人=神にして人=法である一人の人間が世界を救ってくれる……

セメテコノ若者ガ

〔『農耕詩』第一歌、五〇〇行。「若者」はアウグストゥスを指しているとされる〕。

運命よ！　せめて妨げないでほしい、この英雄がその手を難破し沈没してゆく世界に差しのべるのを！

詩人は現世にほとんど望みをもたない。マントヴァの白鳥が彼の詩句に絶えず戻ってくる。彼は白鳥をまね、飛翔と歌とを天にまっすぐ向ける。

地ヲ去リテ星ヲ求メテ鳴ク(14)

マントヴァから、イタリアから、世界から追われる者は、その追放の地をより高いところへと向けてゆく。

望みをもたない女性的側面によって、この偉大な詩人がキリスト教徒のように、それも極端なキリスト教徒のように見えるのも、こうしたわけがあってのことなのだ。中世のごく古い祭典で、荘重典雅な指導者である預言者たちと彼が同じ座を得ていたのは故なきことではない。

キリストの先駆者、ダビデ王[15]はシビラ〔神託を告げた古代の巫女〕とウェルギリウスの間の聖所に入っていた。

偉大な古代史学者であると同時に偉大な詩人でもあるダンテ〔一二六五―一三二一〕は、こうした祭典に信心深く参加していた。そして、その崇高な大伽藍〔『神曲』のこと〕において、ウェルギリウスを導者と見なしたのである。[16]

ダンテが彼を導者として選んだのには深い理由がある。彼はただ歴史の途上にいるだけではなく、生まれつき二つの世界〔古代と後期ローマ〕の仲介者として鎮座しているからだ。とはいえ、彼は預言者たちよりも、ユダヤの兄弟エレミヤよりも、もっと普遍的な性質をもっている。それは、国家的というよりもローマ帝国的な堂々たる普遍性である。イタリアの素朴な農夫であった彼は、それでも皇帝なのだ。彼がローマであり、彼が世界なのである。

注

(1) プブリウス・ウェルギリウス・マロ(前七〇―前一九)。古代ローマの詩人。三十歳代の作品に『牧歌』、四十歳で『農耕詩』を刊行、その後の一一年で『アエネーイス』を執筆したが、未完成のまま五十一歳で死去した。北イタリアのマントヴァ近郊で生まれ、クレモナ、ミラノで教育を受けたのちローマに出た。ここでミシュレが主題的に論じている「追放」は、彼が国民詩人となる前に経験した一つの出来事に関連している。

紀元前四四年に独裁者ユリウス・カエサルが共和派に暗殺された後、カエサルの武将であったマルクス・アントニウスとガイウス・オクタウィアヌスが戦で共和派を破り、マルクス・アミリウス・レピドゥスとともに前四三年、三頭政治を開始した（その後、アントニウスはオクタウィアヌスとの前三一年の戦争に敗れて自殺、レピドゥスはオクタウィアヌスと対立して前三六年に引退。前二七年にオクタウィウスがローマ帝国初代皇帝となる）。共和派を破った戦いに参加した軍人に報いるため、彼らはイタリア各地で農地を没収し、それを報償として分配した。北イタリアではまずクレモナ、次いでマントヴァ周辺がその対象となり、ウェルギリウスの土地も農地没収されるところであったが、彼は行政官コルネリウス・ガルスの助力を得てローマへ赴き、オクタウィアヌスに直訴して農地の接収を免れた。

『牧歌』第一歌で、農地を没収され土地を去るメリボエウスの対話者、田園での生活を続けられる幸福な老人として登場するティテュルスがウェルギリウスを表しているとされる。とはいえ、農地没収されかけたウェルギリウスの不安や悲嘆がティテュルスに反映されていることに疑問の余地はない（以上については、ウェルギリウス『牧歌・農耕詩』〔川津千代訳、未來社、一九八一（前掲書）〕および、ウェルギリウス『牧歌／農耕詩』〔小川正廣訳、京都大学出版会、西洋古典叢書、二〇〇四〕の訳者解説を参照させていただいた）。

ミシュレはここでウェルギリウスを「マントヴァから追放された者」と呼んでいるが、以上の経緯から、正確には「追放された者」とは言えない。そのうえで、土地を奪われ土地を追われかけた元農夫としてウェルギリウスを論じている。ウェルギリウスを「追放の歴史家」とすることで、この古代の詩人に公職を追われた自らの姿を重ねているのである。

（2）十六世紀の宗教改革以降、迫害を受けた多くのプロテスタントがアメリカに渡った。スイスからドイツ南西部のシュワーベン地方、フランス北東部のアルザス地方へ逃れ、そこからさらにアメリカに渡った人々は、現在もアメリカ北東部を中心にアーミッシュ、メノナイトと呼ばれる宗教組織を形成している。

（3）ウェルギリウス『牧歌』第六歌、八一行からの引用。原文はラテン語（訳出にあたっては、川津千代訳、小川正廣訳の前掲書と、*Œuvre de Vergile*, traduction nouvelle par Gustave Hinstin, avec le texte latin〔Lemerre, 1891〕を参照した。本章の『牧歌』および『農耕詩』原典からの訳出で参照した文献は以下も同様。なおこの後の本文の注には引用箇所のみ記すこととする）。

「第六歌」は、酒神バッカスの従者、山野の精シレノスが二人の若者に捕らえられ、歌を披露するという構成になっている。引用箇所はこの最後近く、「さて、もっと語るべきか」で始まる連で、いくつかの著名な奇譚が語りの候補としてあげられるなかのごく短い一節。ラテン語原文では「いかなる翼で……飛び去ったかを？」と疑問で終わるが、ここではそれが感嘆文に変えられている。

話の元は、トラキア王テーレウスと結婚したアテナイの王女ピロメーナの物語。夫が自分の妹を犯したことを知ったピロメーラが、息子を殺して夫に食べさせる。事実を知ったテーレウスは彼女とその妹を殺そうとするが、神々が彼女らを憐れみ、姉をナイチンゲール、妹をツバメに変えて逃げさせたという話。テーレウス自身はヤツガシラ（鳥）に変えられた。

なお、ミシュレは自分の館の上を飛び回ったのを「彼」とテーレウスのように書いているが、原文では妻のピロメーナ。彼女は自分が長く住んだ家を離れがたく思い、去ってゆく前に家の周りを飛び回る。ここはミシュレの錯誤であろうか。

（4）ガイウス・マエケナス（前七〇―前八）。初代ローマ皇帝アウグストゥス（ガイウス・オクタウィアヌス）の腹心。アウグストゥスが遠征で不在の折には、彼に代わってローマとイタリア本国を代理統治した。詩人の庇護者としても知られ、ウェルギリウスの他、ホラティウス（前六五―前八）やプロペルティウス（前五〇頃―前一五頃）の後援者でもあった。

（5）プブリウス・アルフェヌス・ウァルス（生没年不詳、前三九に補欠執政官）。クレモナ出身の政治家。前四〇年にオクタウィアヌス（後のアウグストゥス）の命を受け、農地分配の担当官となった。農地没収に対する抗議をウェルギリウスから最初に受けた人物であり、『牧歌』「第六歌」と「第九歌」にその名がでている。ミシュレはこの「ウァルス」を別の「ウァルス」と混同しているようである。詳細は注（8）を参照されたい。

ガイウス・コルネリウス・ガルス（前六九頃―前二六）。ラテン語エレゲイア詩の創始者とも言われる詩人であり、ウェルギリウスが農地を没収されそうになっていたときには北イタリアで徴税官をしており、友人としてウェルギリウスを助けた。『牧歌』では第六歌と第十歌にその名が現れている。前三〇年に初代エジプト総督に任命されたが、オクタウィアヌスへの謀反を疑われて召喚、失意のなかで自害した。

（6）初代ローマ皇帝アウグストゥス（帝位前二七―一四）の「アウグストゥス」はガイウス・オクタウィアヌスが帝位に就いたときに受けた称号。カエサルの養子として養父の死後にガイウス・ユリウス・カエサル・オクタウィアヌスを名乗った、当初はオクタウィウスと名乗っていたことから、「オクタウィウスだった者」と呼ばれる。

（7）イタリアの歴史哲学者ジャンバッティスタ・ヴィーコ（一六六八―一七四四）の概念で、歴史を動かす原理。『新しい学』（一七二五）の最終巻、第五巻の「序」には次のような一文が見られる。「これまでにわたしたちは、この著作全体を通じてさまざまな無数の素材をとりあげ、最初の野蛮時代と再び戻ってきた野蛮時代とが驚くべき一致を示しつつ対応しているのを観察してきた。それらの無数の場所に照らしてみると、諸国民が再興するなかで行う人間に関することがらには反復が見られることが容易に理解される」（傍点は引用者。『新しい学』下〔上村忠男訳、中公文庫、二〇一八〕を参照させていただいた）。

このヴィーコの主著をミシュレはフランス語に翻訳し、解説を付して一八二七年に出版した。書名は『歴史哲学の原理』と改題されている。

（8）プブリウス・クィンクティリウス・ウァルス（前四六―九）。アウグストゥスの信頼を得てアフリカ、シリア総督を務めた後、紀元七年にゲルマニア総督となった。紀元九年、族長アルミニウス（前一六―二一）率いるゲルマン部族軍とトイトブルクの森で戦って敗れ、自害した。ミシュレはこの人物と、紀元前四〇年に農地没収に関わったプブリウス・アルフェヌス・ウァルスを混同している。

（9）ウェルギリウスは『アエネーイス』を仕上げる前に、叙事詩の舞台の一部となるギリシアに旅立ち、その帰途に病没した。旅に出る前、彼は友人に自分の身に何かがあった場合には『アエネーイス』の原稿を焼却するよう頼んでいたという。この遺言は実行されず、遺稿はアウグストゥスの命を受けて刊行された。

（10）前七世紀のイスラエルの預言者。旧約聖書の「エレミヤ書」、「エレミヤの哀歌」の作者とされる。叙情詩「哀歌」にはエルサレム陥落の悲哀が綴られている。

（11）『牧歌』第一歌一四行―一七行に該当する。ミシュレはこの挿話が直前の引用の「後に」続くと書いているが、実際はそれよりも「前に」あたる。

（12）『農耕詩』第四歌、一二七行。「コリュクス」は現在のトルコ南部沿岸にあった古代都市の名称。引用箇所は、コリュクスの老人がスパルタ人の植民地（イタリア半島南端、タレントゥム）で貧しい土地を耕している姿を（詩人が）見かけた、という文脈に置かれている。老人は、本文前段で話題になっている「奴隷入植者」であろうか。

（13）引用は、『農耕詩』第四歌一二七行の途中（後半）から一二八までの二行に、『牧歌』第一歌四八行（後半）が接続されたもの。複数の詩篇から詩句が入り混じっているのは、ミシュレの記憶の錯誤によるものであろう。ここから、ラテン語詩篇の引用がすべて記憶に基づいて行われていることが分かる。

引用の一行目にある「ユゲルム」は面積の単位で、一ユゲルムは「二頭の牛が半日に耕す広さ」を意味して約二反半、二五〇〇平方メートル。

（14）ウェルギリウス『アエネーイス』第一〇巻、一九三行。ここでは、白鳥座の由来となった神話がアエネーアースの口から語られている。太陽の車を勝手に御して地を焼いてしまったパエトーンがゼウスの怒りを買って雷に打ち落とされたとき、パエトーンの老いた友人キュクヌス(「白鳥」の意)が彼の死を嘆き悲しみ、哀歌を歌いながらついに白鳥になって昇天したとされる(ラテン詩の訳出にあたっては、『アエネーイス』下〔泉井久之助訳、岩波文庫、一九九一(前掲書)〕を参照させていただいた)。

(15) イスラエル王国第二代の王(在位前一〇〇〇—前九六〇頃)。旧訳聖書にその事績が記されており、その子孫からメシアが生まれるとされる。

(16) ダンテの『神曲』(「地獄篇」および「煉獄篇」)では、ウェルギリウスがダンテを導き、地獄と煉獄を通り抜ける導者として登場している。

わが方法、ウェルギリウス、ヴィーコ[1]

わが原点へ

それ以上関心の持てるものがなかったから、わたしは歴史のなかへと戻り、当分そこから出ないことにした。生きている者たちの世界を旅してみても、あまり幸福を感じなかったし、かつてないほど、彼らの内に生命がないと思われたからだ。わたしはわが死者たちのところへと戻った。そして長年月、わがエジプトの大いなるピラミッドに閉じこもった。

もろもろの事実も思想も、解明できないというほどではなかったが、長期のまじめな調査が必要だった。若くて活発な二つの党派、社会主義者と共和主義者が当時の活気全体を作っているように見えた。しかし彼ら自身、自らの原理をほとんど知らないでいた。前者は、当初から中世の真っただ中に戻っていて、聖職者を形成し、礼拝堂で遊んでいた。もう一方の者たちは、一八三二年六月〔革命期と帝政期に武勲をあげたラマルク将軍の葬儀の折、パリで共和派の暴動が起きた〕にはまことに英雄的だったが、なお一層無知なままでいた。彼らは共和国について、ティエール氏のジロンド派に関する即興作による以外、何も知らなかった。彼らは運命論者の歴史書、ミニェの結構な概説書[2]の中で、自由を拾い読みしていた。自由について彼らが知っていたすべては、公安委員会の独裁であり、ロベスピエールの王国だった。

伝統の糸が万事において引きちぎられていた[3]。すべての者が、（ローマ、キリスト教、革命、どの時代の過去であれ）過去を証言し、称賛し、非難していたが、彼らは等しくそれらを知らなかったのだ。

二つの内一つが必要だった。フーリエのように、人類はこれまで愚かだったゆえ、前の時代の体験すべてを拒否し、絶対的隔離の道を通ってことをなしてゆくと宣言するか、――あるいは歴史を作りなおし、それをより良い、より確かな基盤の上に築き、長期にわたる大義の生成を再建するよう試みること、その方法として、現在は過去の所産から正当に導いてその誕生から説明し、現在の胎内に宿る胎児のようなもの、すなわち未来を、現在のなかでかいま見られるようにすること。

自然は、混乱や不規則からは何一つもたらさない。概して自然は、ゆっくりと継続する母性によって生み出していく。

自然の科学は、それぞれの事実をその起源のなかで、少しずつそれを陽光の方へと導いてきた先例のなかで観察する。人間の科学も、どうして異なることがあろう？　人間は自然の外にある存在だから、その研究は異なるやり方で、なされねばならぬというのか？

歴史によって自らを解明するためには、すなわち、ある時代を別の時代で翻訳し、すべての時代を相互に解釈し、相互に照らし出すような、諸時代の光を確信をもって得るためには、人類の生全体の流れを遡る必要があるだろう。あらゆる世紀において、あらゆる民族において、あらゆる技芸と学問において、人類の生の流れをまるごと溯っていく必要が。これは、人間の力を越え、人間の生の持続を超える、とてつもなく大きな企てだから、考えただけで唖然としてしまう。

若さと無知ゆえの冒険

そう、諸世紀の体験すべてを否定するのが狂気じみているというなら、死すべき一人の人間が、そうした体験を再発見しようと企てるのも、同様に狂気じみているのだ。

法外な企てだ。そんなことを考えるには、若さと無知の二重の向こう見ずが必要だ。

この二つは極めて稀なことだ。大多数の者は早い時期に、そつない物知りとなる。言い換えれば、治しようのない無知な人となり、それ以降、学ぶのに無力となる。

こうした二つの才を、わたしはまこと遅くなってから、三十歳になってから、何一つ欠けることなく得た。わが大いなる調査に、わたしは、天からのこの二重の恵みを持ち込んだ。精神の驚くべき若さと、たくましさに満ちた無知とである。人類の伝統を、わたしは自分一人でやり直そうと企てたのだ。

この巨大な企てはほんの少ししか実現できなかったが、しかしそうした企てに対し、他の多くの者がもっていなかった利点を、わたしは持っていた。

一、わたしの出発点が極度に単純だったこと。わが国の教育の災禍から保護されていて、完璧に自由な幼年期だったこと。ウェルギリウスとヴィーコ以外から、実際のところ影響を受けたことがなかったのだ。

二、ヴィーコは精神のヒロイズムに関し、「オオシキ心ニツイテ」〔原文ラテン語〕という論をなしたことがある。若者が、あらゆる学問と時代とを包括的に理解するのに、もっていなければならない勇気あふれる心意気について論じたものであり、またあらゆることに通じる人間でなければ、何事においても専門的人間であることは実際上不可能だと論じたものであった。確かに、すべてがすべてにかかわっている。その縁（ふち）において、物事の普遍性に接していない、いかなる専門分野もない。この素晴らしい論を読む数年前、わたしも同じテーマで凡庸かつ出来の悪い話をしたことがある。[4] ヴィーコが推奨していることを、わたしは自分の中で本能的に持っていたのだ。コレージュで一〇年間、ちょっぴりラテン語を学んで育てられたすべての者と同様、わたしは無知だったが、それでも百科事典的知への指向を、またあらゆる分野への好奇心を持っていた。いましがた示したごく単純な出発点から、実際脱却することなく、わたしはあらゆることに赴き、あらゆることを愛した。「わたしは進んで行った、さまよっていた…… 愛はわたしたちの上に、何と多くの支配力をもっていることか！」。

三、わたしは自分が知らなかったことしか、けっして教えないとつねに注意していた。笑わないでくれたまえ。これ以上賢く、効果的な方法はない。

これには、わたしから教えを受けたすべての者は、のちに彼らがどんな見解を持つようになったにせよ、教わった物事への愛を失わなかったという効果があった。彼らはそれらをさまざまに判断し、時にはわたしの見方を断罪した。が、ひとたび受けたああした感動から、けっして逃れられなかったのだ。どうやったら異なる状況になったろうか？ あれらの物事をわたしは、それらがその時のわが情熱に合致したまま、愛の最初の魅力のもとで、新しい、生気に満ちた、燃え上がるような（そしてわたしにとって魅力的な）物事として彼らに伝えた。

こうやってわたしは、つねに若く、けっして疲れず、何千年もの時を、時代から時代へと進んでいった。〔各時代の〕民(ププル)を再び活気づかせ、甦らせ、生命とともに、生への愛と若さとを取り戻らせた。その結果、わたしの共感によっていっとき温められた彼らは、もう一度陽を浴びて花開くことを喜び、そしてわたしとともに、わたしのために、彼らの原初の生存が作りなしたもの（ウーヴル）を作り直すことを喜んだ。

何と多くの国民（ナシオン）を、文明を、宗教を、こうやってわたしは、わが教育の長い道のりにおいて、息吹き（いきふ）かけて蘇生させたことか！　わたしが書いたものは最小のものだった。

あの民たちはそのことでわたしに感謝し、わたしへの何らかの友情を持ちかえったように思える。そして、敬われ、慰められ、ほめたたえられ、祝福され、彼らはみんな悲しみを軽減されて、自らの墓のなかへと戻って行ったように思える。

注

（1）原典の編者によると、この章および次の「わが自由、ウェルギリウス、ヴィーコ」の章は、当初、（原書）第三部第三章（「わが無邪気さ……」）、本訳書「キリスト教と中世」の下書きとして書かれたものと思われるという。

（2）アドルフ・ティエール（一七九七―一八七七）の『革命史』（前一〇巻、一八二三―二七）は王政復古期に書かれたもので、当時盛んに出ていた反革命のパンフレット等に反対し、歴史的事実に基づきつつ革命の意義を説こうとしたものと言える。特に一七九三年一月二十一日のルイ十六世の処刑から、同年五月末までの革命派内部の争いでジロンド派がジャコバン派に敗れてゆく過程をたどりながら、ジロンド派が英雄的に死んだあと、彼らのなした誤りよりも百倍も恐ろしい現実が生み出されたところを描いて注目される。

オーギュスト・ミニェ（一七九六―一八八四）は若いころからのティエールの友人で、その『フランス革命史』（一八二四）は、三部会招集からナポレオン没落までの二五年間を、つまり一七八九年から一八一四年までを論究したもの。他の多くの革命史家よりも党派的に偏らない見方を貫こうとしたと言われる（前川貞次郎『フランス革命史研究――史学史的考察』創文社、一九八七年、ほか参照）。

（3）ミシュレは『フランス史』全一七巻を完了したおり（一八六七年十月）、全巻への「序文」（一八六九年）をあらためて書いたが、その下書きはあまりに膨大となったため、最終的にはその一部だけを使って「序文」を完成した。使われなかった下書きはミシュレによって一まとめにされ、彼の死後長くパリ市歴史図書館に収められていた。が、その後ミシュレ研究の第一人者ポール・ヴィアラネにより、その未使用部分が「雄々しい心」というタイトルを付けられて発表された。この下書きの一部は、一八六四年ミシュレが『宴』を書いていたとき使用したのと同じ用紙に書かれており、たとえばこの文のところから本章最後までが、「雄々しい心」の冒頭部に、ほぼそのまま使われている。ここ以外にも本書の一部が「雄々しい心」に転用されている箇所があるが、煩瑣ゆえ逐一指摘はしない。つまりミシュレは『宴』のために書いた文章を、作品として完成できず、当然未発表のまま残していたから、それらを後に『フランス史』「序文」の一部に転用しようと考えたと推察されるのである。なお「雄々しい心」は『現代思想、特集＝ミシュレ　歴史への新しい眼』（一九七九年五月号）に、真崎隆治氏によって訳出されており、随時参照した。

（4）一八二五年八月十七日、ミシュレは当時教えていたコレージュ・サント・バルブの賞与授与式で、「学問とは何か」という講演を行ったが、そこで「学問の様々な部門を別々にするのを恐れねばなりません。分割するのは、ただ再構成するためにだけです。全体を理解できるようになるためにだけ、細部を研究するのです」と説いていた（ミシュレ『全体史の誕生』大野訳、藤原書店、二〇一四、三五頁）。

わが自由、ウェルギリウス、ヴィーコ

わが幼年期

当時わたしは非常に若く、本当に未経験で、自分の知らない世界について無感動ではいられなかったが、それでも時代の雰囲気として広がっていた倦怠〔十九世紀初めの、いわゆる「世紀病」とも呼ばれるロマン派的倦怠のことだろう〕を、いうなれば呼吸を通して感じていた。つねに孤独な生活に慣れていたから、引っ込み思案で、人が大勢集まるところには決して楽しみを見出せなかった。だが誰もいないと、集いがうらやましくなり、懐かしくなり、人々に会いたくなった。皇帝〔ナポレオン〕の祝祭では、彼の鼓手たちも、並んで行進してゆく兵士たちのことも、軍隊的荘厳さの単調な堅苦しさについても、何一つ分かっていなかったので、わたしは、多くの人々が仲良くしているように見えた教会の壮麗な儀式のほうに、好奇心をそそられたらしい。

　だがあの時代の教会はわたしにとって、帝国と同様明快ではなかった。教会が教えていたような物事は、生き生きとしたものであれ、ありふれたものであれ、下卑た伝統の源をなしている。神の光を知らないでいられないのと同様、そうした物事を知らないではいられなかったろう。教会の教えも、物事が生きていた古い時代には、多分生き生きとしたものだったのだ。だがあの頃、未知のものすべてに抱く共感にみちた好奇心がわたしのなかで目覚めたとき、革命期の少し後のことだが、その時、それらは決定的に過ぎ去った体制の、生命力を欠いた模倣となっていた。学者が、ルーヴルに自らのシャンポリオン〔古代エジプトの象形文字ヒエログリフ解読への道筋をつけた。一七九〇―一八三二〕を手に、ヒエログリフを研究しに行くように、そうした物事は、それらが教えられていた教会へ学びに行かねばならなかった。

　わが幼年期の思い出のなかで、あの時代は、灰色一色の大きな砂漠のようなものとしてある。奇妙な印象だ！　記憶に問うてみたが駄目だ。ただの一日も太陽が照っていなかったように思える。

　帝国はわたしにとって全然理解できないひとつのX〔＝明言できないもの〕、完璧な謎としてあり続けていた。猛烈に戦ったのだという話をよく聞いていた。なぜ？　まったく分からなかった。何を守り、保つために？　皆の幸福を、ではなかった。わたしたちは飢えで死にかかっていたのだ。

　これは二つの面において本当なのだが、精神にかかわる物事でも肉体にかかわる物事でも貧窮ぶりはひどかった。あの時代の教会〔＝精神面〕は帝国〔＝肉体面〕と同様、わたしにとって分かりやすいものではなかった。教会は何を称賛していたのか？　何を教えていたのか？

　あれらの年月では、神聖かつ強烈な記憶がただ一つわが心に残っている。常に思い出されては、ますます驚かされることだが、それは、わが両親がわたしに掛けていた狂信めいた期待だ。全くと言っていいほど早熟ではなかった子供、将来人より優れるだろうという兆しなど少しもなかった子供、そんなわが子への期待。この方面での度を過ぎた彼らの態度は、あらゆる限界を超えていた。思い出すと笑えてくるし、泣けてくる。

　あの嘆かわしい時期、極度の貧困状態にあって、わたしがこうした期待に応えられるようにと両親がなしていた努力は、すこぶる大きく大胆なものだったから、わたしには、いまでも説明できないものになっている。

　父は〔母より〕長生きしたから、実際にわたしの運命を創りだし実現したのは父の方だ。

　父の狂気じみた期待がどんなに誤っていたとしても、それでもやはり二つのことがあって、それのみで、あとのすべてをなしてくれた。

〔まず〕父のおかげで、つまり彼の善意、努力、節約のおかげで、わたしはすべてにおける最初の要素、手だてを手に入れた。すなわち自由と時間をわがものとし、考えることが出来るようになったのだ。

第二に、わが運命へのこれほどの信頼に直面し、こんなにも高く置かれた期待を前にして、理由を付けてそれを非難しようとするにせよ、それでもわたしは、自分自身のことを心にかけねばならなくなったし、あの自由と時間を、またあの魂を少しは尊重せねばならなくなった。ついには、ああした愛の努力にたいし、いくらかでも反省し思考する努力をもって、応えねばならなくなった。

学校(コレージュ)は一冊の本以外は全く与えてくれなかった。たまたま幸せだったことに、このただ一冊の本がこの上なく実り豊かなものだった。

当時の文化状況

あの頃の言論出版は（シャトーブリアンやスタール夫人が沈黙するなかで）ド・ジューイ氏とバウル＝ロルマン氏に依存していた。評論ではジョフロワ神父(1)だった。わたしには幸い、読むものが何もなかった。また、今日皆がそうであるような、幼年期から無感動になっているということもなかった。出版物は大人には大そう有益だが、子供にはひどく有害になる。それは何ごとにも一家言あるといった、十五歳の子供老人を作り上げるからだ。

知ってるよ！　タイトルを読んだことのあるすべての本が、名前を知っているすべての学問が、お気に入りのこの言葉、「知ってるよ！　知ってるよ！」を、子供たちに言わせる。力強く生き生きした若々しい精神は、むしろすべてに対してこう言う、「知らなかった」と。無感動な人が表面だけに注意を向けているときに、若々しい精神は、学ぶべき多くの事を、探るべき興味深い神秘を、人を引き付ける奥深い物を見分けるのだ。

教育と呼ばれる木版によって押し付けられて頭をつぶされなかったことは、わたしにとって大きな幸せだった。

そういうわけで、わたしは言葉の表現（単なる手段）の勉強には手助けを求めない。そうした勉強は、物事の核心にあまり影響を及ぼさない。

カトリックの教育は、精神をゆがめるのに大変強力な、限りなく危険な、かつ全能な装置である。それは抗しがたく頭脳に作用し、それを形成し、またゆがめ、脊柱をたわめ、ひねくれ者や、せむしを作る。時には素晴らしい怪物たち、パスカルやド・メーストル氏〔革命に反対し絶対王政と教皇権を支持した政治家・文学者。一七五三―一八二一〕のようなものを作る。

聖書による教育は、一見、もっと自由なものだが、それでも見分けられなくなるほど見事に、似通った頭脳をやはり産み出してしまうのだ。そういう人たちには、ロンドンの家のように番号を付けなくてはならない。さもないとみな混同してしまう。この聖書風の鋳型のなかから、人々は、イギリス風書体の優雅な縦線のように、見た目には同じものとして出てくる。運よく帝国に、こうした教育はどちらも存在しなかった。「帝国」はそれを何に置き換えていたか？　無に、だ。

十五歳でわたしはウェルギリウス〔前七〇―前一九〕を手にした。二十五歳時にはヴィーコ〔一六六八―一七四四〕を手にした。

ウェルギリウスとの出会い

教室では、一度として習った課を暗唱できたことがなかった。だがウェルギリウスは丸々空で言えるようになった。それを頭のなかに保持していて、いつでも口の端にのせることが出来たのだった。彼はしばしば、どうしようもなくわたしの元へ戻ってくる、まるでわたし自身の独創物のように、わが想いの一部のように。時期も場所もおかまいなしだ。スコットランドでもイタリアでも同じだった。思いもかけないとき、かの旧友は好きなとき気の向くままに戻ってきて、わたしのなかで歌う。先日もピエモンテを馬車で走っていたとき、イタリアの景色によって目覚めてくる彼を感じた。だが一八三四年には、エディンバラとニューカッスル〔スコットランドとイングランド〕の荒涼とした「境界」〔原文英語〕で、同じような力強さで彼が戻ってきて、わたしはその数知れない詩句を、夏の陽射しが持続する限り、心のなかで朗誦したのだった。

この偏愛はどうしてなのか？ それが純粋な古代でないことを、ホメロス〔前八〇〇以前〕やアイスキュロス〔前五二五頃—前四五六〕やヘロドトス〔前四九四—前三〇頃〕の純粋な古代ギリシア的なものでないことを、わたしが知らないとでもいうのか？ 碑文、法律、エンニウス〔ローマの詩人、叙事詩『年代記』ほか。前二三九頃—前一六九〕、プラウトゥス〔ローマの喜劇作者、『ほらふき軍人』ほか。前二五四頃—前一八四〕、ルクレティウス〔ローマの詩人、『物の本質について』ほか。前九四頃—前五五〕の謹厳な古代ローマ文化は、すでにウェルギリウスのなかでは衰えてしまっていた。彼はローマ人というよりはイタリア人だ。

そう、ウェルギリウスはまさに二つの世界の途中にいる。あの純粋な古代と、プルタルコス〔ローマ帝政時代のギリシア系歴史家・伝記作家、『英雄伝』がある。四六頃—一二〇頃〕時代の小説めいた、あるいは詭弁をろうする後期ローマとの中間に。ダンテ〔一二六五—一三二一〕がウェルギリウスを仲介者としたのも、いわれないことではない。ウェルギリウス一人が、感情のしなやかさにおいて、二つの時代に共通する特質〔＝天才〕を、つまり双方へと導いてくれる黄金の小枝を持っていた。思い出と予感が、すべてあの薄明のなかで混じりあっている。

彼の作品に大きなスケールの効果が感じられるのは、彼のなかにすべてが含まれているからだ。すでにあの時代にも、もはや語ることができない数限りない物事があり、もはや悼むことが出来ない数限りない死がある。途方もない効果！ 彼のいたるところで、見たり、感じたり、聞いたりできる。あれら不在の者、目には見えない者、消え去った神々や民たち、消滅した都市たちを。もはやけっして語られない神々の死や民たちの死が、彼の調べのいたるところにある。それはエレミヤ〔『旧約聖書』に出てくるイスラエルの預言者、「エレミヤの哀歌」で知られる〕でありペルゴレージ〔イタリアの作曲家。「スタバト・マーテル」（聖母七つの悲しみの日）他。一七一〇—三六〕だ。あふれんばかりに詰まった骨壺の上で、低い声で彼は歌う。

それは、カエサルの兵士たちの植民者集団によってイタリアを追われた耕作者たちの声であり、さらには死者たちの声、スラ〔ローマ共和制末期の軍人・政治家。前一三八—前七八〕によって土地から消された古いイタリアの部族たちの、弱々しい最後のこだまだ。——いやそれどころか、未来の死者たちの声、今度は自分たちがローマ帝国の痩せた土地を耕し、そこに世代ごとに自らの骨を託した、そうした者たちの声だ。

そうした人々すべてが、ウェルギリウスのなかに持った、自分たちの歴史家を、預言者を、そして自分たちの苦悩の声を……

愁いに沈む預言者、征服者たちを前に震える両手で骨壺を抱える神官というものは、神秘に包まれている。もはやいかなる詩も、注釈者を必要としない。時間がそれを引き受けてくれる。追放に追放が重なって、苦しみに苦しみが重なって、ウェルギリウスはいっそう理解される。文献学者たちがそこに単なる芸術的効果しか見てとらなかった無数の節が、そのナガレルコトとクリカエスコト〔原文イタリア語、「コルソ」と「リコルソ」〕(2)で、不幸にも変わることなく戻ってくる、ひとつの歴史〔＝物語〕の永遠の表現となっている。それは一人のイタリア人が、自身に向かい、追放と涙の循環のなかで素描したものだ。
ウェルギリウスは神々の死を嘆く旋律(メロディ)だ。
ヴィーコは、それによって神々が作り直される力学(メカニック)だ。
今度もまたイタリア人だ。

ヴィーコとの出会い

その民衆への献辞、貧しさ、神父めいた貧相な顔、教授の式服。それでも、ヴィーコは、歴史を一つの芸術(アール)にした。彼以前、歴史は一つの学だった。古代イタリアは、いかにして神々が死ぬかを知っていた。ところでヴィーコは、いかにして神々が作られまた作り直されるかを、つまり神々を作り都市を作る術(アール)を教える。それは、人間の運命の二重の糸、宗教と法体系、信仰と法を作り上げる生きた力学である。

要するに、それらすべてを作るのは人間だということになる。人間は絶えず自らの創造者であり、自らの地と天を作り上げる。

そこに啓示された神秘がある。

まことに大胆な啓示であり、ヴィーコ自身それに恐怖を感じ、自分が未だ信じる者だと信じるために、驚くべき努力をしている。

真実の宗教キリスト教は、ただそれのみ、唯一の例外のようにそこに留まっている。この宗教に対し、この無謀な著者はつつましく敬意を表し、この突然の〔啓示の〕光のなかで恐れねばならないものは何一つないと、誓って言う。

ああした神秘が覆い隠していたものを、子供のわたしはもちろん知らなかった。若いころ、勉強熱心で思いやり深く、やさしかったわたしは（すべての死者に対しそうだった）、それら覆い隠されたものを探し求めた。わたしは何人かの死者を知り、その石棺を研究し、その包帯〔ミイラを包む〕を引きはがした。その残骸を、冷え切った灰を見つけたが、霊魂はすでに飛び去っていた。国家が死者たちの祝祭にあらゆる援助を与え、威嚇するような太鼓〔の音〕や、日に焼けた略奪者の群れを供していても、わたしはもう驚かなかったし、生が見捨てたものは、もはや温めることが出来ないということが分かっても、少しも驚かなかった。いくら探しても無駄だったのだ。それはちょうど、アテナイの娘たちが抱きかかえて大切に隠していたという、エレクシスの有名な神聖な籠のようなものだと思った。それをじっと眺めても、信じざる者には、結局のところ、空虚しか見えなかったのだ。

このことは言うまでもなく、いま述べたようなはっきりした形で見えてきたわけではない。すべて直観的に漠とながらも感じていたことだが、それはどうでもよい。わたしは二人の師を自らのなかに抱きかかえていたのである。

泳ごうとして自ら跳びこんだ研究の大海、形而上学と学識の大海で、わたしが溺れずにすんだのはそのおかげだ。知らないうちに、二人の力強い後見者が、沈み込み過ぎないようにと、わたしを海面で支えてくれた。

ドイツ体験、そして歴史へ

何の支障もなく、数年間わたしはドイツに身を捧げた。とりわけルターに、またグリム兄弟の〔調べた〕古い時代の事柄に。何の支障もなく、手におえぬドイツ哲学のヒュドラたち、ケンタウロスたち、キマイラたち[3]に立ち向かった。また何の支障もなく、中世の一〇の世紀〔＝千年間〕を、伝説によって目をくらまされ、スコラ哲学によってうまく案配されていたあの中世を、わたしは突っ切って行った。人間精神があんなにも禁欲的でやせ細っていたあの世界の不毛性を、若さゆえに讃美するなど、弱くなっていたことはあるにしても。

『〔世界史〕入門』から『ローマ史』へ、そしてそこから『フランス史』へと移り、わたしは速やかに中世の真っただなか、つまり十世紀に、最初の巻の末尾で到達した。わが面前に何が見えていたか？　事実として何があったか？　実のところ、ほとんど何もなかった。わたしに与えられたのは、作るべきすべてがあるのだという誘惑と喜びとともに、わたしが再現していた時代に対する説明しがたい熱中だった。

あの第二巻〔『フランス史』の〕についてひとこと言うなら、あの巻を理解しない人々の目から見れば、わが大いなる罪にあたるということだ。

わたしは誰を見ていたか？　オーギュスタン・ティエリとその感嘆に値する一冊の書、観点がひどく偏り、ひどく特殊な本だ。彼はあらゆることを人種によって説明する。

真実味のある力強い説明。物質的側面については、しかし、それが完全なものとなるためには、風土や食料を考慮に入れて（…）〔中絶〕

注

（1）『キリスト教精髄』（一八〇二）、『殉教者』（一八〇九）等で有名なシャトーブリアン（一七六八―一八四八）はその後政治活動に没入、最晩年になってから『自叙伝』等を残した。彼と共にフランス・ロマン主義の先駆者とされるスタール夫人（一七六六―一八一七）も『文学論』（一八〇〇）、『ドイツ論』（一八一三）の後は沈黙した。

ヴィクトール＝ジョゼフ・ジューイ、通称ド・ジューイ（一七六四―一八四六）は、軍人、政治家を経て七月革命後一時パリ市長を務めたが、その後劇作家、オペラ作者として、また同時代の風俗を描いた『田舎のエルミート』（一八二四）等の中編小説家として活躍した。

ピエール・バウル＝ロルマン（一七七〇―一八五四）は詩人・劇作家。『オシアン』の翻訳を出した後、ナポレオンの寵愛を受け、その後は王政復古にも賛同、ロマン主義に反対する新古典主義的立場を取った。詩形式の対話篇『クラシックとロマンティック』（一八二五）ほか。

ジュリアン＝ルイ・ジョフロワ（一七四三―一八一四）は、若いころイエズス会の教育を受け、死ぬまでイエズス会士として留まっていた。ヴォルテールらへの対抗を鮮明にしていたフレロン(一七一八—七六)の雑誌「文学年報」を引き継ぎ、様々な評論を執筆。『演劇文学講義』(一八一九—二〇)ほか。

(2)このイタリア語「コルソ」と「リコルソ」という表現は、ミシュレが『ローマ史』の「まえがき」で、「彼〔=ヴィーコ〕は人類の動きを、ナガレルコト、クリカエスコトの永遠の交替運動として考えるのを好んだ」と述べている通り、もともとはヴィーコの言葉。

(3)これらはすべてギリシア神話に出てくる怪物たち。ヒュドラは水ヘビの怪物。ケンタウロスは腰から上が人間、下半身が馬の怪物。キマイラは頭がライオン、胴体がヤギ、尾がヘビの怪物で火をはく。ドイツ哲学のどういう傾向を言っているのかはよく分からないが、ミシュレが若いころカントやヘーゲルらを読んでいたのは確かだから、そうしたドイツ哲学者たちのすごさを、こう述べたのかもしれない。

第二部　万物の宴——革命の彼方に

リヨンの二つの丘（フルヴィエールとクロワ＝ルス）の対立（1）

とりわけ一つの町が、わが魂に説明しがたい感動と夢想をもたらす。

——「おそらくローマ、カピトリウムの丘からコロセウムへかけてのヴィア・サクラ〔ローマ市内の大通りで数々の遺跡がある。ラテン語で聖なる道の意〕、冷静な哲学者モンテーニュをも宗教的な畏怖で捉えた、あの眺めだろうか？」

——「はたまたパリか？　パンテオンから凱旋門へ向かってゆくと、〔フランス革命時〕未来の祭壇を設置するため、民衆によって平らかにされたシャン・ド・マルスがあるが、あの聖なる大地か？」

どちらも聖なる町たち、じっさい世界の運命が感じられる聖なる町たちなのだ。町なのか？いいや、地球の守護神が活発に動いては未来を声高に予言する神殿なのだ。〈精霊〉が自らの本性に反しひと所に腰を落ち着け、三脚床几（しょうぎ）〔デルフォイ神殿の巫女がそれに座って神託を告げたとされる〕を置いて語ってきた、そしてこれからも語ってゆくだろう神殿なのだ。そこでは不滅のシビラ〔古代ギリシア・ローマで神託を告げた巫女〕が……

さりながら、わたしに対しこうした不思議な魅惑の力をふるうのは、パリでもローマでもない。

そう、別の町なのだ。

特別な町リヨン

ああした歴史の首都たちと比べたら、ずっと脇役の町、歴史建造物として概して目覚ましいとは言えない町。労働が細分化され孤立してなされている広大な町工場のような、ほとんどどこも黒ずんで暗い町。北方の産業的バビロニア〔巨大で堂々たる町という意味〕のような壮大さが少しもない。分業によって一部分にしか関わらない労苦の多彩さが、細部を観察する者には疲労感を与え、全体の光景には、いわく言い難い悲しみを与える。

その町とはリヨンだ。

この町はなぜ心を捕らえるのか？　どこからこうした印象の強さが来るのか？

リヨンでは、ローマやパリ以上に、そして他のどの町にも増して、自然が、物質的な形で、

クロワ＝ルスの丘から眺めたリヨン、1869 年

場所の持つ様相そのものにおいて、そこに二つの魂と二つの精神の闘いがあることを、目に見え感じ取れるものとしているからだ。

　そうなのだ、そこに流れ込む美しい大河には、それぞれの流れとそれぞれの民を交わらせる賞賛すべき努力がある。気高い女王ソーヌ〔川〕には、穏やかな才があり、ローヌ〔川〕には、幾多の蛇行をへてのち自らの身を与え、偉大さと栄光とを生み出す結婚〔リヨンでソーヌと合流すること〕にたどり着こうとする労苦がある。にもかかわらず、自然は、内なる闘いを示す二つの兆候、二つの名称、二つの岩をそこへ向い合せに配置したのだ。クロワ＝ルスとフルヴィエール〔合流部直前のソーヌを挟んで向き合う、リヨン市内の二つの丘〕である。

　わたしはそのことを、初めてのリヨン旅行（一八三〇年）以来、漠然と感じていた。

ただ見るともなく見ていたのだ。思慮を交えず感じていたのだ。すべてがわたしにこう語りかけていた。パンと、飢えと、仕事に心奪われているらしいここの産業従事者集団には、それでも、ひとつの熱狂的空気が影響力をふるっていると。わたし自身、あのグランド＝コートの坂〔クロワ＝ルスの丘の入り口にある〕を、あるいは反対側の町の黒い階段をどうにかこうには這い上がっていきながら、その空気を吸い込んでいた。黒い階段は雨をはらんだ雲のなかへと登って行くように見える。

神秘の丘と労働の丘

あの日以来、わたしには二つの丘の対立がはっきりと見えた。神秘の丘〔フルヴィエール〕と労働の丘〔クロワ＝ルス〕の対立だ。しかしそれらが戦っているのだとは感じなかった。二つの大河の協調、多くの地方（プロヴァンス）〔＝州〕の出会い、〔一七〕九〇年の革命派市民組織（フェデラシオン）によって一新されたガリアの六〇民族のローマ的祭壇、そうした種々の結合の思い出から、現実の闘争が見えなくなっていた。わたしはリヨンをその後二回、三回と訪れ直し、労働の秘密を明かしてもらった。つまり空気もなく太陽もないところで、民衆の痩せた手が地球全体のため、組み合わされた多くの技術と、それに一体化した勤勉な努力とによって、リヨン絹織物と呼ばれるたぐいのない虹の花を咲かせた秘密を。

最後にやっと一八五三年十月になって、細かなことにあまり心散らされず、多くの試練によって思いを深め、心の面でもはっきりものが見えるようになり、初めてわたしは完璧な啓示を得た。

一八三〇年にわたしは言っていた、「イカナル神カ確カデハナイ。トニカク神ハ居タマウ」[2]と。そして二三年後のいま、わたしは言う。フルヴィエールの丘の一番高い頂にある欄干に肘をついて、対岸の丘が積み重なる労働者の家からわたしの方に迫ってくるのを見ながら、家は一二から二〇階もの層をなし、その下部は黒い街のなか、〈植物園〉の風通しの悪いイトスギ林のなかに埋もれている。「二つの山があるのではない。二つの宗教があるのだ」。

心身ともひどく痛めつけられ、病気になり、おそらくこれまでのどんな時期にもなかったくらい、論争を挑むといった気分になれないでいたわたしの気持ちは、自然へと開かれていたが、その最も広大な光景の一つが、いま目の前に広がっていた。十月の色彩でさまざまに変化した果てしもない風景は、雄大かつ厳かであるだけに、いっそうわが年齢と、まこと見事に調和し、この群れるように密集した悲惨な住宅状況の現実とも釣り合っていた。それらの家々の雑多なざわめきは、わが足もとで消え果てようとしていた。

長いこと登ってきてこの見晴らしで足を止め、大いなる夢想のなかで自らに語りかけるようになると、なぜとも分からぬまま、ひとつの言葉がいつも心にやってくる。十二世紀以来、近代の動きを始めていた「中世」のあの言葉、「リヨンの貧者たち」という言葉だ。

いたるところに赤貧があった。ここには貧困が、感じ取られ理解された悲惨がある。この豊かな都市の不変の性格だ。

まさにこの瞬間、厳しい冬がやって来るだろうこの十月、生きるすべを求めに来ている貧しい人々を、食料品の高値が打ちのめしている。二つのリヨン、修道院のリヨンと町工場のリヨンは、南部や東部のフランスにとって、サヴォワにとって、またスイスにとってもまさに、貧者たちの永遠の巡礼地となっている。彼らはアルプスの彼方からさえやって来る。

わたしの目の前にくっきりと姿を見せるあれらの大河は、人類の進路であり、貧しい移民の波を、大都会へと運んでくるように思える。

一方の者たちは、リヨンに奇跡と慈愛の救済があると信じる。司祭に富者からの施しの分け前を求めに来る。可能ならば修道院の宴に加わり、可能ならばそこに留まるだろう。彼らの巡礼地はフルヴィエールだ。

だが君、良き労働者よ、君は〈慈悲〉を、そして気まぐれの御意を、好意を、求めには行かない。君は〈正義〉が、労働が、自由があると信じる。労働の丘を、まじめなクロワ゠ルスを探すだろう。君は自らの手で得たパンのみの宴を欲する。

困惑した何と多くの人びとが、こうしてリヨンにむかって行くことか。だが多くは、自らのなすべきことをさほど知らない。ローヌやソーヌの水がそこを通り過ぎるとき、自らの用途を知っているほどにも。

ルソーとアグリッパ・ドービニェのリヨン体験

誰が『告白録』を思い出さないだろう、ルソー〔スイス生まれの啓蒙思想家、一七一二―七八〕のあのリヨン到着を？　あんなにも貧しく、まだ知られておらず、でもあんなにも夢は豊かだったあの十六歳の若者が、あすの食事を確かに手に入れられる手だてもなく、この大都会の入り口近くの岩陰で、心地よい眠りについたときを〔ジャン＝ジャック・ルソー『告白録』第一巻、第四章参照〕。またこれほどは読まれていないが、内乱〔＝十六世紀の宗教戦争〕期の誇り高いプロテスタントの若者テオドール・アグリッパ・ドービニェ〔詩人・小説家、カルヴァン派の士官として宗教戦争に参加、一五五二―一六三〇〕の『回想録』も、同様に読まれるだけの価値があるのではないか。彼は時代の出来事に押し流され、揺り動かされ、でもくじけることはなかったが、父は死に、財産は失せ、自らの党派は打ち破られ、友人たちの何人かはアンボワーズでさらし首にされ、いまや一文なしとなり、ただ果敢な食欲以外何もなく、橋の上からソーヌ川を眺めていると、しだいに自分の運命を単純化しようという気になった……　だが、こうした悪い想いにふけっているとき、力強い手が肩をたたいた。「やあ、ドービニェ君！……　え！　君は、自分のお父さんの最良の友人が分からないのかい……　どこに住んでいるの？　私の家以外の場所ではだめだよ」。

リヨンに来る若者たち

だがこうした出会いはまれなこと。リヨンに新天地を開こうとしに来るあれら貧しい連中の運命は、いかなるものとなるのだろうか？

その人物はブルゴーニュの自作農の五番目の息子で、遅く生まれてきたものだから、相続の分け前にあずかれなかった。兄たちはお互いを食い物にするような労働者たちで、縁者が遅ればせにもたらす富など、ものの数にも入れていなかった。そこで彼は司祭の言葉に従い、黒い僧服のみを待つこととなる。一番近くの小神学校〔聖職希望者でない者も学べるカトリック系中等学校〕で、ほんのわずかラテン語とスコラ学の表面をかじって、ことは片付くだろう。リヨンの神学校に派遣されることになる。運命の歯車。それから逃げ出すなんて！　信じられぬほどの力が必要だろうし、目に見える物質的困難を遠ざけ、周囲の人びとや権威あるものからの目に見えない障害を排除するには、断固たる意志が必要となろう……　さらには、恐ろしく人工的な教育が、ねじくれた心のなかや、自然の対極に置かれてすっかり混乱させられた知性のなかで生じさせた、内面的な障害もある！

ローヌ川に沿って、かの地にやって来るのが見える他の者には、ブレス〔アン県の県都ブール＝カン＝ブレス〕の気弱だけれど熱狂的な若い織物工やら、サヴォワの飢えに苦しむ子供やらもいて、見つかればどんな仕事でもするつもりだ。親方よ、彼に与えてやるのが、いくらかの黒パンであっても、彼を押し上げたのが紡績機近くの風通しの悪い狭い屋根裏部屋であっても、絶えず仕事を与えてやりたまえ、すべては彼にとって良いこととなるだろう。

ここに二種類の貧民、二種類の隷属した民がいるが、隷属の仕方は異なっている。一方は、明日しなければならない神への不条理な請願が永遠に変わらぬことに隷属し、他方は、金回りの良い仕事でも突然停止し、つねに失業と飢えとにさらされる偶然に隷属する。

これら二種類の悲惨のあいだで、選ばなければならないのだ。農民の息子はすでに選んだというか、むしろ人が彼のために選んでしまった。だが若い見習い工は、躊躇して立ち止まっている。つらい二つの道筋のあいだで、しばしの間、不確かなまま留まっている。

注

(1) この章は、いくつかの句読点、および長さの点を除き、『日記』の一八五四年五月一日の記述と同一である。なお一九八〇年の全集版では、第二部としてこの章しか書き残されていない。

(2) ウェルギリウス『アエネーイス』第八巻三五二行。

大革命が示した地に足がついた宴

フランス大革命への流れ

十六世紀ラブレー〔一四九四頃―一五五三頃〕の民衆的大叙事詩『ガルガンチュアとパンタグリュエルの物語』は、その百年前にフス派教徒〔ボヘミアの宗教改革者で焚刑に処せられたジャン・フス（一三七〇頃―一四一五）の信徒〕がすでに叫んでいた言葉、「民衆に盃を」に要約される。民衆が、千年にわたって日差しと暑さの重圧を担ったあと、実際の宴に参加し、ついに渇きをいやしますように。そして中世の、中身を欠いた宴の象徴的戯れによって、自らの飢えと渇きを紛らすようなことの、もはやありませんように。

無為な有閑階級を倒せ。コルベール〔フランスの政治家。ルイ十四世に登用され、重商主義的経済財政政策を実行した。一六一九―八三〕が一挙に除去したのは、税金を払わず、それを働く者たちに転嫁していた四万もの貴族たちだった。誰が払うのか？　土地だけが、そして土地の所有者がと重農主義学派〔コルベール失権後に興ったテュルゴらの経済思想。土地以外への課税は生産を阻害すると説く〕は言った。その所有者とは、当時は聖職者と貴族という無為に過ごす二つの同業者集団(コルポラシオン)であった。それ以降労働は何一つ支払わないだろう。

じっさいテュルゴ〔フランスの財務総監。自由主義的改革を行うも特権身分の反撃で失脚。一七二七―八一〕は労働は聖なる財である、そこから他の財が生じてくる財であると付け加える。同業者集団のいかなる法も、働く者の独立を妨げることはできない。団体結社(アソシアシオン)は自由なのだ。

いまや時がきていた。伝統のすべての流れが〔一七〕八九年へと集結していた。過去の偉大な言葉とか、魂を解放する三倍も神聖な表現とか、忘れられているように見えたそれらさえ、まさに諸世紀の奥底から、すべてが同時に響き渡って革命を示唆する。ラブレーは意志の共和国を（テレームの僧院〔『ガルガンチュア』に出てくる平信徒共同体。「汝の欲することをなせ」が唯一の規則〕だ）。そしてモリエール〔フランスの古典喜劇作家。一六二二―七七〕は言う、もう偽善はたくさんだ、必要なのは哲学、寛容、人々の相互的愛なのだと。ヴォルテール〔フランスの啓蒙哲学者、『寛容論』（一七六三）がある。一六九四―一七七八〕のあの標章〔＝寛容〕は、ルソーの言う、万人が万人とともに、自由に表明してなす契約という庇護のもと、その保証を手に入れる。

身分、宗教、経済をひどく分けへだてているわが国の形式主義的(スコラスティック)分割が、この大いなる伝統のなかから少しも可視化されていないことに気づく。自由は自由だ。それは、三本の糸によって織り上げられ前進してゆくが、それらの糸は結局のところ一本の糸のみを作り上げる。

大革命の理想

大革命が最も気に掛けたのは、魂の自由と精神活動の自由、それに政治的市民的解放だった。とはいえ、革命がもう一つの自由、肉体的必要への隷属から人間を解放せねばならないという自由を忘れていたとは思わないでほしい。社会がもつこの義務は九三年憲法(1)のなかに、そして公的扶助に関する「公債台帳(グランリーブル)」という政令〔一七九三年八月二十四日に作られ、共和国のすべての債権者の名前が登録された〕のなかにも書きこまれていた。そうしたことは、山とある「国民公会」の真に人間的な政令のなかで、公会が作り上げた膨大な病院、学校、また兵士のために決議された隠遁所等々においても、そしてロベスピエールによって勧告され、ルペルティエ〔貴族出身ながらルイ十六世の処刑を要求、王の親衛隊員により暗殺。一七六〇―九三〕によって作成された国民教育計画においても、さらにいっそう顕らかである。

ダントンの夢は、彼の敵たちの証言を信じるなら、フランス全体が、豊かなところ貧しいところの区別なく、全党派的に和解し、同じ宴の席につくのを見ることだったという。

〔一七〕九〇年〔七月十四日〕にはシャン・ド・マルスで、フランス〔全国〕連盟祭が開催された。そしてクローツ〔ドイツ生まれの政治家、「人類の市民」と称して革命に参加した。一七五五―九四〕は〔パリ近郊の〕セーヴルとパシーの丘にも劇場を拡大して、あらゆる民族から送り出されてきた人々を受け入れた。彼が願っていたようにこの連盟祭は世界の連盟祭になった。この巨大な集会は、皆がすわって聖なる食をともに

全国連盟祭、立憲議会議員入場の様子

する人類の普遍的宴となったかも知れない。

クローツはショーメット〔靴屋の息子で最も過激な革命派の一人となり、処刑された。一七六三―九四〕および九三年の驚くべきコミューンに霊感を与えた。コミューンは、この年二ヵ月間続いたその絶頂期に、集いよった人々に対し、この千年間に作られた人間味あふれた良き法よりも多くのものを可決させ、編成し、議会に受け入れさせた。これらの法の序言には「満足すべき生活への人間の権利」という文言があった。愚か者や偽善者たちは、そこにきまって根深い物質主義の証なるものを見ることになる。禁欲を賞賛する人々（他者に対してだが）よ、あなたがたはおそらく次のように主張するだろう。腹の宿命など第一に挙げるべき隷属ではない、飢えに苦しめられても人間は自由である、完璧に自由なのである、そして人間の特性は、差し迫った窮乏に苦しみながらも（…）〔原文欠落〕であるということだと。

大革命の合唱は、測量技師バブーフ〔土地台帳の調査から土地私有制の矛盾を実感、独自の共産主義思想を抱く。一七六〇―九七〕の言葉、「平等に万人に土地を！　万人が農業従事者になるだろう」という言葉を前に、色あせ沈黙する。だが都市は？　産業は？　技術は？「人々を飢えさせるに違いないなら、産業も技術も衰滅せよ！」

それはちょうどフランスが化学技術により、イギリスが機械工学により、技術世界を開始し、本来の自然と向き合う形で第二の自然を提起していた時期だった。それはまた人間の天分による巨大な技術の出現が、十九世紀の開始を印づけていた時期でもあった。もはや問題は、はや初日にして世界を満たそうとしていたこの巨大な新生児を、サン＝ジュスト〔政治家。フランス革命時の急進派で「恐怖政治の大天使」と呼ばれた。一七六七―九四〕やバブーフのように、軽んじるということではなかった。この新生児はあまり大きな場所を占めていたから、古い社会はそれによってはねつけられ、狭められ、若い巨人を前にむしろおのずから縮小していくように見えたのだ。これを否認するなど不可能だった。自然な傾向は、むしろ残余のものを否認し、若き巨人のみを見ることにあった。

「我々は君たちに幸せを約束したが、それは自己本位の幸せではない。スパルタやアテナイ〔ともに古代ギリシアの代表的都市国家〕の幸せであり、美徳の、贅沢せずに必要不可欠なもので生きることを喜ぶ美徳の幸福である。君たちに約束した幸せは、腐敗した民のそれではない」。

サン＝ジュストのこの偉大な言葉は、大革命の遺言であり、〔一七〕九三年のご託宣だ。

つまり大革命は、終わりつつあったとき、自らの出発点を、ジャン＝ジャック・ルソーの言葉「自然〔＝本性〕に帰れ」を、忘れたということなのか？

そんなことはまったくない。本性〔＝自然〕の、また技術的存在の上位部分とは、技術なのだ。人間という雄々しい存在の本性は、英雄的行為、努力、犠牲的行為なのだ。社会的に生きる術とは、犠牲的行為を失くすことではなく、魂をその本来の偉大さにしっかりと据えつけ、魂に自己犠牲をいとわないようにさせることだ。すべての者は心に火花を、英雄的行為への潜在的火種をもっている。自発的になら、ごくわずかな人にしか出現しない炎を引き出すこと、英雄的行為を一般化し、しだいにそれが努力なしに実行されるようにし、また万人の中に現れるようにすること、つまり人間の本質的あり方の目に見える要素とすること、それが問題となる。だが、そこで努力がすっかり不要となることなど、期待しないでおこう。最も力強く、最も完全な市民教育がなされようと、そうした結果は得られないだろう。

この世にあっては、努力を、労働を、汗を、苦しい犠牲的行為を続けてゆかなければならない。

それこそが世界の塩であり、最良の要素が、魂の力が引き出されるのである。容易で便利な世界では、すべてが滑らかでスピードの出る軌道の上を流れてゆくだろう。そこは、単に平らなだけでなく、平らにされた世界でもあろう。もしも、魂がたまたまぶつかるかもしれない、小さなでこぼこが未だ地面に残っていたとすれば、そこではどの魂も卑俗で、軟弱で、飛躍できぬものとなり、倒れかねないものとなるだろう。人間に奉仕しようと願った結果、自らの最良の活力から宝を作るという点においては、現在にある人間をどうしようもなく無気力にしてしまい、未来においては人間を駄目にしてしまうだろう。

中世の理想郷、キリスト教の神秘思想は言った、「あなた自身において死になさい、神において死になさい……その時から、もはや障害はなく、すべては平らかになり、この世における努力は消え去る」と。

夢想家たちと大革命の対立点

われらが近代の夢想家たちは、社会主義の子供っぽい初期の高揚のなかで、次のように言った。「生活を秩序だてたまえ、相互の惹きつけあいが幸いにも有効に利用されれば、あらゆる障害を遠ざけるのに十分だ。その時から早くも努力は消滅し、人類は苦労しないで坂道を滑ってゆく。再び登ることもなく降りてゆくだけ、成り行きにまかせるだけなのだ」。

二つの面で空虚な約束だ！　死の博士たちも生の博士たちも、ともに自然〔＝本性〕のもつ不変の諸条件を変えることはないだろう。何をもって自然を変えるのか？　われわれは自然そのものの外に、いかなる力も持たない。自然に働きかけるために、まさに自然にこそ出向かねばならないのだ。

キリスト教徒たちの神秘主義的死も、この世界から努力と精神的労働とを消し去るには無力だった。社会主義の組織はこうした障害を軽減したが、生活から努力の必要を消し去ることはないだろう。努力は生活の宿命のように思われているが、この世で意志の領域そのものを作り上げていて、その外側では、至高の成果である自由もけっして花開かないのだ。

大革命は、厳しい率直さにおいて、これに似たものは何一つ約束しなかった。来るべき人類への障害を平らかにしようという巨大な意志があったにもかかわらず、障害がいつか消え去るだろうとは期待させなかった！　大革命は人間における雄々しい力と強さとを尊重し、その絶えざる発展を欲しながら、障害が消え去ることは欲しなかった。

大革命は言った、「土地を労働者に！」と。そして何世紀も前から待ち望まれていた宴を、労働者のために支度する。わたしが言っているのは、国有財産の分割のことだ[2]。だが労働者がそれに手を掛けるとき、大革命はそれを留める。それらの財産が購入されるよう要求する。ほんのわずかな額、ただ同然、たとえそれでも、と。無償分割というやり方では、無為、眠り、あっという間の浪費といった甘さが現れる。眠ったような状態でやって来るものは、同じ調子で、すぐに立ち去ってしまう。

これが、人間の本性に従う地に足がついた宴だ。飢えの悲惨にたいし、無限なるものを約束し、空虚を与えるという中世の宴のような、フィクションの、象徴の宴ではない。それはまた、働かなくともよい生活、あるいはそれ自体が快楽である労働という思想で労働者をくすぐっている、近代の夢想家が抱く安易な宴でもない。

違う、と大革命は遠ざける、食卓に断食と、飢えの陶酔とがあるような、信心深い人々の宴を。——うっとりとするような希望で養われて甘やかされた子供たちの宴も、また。

人間の宴に対し厳しく、それだけに、より良い母でもある大革命は、宴自身に値するような条件、高次の心の宴であるという条件をそれに付与する。無私の努力、粘り強い労働、英雄的な犠牲といった心の宴でなければならないと。

大革命は言う、「世界はそうしたものだよ。世界を果敢に、あるがままに捉えたまえ。努力は、友愛みちた共感によって絶えず軽減されるが、それでもそこを通って君が進歩へと歩んでゆく大道なのだ。

怠惰で憶病な子供のように、手のひらで両目を覆ってはならない。世界は戦いだ。それを平和にせねばならない。平和への努力が必要だ。世界は粗野で未だ無知なままだから、それをさらに穏やかなものに作り直し、その真の本性、つまり創造の努力へと導いていかなければならない。

大切なことは二つ。君が神の労働者となっているこの世界で、幸福と調和のために果たしていかねばならない義務があるということ――他方、個別性が普遍性に対立しはじめたらすぐにも、幸福そのものに一貫して抗ってゆかねばならない義務があるということ、この二つだ。エゴイストの弱さには不調和に映る面があるが、それはまさに調和そのものの印にもなる。さもなければ調和は、自らを飾る聖なる頂を、気高さを欠くことになろう」。

この大革命の厳粛な声、理屈では、まずこれに異議を唱えた人々以上に、これを理解した者はいなかったと認めるのが正しい。出発点においては努力を否定し、義務を否定し、献身を否定していた社会主義は――だが、自由が困難と危険ばかりを示しながら目の前に現れたとき、輝かしく前言を翻し、その両腕のなかに飛び込み、犠牲と受難という最も高潔な部分を要求した。

ああ！　まさにそこなのだ。学派の対立、空虚な論争といった外的対立の下に近代の教会がもっていた、真に深い統一性にこそわたしたちは感嘆したのだ。一八四八年の偉大な日々のある日、わたしたちは、法と祖国とヨーロッパの自由と諸国民の連帯とを自らの胸で庇護していた人々の、その第一線に誰を見たのか？　祖国から完全に独立したその見解のなかに、まさしく、未来の調和への希望を置いていた人々だった。

近代の教会のために最も苦しんだのは誰だったのか？　それについて語ることの最も少なかった人々、組合というすこぶる経済的な型に心奪われていたように見えた人々、金銭、賃金、富のことばかり話していた人々だった。この崇高な矛盾が、わたしたちの心を打ち、涙を流させたのだ。
　真のフランス人、真の愛国者たちよ！　君たちは狭量な党派主義者と思われていた。だがフランスが不幸に見舞われた時、君たちのなかから偉大な市民が現れた。国土全体に散らばった君たちは、切望されていた殉教のなかで、革命的伝統に連なる人々との深い精神的一体性を見出した。英雄たちと英雄たち、殉教者たちと殉教者たち、この偉大な教会は、こんなにも見事に統一され、試練の気高い宴に席を占める。そして神がその盃に何を注ぎこもうとも、この教会はそこにおいて友愛を飲む。

注

（1）一七九三年、年頭一月二十一日のルイ十六世の処刑をはじめ恐怖政治が絶頂期を迎えていたが、同時にこの年六月二十四日、国民公会では「一七九三年憲法」の採決がなされた。そこに書きこまれていた理念は、世界史的に見てもきわめて重要なものである。これは六月二十三日エロー・ド・セシェル（一七五九―九四）によって提案された「人および市民の権利宣言」（いわゆる人権宣言）がもとになって、憲法として採択されたもので、法の前での万人の平等、労働の権利、出版・思想の自由、教育を受ける権利、圧政に対する抵抗権等々を謳い上げていた。また憲法では二十一歳以上の男子全員の投票権が認められた。この憲法草案は八月四日の国民投票で承認されたが、その後激しい対外戦争が生じ、全面的平和の到来するまで施行は延長され、ついに施行されることはなかった（以上辻村みよ子『フランス革命の憲法原理』日本評論社、一九八九年、他参照）。

九三年はフランス革命の本質的意味を考える上で、きわめて重い年だった。おぞましい恐怖政治の対極に、その後の近代的民主社会の根幹をなす思想、世界観の構築がなされたのである。フランス革命を究極的に肯定するか否定するかは、九三年のこの両面性をどう評価するかにかかっていよう。ミシュレの立場が、「圧制者」的存在（旧体制のそれであれ、恐怖政治の実行者であれ）への否定を前提に、人類史にもたらした大革命の意義を肯定するものであることは、本文の記述を見ても明らかである。

（2）フランス革命期に行われた土地関連の改革の主な動きを紹介する。まず一七八九年八月四日の国民議会で封建制度廃止の決議がなされ、九二年八月十日の議会で、農村でそれまで領主に没収されていた共有地を、農民が取り返すのを可能とする議決がなされた。また同月十四日議会では国有地細分割が可決され、小農民にも土地の買い取りが可能となった。さらには教会財産とならんで、国外に亡命した貴族たちの土地の売渡しも決められ、九三年六月十日の法令でそれらが実行可能にされた。また同年七月十七日の法令では、領主への貢物としての地代といった封建制度の廃止が決定された等々。こうした様々の施策により、小作農ないし農奴的農民が、自らの土地を自らで耕す自作農へと前進する手だてが図られたが、金のない者は、なかなかそこまで至れなかったのが実態だった（以上樋口謹一「土地改革」、桑原武夫編『フランス革命の研究』岩波書店、一九五九所収を参照）。しかしミシュレは、こうした革命期の改革により、より多くの農民が自らのものとした大地、つまり祖国フランスと、自分は結婚したのだと実感することとなり、それこそが、革命期からナポレオン時代にかけての数々の対外戦争で、祖国（の大地）を守る力の源泉となったのだとしている（ミシュレ『民衆』参照）。

フランスの伝統を無視した社会主義——サン＝シモンとフーリエ

革命と離反した社会主義

近代教会の二つの分流、革命派と社会主義者の長きにわたる離反の理由を説明するのが、わたしの義務となる。

教会のこの二つの柱は、自分たちが同じ寺院を支えているのだと気付くのに、どうしてあんなにも遅れたのか？　互いを尊重し理解しあうのにたいそう向いている人々が、なぜこれほど長く、別々に活動を営んできたのか？

一方には、社会主義の不滅の師であり父であるサン＝シモン〔社会改革思想家、『産業者の政治的教理問答』ほか。一七六〇—一八二五〕とフーリエ〔空想的社会主義者、『四運動の理論』ほか。一七七二—一八三七〕がいて、自分たちを大革命に結びつけている緊密な絆を見てとと

シャルル・フーリエ
Charles Fourier
(1772-1837)

アンリ・ド・サン＝シモン
Henri de Saint-Simon
(1760-1825)

ることも、そうした絆とともに全未来を自らの胎内に宿していた大いなる母を認めることもなく、絶対的隔離〔フーリエの言葉で、古い伝統から徹底的に決別し新しい物をうみだす手段〕の道を通って、やっていけると心から率直に信じたのだ。

他方、革命的伝統の忠実な信奉者たちは、ジャコバン的禁欲主義を固く信仰していたからか、それとも生まれたばかりの社会主義が唯物論を見せびらかすのに品良く距離を置こうとしたからか、革命的伝統から目をそらしてしまった。それは、新しい教義が〔一七〕九三年の英雄的精神に対し若い血と活力とを加え得ることを十分に感じとれなかったからだし、社会主義者たちが伝統を忘れることがどれほど有益だったかを感じとれなかったからだ。

あらゆる新しい存在は、激烈に自己本位的なものとなり、自らが世界に関してなしうるすべてを自己の周辺に持ってくる。そして自分が世界だとも想像する。自らのなかで世界は始まったとも、自ら以前に世界は存在しなかったとも想像するに違いない。それが自然の法則なのだ。こうしたことを対価にして、新しい存在は強者となり鍛えられる。それは、周囲の要素を吸収し濃縮し、また先行したものごとへの強烈な忘恩によって、自らの新しい生を確かなものにする。

たとえば、生まれたてのキリスト教は、仲裁という観念を負うことになっていたプラトン哲学をも、受肉や神々の死を教えてくれたさまざまな宗教をも、ついには「メシア」〔『旧約聖書』で出現を待望された救世主のこと、キリスト教ではキリストのこと〕の伝統の幹であり本来的株でもあるユダヤ教さえ呪ってしまった。

社会主義の忘恩

生まれつつある社会主義も、他のやり方はできなかったに違いない。革命から生じてきたのに、革命のことを知らず、その意味を認識できず、ひとりでに生まれ出現したのだと信じ込み、絶対的隔離の道を通って前に進むものと思い込むのだ。社会主義が、自らの本当のゆりかごである国民的伝統にきちんと目を向けていたならば、また父なる神々への敬意に包まれて歩んでいたならば、傲慢と独立心とで飛び上がる若い巨人、自らを無から生み出された者と信じたり、自らを自らにとっての父であり母であると思いなしたりする若い巨人の、自由かつ力強い風采を見せることなど、間違いなくなかったことだろう。サン＝シモンにおいて、またフーリエにおいて、この忘恩は無邪気なもので、それが彼らの独創性に大いに貢献している。二人とも九三年には投獄されたが、テルミドール九日〔＝一七九四年七月二十七日。この日反ロベスピエール派によるクーデターが起きた〕のおかげで生き延びた。それで本能的に革命を憎んだ。それゆえ自らが一番最初の革命の子であり、革命を継承していることに気付くこともなかった。フーリエはこの世で自由な結社を始めるために、王たちにさえ話しかける。彼の弟子のなかで最も機知に富んだ某は、ユダヤ人や銀行家たちの専横に反対して、ユダヤ人で銀行家の一人の王に援助を求める。サン＝シモンは銀行の友で、彼言うところの同じ財政上の利害を有している二つの民族、イギリスとフランスを、同一の政府のもとに統合するようまじめに提案する。「〈祖国〉とはなにか？」と彼は言う。それは〔同一目的を持つ〕仲間なのか、それとも〔何らかの政治的宗教的利害で結びついた〕同盟なのか？　彼にあっては、そ〔うした言葉〕の意味は空虚なのだ。

幸いにもわれわれは言っていた、成長した社会主義は、最初の一歩で顕著であったあの幼年期の、あの奇妙で奇抜な思想から脱したものだと。〔ピエール・〕ルルー〔サン＝シモン主義から出発した哲学者。一七九七―一八七一〕は、すべてのものを農業結社へと帰着させようとしているみたいだったし、プルードン〔アナーキズム的傾向の強い社会主義者。一八〇九―六五〕は自らの無政府主義ないし地方分権主義によって、フランスを細分化しようとしているみたいだった。それでも彼は大いなる愛国者、素晴らしい市民に属していた。

アンファンタン氏〔とくにサン＝シモン亡きあとのサン＝シモン派最高指導者。一七六九―一八六四〕は言った、「〈祖国〉とはなにか？」と。

ド・モンタランベール氏〔自由主義カトリックの指導者。一八一〇―七〇〕は言っていた、「わが祖国、それはローマだ」

と。いずれも、これらを言った人々を咎めるための言葉ではなく、彼らが代表している体制を率直かつ正当に表わす言葉だ。

絶対的教義としての中世と社会主義との共通性

キリスト教のカトリシズムや産業的社会主義的カトリシズムは、二つの絶対に同じように身を捧げていた。二つはどちらとも、諸身分とか諸地方といった民族の小さな局地的制約を超えた普遍的教義である。〔身分とか地方とかいう〕互いを敵対させるこれらつかの間の概念区分も、戦争も、時と場所によって生じる不和も、それらすべて、力をもつ体系の一方ないし他方による統一のなかに、遅かれ早かれ吸収されざるを得ない。そしてその体系が、世界を支配し世界に平和を課そうとするに違いない。

中世が十二世紀まで、一色にそまった暗い霧のなかにとどまっていたことは周知の事実である。それはつまり、キリスト教が真の主人、支配者として、ヨーロッパ共通の在り方となっていた期間に等しい。そのときヨーロッパは、キリスト教世界以外の何ものでもなく、もともと諸身分諸民族がもっていた多様性が出現しようとするたび、宗教的同一性がそれを押し殺していた。

そうなのだ！　もしもいま討議している世界を歴史的世界と比較し、現在を過去と比較できるとすれば、生まれたばかりの社会主義は、教皇位、位階制、適性に基づく恣意的等級制をまず企て、自らの普遍性のなかで祖国を局地的なものとして消し去ろうとしていたのだ。それは、フランスへの信を、共和主義的自由への崇敬を、革命の思想を、古びた偏見のなかへと追いやることに他ならなかった。

彼ら〔社会主義者〕にとって、祖国は滅びていた。祖国には地方の特性や土地と人種の必然性が混じっているので、祖国は彼らが仮定する自由を当惑させる。彼らには気ままに欲する結社、とはいえ情熱と関心とで霊感をうけた結社が必要なのである。

奇妙なことだが、彼らにほんの数年先行していたバブーフ自身、平等の共和国建設を目的にしていながら、その共和国が、まず一つの大いなる自由な結社によって先行されるよう望んでいる。

サン＝シモンが〔世界を〕思いのままに構想したのは、あらゆる地理的境界、人種と伝統のあらゆる特殊性も消え去った漠たる領域からであった。フーリエも思いのままに構想した。彼は自らに許した気安さで、さまざまな思想をもち、文明にあふれた自分のアトランティス〔プラトンの作品に出てくる伝説上の島。地上の楽園だったという〕を〔現実世界から〕切り離して考えた。また同様に、さまざまな思想をもち、自分の周囲にいる人間と対立するような倫理規範をもつある種の民を遠ざけた。そして、自分を守るのに十分な垣根をムードン、ムラン、ポワシー〔すべてパリ近郊ないし近隣の町。活動拠点としたところか？〕の丘の上に巡らせたのだ。

それはサン＝ドゥニ通り〔パリの一区から二区へと延びる通り〕で、あるいは同じことだが、セーヌ川のど真ん中で、キャンプするロビンソン・クルーソーのような小さな結合体であったが、のちに、小さなものたちが一つにまとめられて、世界の普遍的結社が形成されるだろうということだった。

現実的仲介者の大切さ

そうなると、小さな地方的なものと、国家や祖国といった普遍的なものとの間にある現実的仲介者は、地図上から消えてしまうことになっただろう。フーリエの諸言語学習への憎しみはここから生まれる。諸言語は彼にとって人類統一の障害なのだ。一つの言語、一つの同じ国家、同じ普遍的祖国、地球の大いなる調和的統一、それが彼の夢である。運動を求め、多様性を求める巨大な努力をもって実現されるこの夢は、はっきり感じられるところだが、とりわけ退屈で単調な結果を生み出すことだろう。

地上に実現する力強い全能の手段。それは諸国民の才を集めた大いなる学校であり、それを人々は国家とか祖国と呼んでいるのだ。

それが小さな結合体、ファランステール〔フーリエが構想した一八〇〇人ほどで構成される理想的小規模生活協同体〕かどうかはともかく、多かれ少なかれ調和のとれた村々と、大きな普遍的な人類結合体との中間にある強力な仲介者なのだ。

それらを消し去ってみたまえ。部分を全体に結びつける力強い継手を壊してしまうことになる。継手をこわされたら、全体はバラバラになり、精神的精気を失い、衰えて死んでしまう。

そのうえ他とは異なるそれぞれの祖国というものは不可欠な環境なのである。言わせてもらうなら、遠くにあるものを近くにみせる強力なレンズのようなもので、そのおかげで普遍的祖国を目で識別し、捉えることができるのだ。

ともかく繰り返して言っておこう。すでに指摘したこうした誤りは、新しい理論である社会主義をこの世に投じた人々に固有である以上に、生まれたばかりのあらゆる理論、先行したものに対抗する自由な努力につきものの、極端な表現に固有なのだ。

サン＝シモンとフーリエは、二人とも全的にフランスの伝統から生まれていながら、自分たちの最初の自由を、間近で先行していたフランスの否定、革命の否定のなかに探し求める。

努力して革命から離れ、新しいものを作るすべての人がまず整えようと努力する杓子定規なスローガンを掲げ、彼らは初期のスコラ学〔形式主義的教条主義的思考の意〕からますます自由になってゆく活気あふれる精神のなかで、そのスローガンに近づいてゆく。かの偉人たちは、最初捉われていた存在形態を消し去ることで、自分たち自身から解放され、栄光あふれ生命あふれる自由のなかに入ってゆく。そして国民的伝統をもつ古き父祖たちの傍らに、ラブレーやヴォルテールのそばに、仲良く暮らそうとやって来る。民衆に盃を！と言った人々、その盃のなかに自分たちの血まで注ぎ、未来のために豪華な自由の宴を準備した英雄たちの傍らに。

キリスト教と中世

共和国いまだ定着せず

驚きはとても大きかった。否認されていた祖国、忘れ去られていた共和国、感知されない教会によって保たれていた伝統、そうしたものがサン＝メリー修道院通りの闘い[1]のなかで明らかにされ、はっきりと示され、驚異的ヒロイズムによって姿を現したとき、そして自らの血を惜しみなく流しながら、王たち、司祭たち、銀行および社会主義に対抗する九三年のフランスを立ち上がらせたとき。

あんなにも輝かしく掲げられた旗が、なぜあれほど長期にわたって孤立していたのか？　すべてのなかで最も説得力のあった宣伝行為が、なぜほんのわずかな人々しか、共和国に惹きつけなかったのか？　あれらの英雄たちは革命のために死んだのだが、自分たちがそのために死ぬものへの信を、明確に言葉にできなかったと言わねばならない。この信念を裏付けるために、彼らは歴史を、ほとんど知られていないある時代の輝かしい歴史を引き合いにだす。彼ら自身、どこからこうした歴史を知ったのか？　伝承からはごくごくわずか、多くはティエール氏〔歴史家、政治家、『革命史』（全一〇巻）ほかがある。一七九七―一八七七〕やミニェ氏〔歴史家、『フランス革命史』ほかがある。一七九六―一八八四〕の書物からだ。その時代には傑出した書物だったが、しかし十分な研究をせず、つまりわれわれの公的保管所がもっている数多くの記録類への知識を欠いたまま、あれら才気あふれた作家たちによってでっち上げられたような書物だ。歴史ははっきりとした形をとってこない。それは欠落箇所に満ち、用心深く分かりにくく曖昧にされたもので、その不確かさを、あからさまに独断的な言葉で被い隠し、歴史的政治的信条を権威づけうる強力な光、内容、リアリティを、全くのところ持っていなかった。

　共和派は、自らの想いをフランスの前で明確に表わそうと望んでも、革命時代のすべてから自らの象徴を汲み取ってはいなかった。彼らは、ただ唯一の時期の、それも最も反論を呼ぶ時期のスローガン、あの九三年のスローガンを借りてきて、一語一語写し取っていた。あの年の記憶には、全国民の圧倒的大多数が後ずさりしていた。男は恐怖とともに飢えと最高刑を思い出したし、女は夢想のうちにロベスピエールの首を見ていた。

それゆえ反動が勝利した。反動とは、王政におもねり仕えていた二つの勢力、聖職者と銀行のことである。

この勝利は、二つの真のフランスが互いを認め合うようになるまで続くに違いなかった。一方で、社会主義のフランスが、自らのなかに抱えていた反社会主義的要素から純化され、銀行と手を切るまで、他方で、革命のフランスが、より真実でより偉大な理想に到達し、思想としても党派としてもいっそう包容力をもち、それまで知らなかった自らの神、革命と共和国をついに知るようになるまで。

二〇年間たゆまず仕事したあと、わたしはついに国民的伝統の確かな基盤に達したのだが、それまでにしてきた回り道はとてつもなく大きいものだった。

中世に一〇年を費やした。そして革命に一〇年〔それぞれの歴史を書くのに費やした年月のこと〕。またキリスト教が、その幅広い影響力をもってわが国民性の、つまりフランスという祖国の独創性に戦いを挑んでいた諸世紀に一〇年。

さらには聖職者や王たちの意に逆らいながら、古いキリスト教王政の生気なき覆いのもと野蛮なままでいたヨーロッパにも逆らいながら、この祖国が新たな宗教である普遍型を作り上げて突如出現した、決定的危機に一〇年。

繰り返しになるが、当時（一八三〇年頃）二つの影が祖国の観念を曇らせていた。だから諸事実の生き生きとした光の中で祖国の観念を再発見し、取り戻すことが肝心だった。こうした光のみが生を再開しうるからだ。ところでこれら二つの影というのが、政治権力の支持によって生き延びていた古いキリスト教の影と、未だ自らを認識せず、自らがそうしたキリスト教の友か、それとも共和国と大革命の友かを知らなかった社会主義の影である。

社会主義に対しては待つ以外何もできなかった。それが無知のなかで身をささげていた古い偶像たちは、ぶしつけな嘲笑によって、ほどなくこう教えてくれるはずだった。社会主義と自分たちの間に共通点など何もあるはずがない、社会主義は若々しく生き生きとしている、自らを老いさせることも死の仲間に入ることもできはしないだろうと。それは有益な迫害であり、社会主義にその原則の実行範囲を教え、その結果、自らの母、大革命との結びつきを教えた。

社会主義が手さぐりで自らを純化してゆくあいだ、思想家たちのすべての研究が、真の敵、中世の古びた原則の方へと向かうことになった。この原則は、位階制、利権、聖職者集団という形でいまも生き延びていて、あいかわらずヨーロッパを陰らせ不毛にしている。

この影、聖職者集団、死を、どうやって打ちのめすのか？　かつて間違いなく死んで、そのあと乾燥させられ、ミイラまたは骸骨状態で存続している死以上に、長持ちするものは何もないだろう。

したがって、それそのものを打ちのめすことはできない。が、歴史的、教義的にその生命であったもの、すなわちキリスト教において、その古臭いシンボル、中世の影響力の領域でというなら別だ。

誰がキリスト教を知っているのか？　いま、キリスト教が自らの友にどれほど知られていないか、科学の目をもって観察できるようになると、それが驚くほどよくわかる。当時のわたしが、キリスト教についてどれほど無知だったかを言う必要はなかろう。ただ言えるのは、たぶん、それを研究する準備が他の人よりも調っていたということだ。キリスト教教育と呼ばれるもので、精神がゆがめられるようなことが、まったく無かったからだ。それまで、わたしは生活の大半を、古代ギリシアとローマの研究や教育に費やしていた。その後の中世研究のなかに好意的好奇心を持ち込んでいったが、新しいものごとに対するような好奇心で、まったく自由に研究するものだったからだ。

わが中世観の変化

千年に及ぶ、あの半ば夜のように暗い円天井の下に入って行ったとき、わたしはわが金の枝〔ウェルギリウス『アエネーイス』第六歌に出てくる、冥界に入っていく時の主人公の護符〕として『新しい学』〔イタリアの哲学者ヴィーコの代表作。一八二七年ミシュレが自由訳してフランスに紹介〕の次のような予言的公案を携えていたから、すっかり安心していた。つまり「自ずと労働者である人間は、どうやって自らに基づき、自らのために、自らの法と詩と神々とを作り上げるか」という公案である。

こうした〔金の枝に相当する〕鍵があったので、わたしは自由だった。入ることも出ることもできた。墓のなかに閉じ込められるのを恐れることもなかった。まさにこうした安心感が、わたし自身の真の基底、つまり信念において、わたしを傷つけるかもしれなかった人々へも、むしろ好意をもてるようにしてくれたのだ。その時代の人々のなかにあって、わたしが完璧に孤立し孤独でいたことが（信じてもらえないだろうが本当のこと）、あれら過去の亡霊が、彼らの自然な後継者と自称している偽善者たちによって、さらにどれほど恐ろしいものになっているかを、十分に感じ取ることができなかった。

わたしはまことに無邪気に、それを悔いることはいささかもないが、次のように思った。「一言も反駁はすまい。まず中世を復活させよう。そして中世がわたしの生命によって作り直され、温め直され、きちんと立っているのを見て、中世が生きる権利とは本当のところどんなものだったのか、また中世が正当な形で死ぬ必要はどんなものなのかを、正々堂々と知ることにしよう」。

批評面でのわたしの出発点、精神の独立は『世界史入門』に刻印を残している。あそこでわたしは中世を、サタンの名のもとで〈自由〉を迫害したと告発した。〈自由〉は、近代になってやっとその名声を取り戻したのだ。他方私の純真さ、思いやりにみちた無邪気さが、中世を作り直し、生きかえらせ、温め直し、中世が愛し生きたものすべてをいとおしんだ。そのことが『フランス史』の巨大な第二巻〔十一世紀から十三世紀までを扱う〕に見事に現れている。――これは私の敵対者たちを驚かせ、私自身をも驚かせた作品だったが、それを腹立たしいものと思うことはなかった。芸術家はこうした愛の深さに十分な口実を見出すものだ。この愛が彼をすべての命にたいし寛大にし、すべての死にたいし敬意を払うようにさせ、敵にたいしてさえ優しくさせる。

そう、わたしはわが敵中世を一世紀ごとにやり直し（革命の子であるわたしも、心の底には中世を持っている）、再び立ち上がらせ、わが力に応じてそれに肉と血を、また衣装と飾りを取り戻させ、それが持っていた美で、また持たなかった美自体で、中世を飾り立てた。美自体は、時間が、時間という廃墟を飾るこの全能の舞台装置家が、〔いま現在から見る〕展望のなかで与えたものだ。オオ時間ヨ、モノゴトヲ美シクスルモノヨ！〔原文英語〕。

われわれがいま、あらゆる努力を払って地上から消し去ろうとしているあれらの時代に対し、わたしはこうした恭しい心づかいを持って接したわけだが、その主な理由を一つ言っておくべきだろうか？　それは中世の友人であるはずの者たちが、驚くほど中世を打ち捨てていたからであり、中世を信奉する者たちが、とても愛していると言っている歴史を、明らかにし際立たせるのに信じがたいほど無力だったからなのだ。彼らが精神的にも能力的にもひどく貧しいのを見て、わたしは仕事へと誘われた。そして良き労働者にありがちなことだが、自分の任務を始める前に他人のそれをやってしまったのだ。

わたしは自分のなかに持っていたのだ！　心と愛の豊かな資源を。呪う前に祝福したのだ、自然や人間性や墓地といったものを。だからその後、わたしが革命の論理の名であの〔中世〕世界を裁くのに、何の支障もなかった。わたしはただその葬儀に清めの枝で水を振りかけだけなのだ。

あの第二巻の前には、中世に関するどんな仕事があったか？　とても専門的で、大いに体系的な才能あふれた一冊の本、オーギュスタン・ティエリ〔歴史家、『ノルマン征服史』ほか。一七九五―一八五六〕のそれがあった。シスモンディ〔スイスの経済学者・歴史家、『フランス人の歴史』ほか。一七七三―一八四二〕の年代記、ハラム〔イギリスの批評家・歴史家、『中世ヨーロッパ国家の検討』ほか。一七七七―一八五九〕、ギゾー〔政治家・歴史家、『フランス文明史』ほか。一七八七―一八七四〕その他の論考類は歴史ではなかった。中世の本筋はローマやフランス、教皇権や王権が織りなす布で、まだ誰一人それを作っていなかった。生きた布で、わたしがそれを作ったのだ。

生に対する愛と、時には不当ともなる不公平さが、わたしの出発点と原則とをついに見失わせてしまったのか？　あの巻の結論は、いまなおそれを読めるところで、いったい何なのだろう？

わたしは自分の無邪気さの真の報いを、あの結論のなかで受けることになった。大きな仕事からわたしを再び連れ出してくれる生き生きとしたまばゆい光のなかで、仕事に喜びと熱意をもって臨んでいたわたしは、あの〔中世の〕体制を扱うには注意が必要だと思いつつ、その喜びと熱意で体制を作り直したところだった。だが、それは結局、病人を自分の脚で立たせることに成功しただけで、病人はあいかわらず病人ではないか、その時、そう気づいたのだった。内部に巣くう根深い病が、その初期から中世を蝕んでいた。

そのとき中世とのあいだで奇妙な対話が生じた。中世を生き返らせたわたしと、病から立ち上がった古い時代との対話だった。

優しい気づかいを惜しむべきではなかった。〔自分の母親の〕ひどく痛む手足に触れるのをためらうとき、子として〔母を〕心配する気持ちがどれほどのものであったか、そうしたことをわたしは『ルター』(2)の序文で書いたことがある。

中世の古い信仰は、こうした人為的な電気療法の効果について思い誤ることなく、病みながら、深く病みながら、治療法はあるだろうかと尋ねた。

同情を惜しむことなくわたしは答えた。「個人にとっての解決策、その人のうちで悪かったところを浄化してくれる唯一の解決策、それは死だ。一時的死が、われわれすべての人間、民族、宗教にとって唯一の浄化なのだ。われわれにあって生きる価値があったものは、後になって生き返るだろうが、それはこうした代価を払ってなのだ。

近代世界の年老いた乳母よ、何の咎(とが)で神はお前〔＝中世〕を死なせるのだろう？　恩寵の不公平さ。選ばれしものの特権。唯一の者による万人の罪。一つの者による万人の救済。神は愛により、特別のはからいにより、権利のある無しにかかわらず救済すると言ってしまった不敬。それらによってなのだ。宗教的不公平は政治的不公平の根拠となる。『権利に反する権利などない』。お前にこう告げたのはわたしではない……　恩寵を正義に従属させる正義の宗教、お前の代わりに席を占め、お前を厳しく裁くお前の娘、大革命が告げるのだ」。

注

（1）十六世紀まであった修道院の名を持つ、現在パリ四区ポンピドーセンターの南にある通り。一八三二年六月五日と六日、革命期と第一帝政期に武勲をあげたラマルク将軍の葬儀をきっかけに、ここで共和派民衆による反乱がおきた。ヴィクトル・ユゴーは『レ・ミゼラブル』で、この反乱を詳しく描いている。

（2）『ルター自身によるルター回想録』（一八三五）のこと。そこにおいてミシュレは、ルターが書き残したものを抄訳しつつその生涯を描こうとした。すでに『世界史入門』（一八三一）で、「ローマの専横に反対して、いったい誰がルターに以上に声高に語ったろうか？」と問うていたミシュレは、この『ルター……』「序文」で、「これまではローマに対するルターの決闘のみが示されてきた。われわれは彼の生涯全体を、その闘い、その疑念、その誘惑、その慰めを示す」とし、神の恩寵の絶対性を説くルターは、「理論的には自由を否定したが、実際にはそれを基礎づけた」と述べている。そして年老い弱まりつつあるキリスト教に触れる想いを語りつつ、死の床に伏していた自分の母が、寝返りをさせて欲しいと頼んできた夜を思いだし、「子の手は戸惑っていた、どうやって痛みのひどい四肢を動かしてやるべきだろうかと」と記している。

ナポレオン帝国の祝祭(1)

わが幼年期は暗かった

最も遠い過去、人々が美しい幼年時代と呼ぶ時代(なぜなのか知らないが)に遡って、わたし自身を追い求めてゆく。すると、暗い幼年期、早熟な想像力のわりに精神の発達がきわめて遅かったわたしが、なぜ神経質で警戒心が強かったのかが完璧に分かる。鉄のように固い三重の結び目で、なぜ縛られたままだったのか、なぜ身を引きちぎるようにして、ごくわずかなもの、それも遅ればせに下手なものしか生み出せなかったのかが分かる。わたしの性格には、苦しいほど対照的な異なる傾向があった。優しくて情熱的で、内面は大きく飛翔する力で満ち満ちていたのに、人前に出ると、あるいは紙を前にしてさえ、わたしは黙りこんでしまったものだ。心のなかには、ウェルギリウス的なあふれんばかりの活力があったが（そこに涙の才もと付け加えよう）、外部にそれを表すことは何一つできなかった。ほんの数行、タキトゥス〔ローマの歴史家。文才豊かな『年代記』、『ゲルマニア』ほか。五五頃―一一五以降〕やモンテスキュー〔政治思想家・歴史家、『ペルシア人の手紙』、『法の精神』ほか。一六八九―一七五五〕の凝りすぎた言い回しのなかから、ひどく気を使って作り上げていったのに、荒っぽいままであったほんの数行を除いて。

なぜそうしたことになったのか？　長いこと分からないでいたが、いまや分かる。対照的な異なる傾向が、いまや完全に理解できる。わが幼年期には祝祭がなかったのだ。わが幼年期には、共感あふれた群衆の熱狂が拡張する大いなる日に、喜びで輝くことがけっしてなかったのだ。その日、各人の感動が万人の感動によって百倍にもなり――慈悲深い光のもとで若い魂が花開く。人間にとっての真の太陽、それは人間だ。

「何だって！　友人がいなかったのかい？」いたとも、それも素晴らしい友人が。だがその友というのは、もう一人の自分自身だ。彼が親しい者となって、あなたの心の確かな打ち明け相手となればなるほど、彼は孤独への指向を固めさせてしまう。二人での孤独だ。それはあなた自身であり、人気（ひとけ）のない場所だ。こうした友情は、われわれの傾向を強化し、堅固にし、圧縮する。そして、あなたの精神をとりわけ広く豊かなものにしてくれるだろう社会的開花から、ますますあなたを遠ざけてしまう。

古代ギリシアの子供

アテナイの子供は幸せだった。光の真っただ中で生まれ、公共広場におけるように、それと気づくことなく〈祖国〉の生に恒常的に参加しながら、成長していったのだ[2]！……われらのスコラスティックな教育とは、屈辱や、やりきれなさを感じさせるほど対照的だ！　われらのあわれな生徒は、古めかしい学校の埃のなか、黒衣〔僧侶がまとう〕の厳しい監督のもと、デモステネス〔アテナイの政治家、大雄弁家。前三八四―三二二〕を一〇年間、四苦八苦しながら読んでいる。アッティカ〔アテナイを含むギリシア南東部〕の自由な子供は、燦々と輝く陽ざしを浴びながら、大きな演壇の足もとで、海を前に、アテナイ帝国を前に、唯一無二の雄弁家の声を聞いていた。いくつもの世紀がいまもなお、そのこだまを聞きもらすまいと耳傾けているあの声を。こうした言葉の祝祭から、子供はバッカス〔＝ディオニュソス〕劇の聖なる祭りの方へと行ったのだ。こうした祭りは、悲劇的冒険や古い暴君たちの運命を通して、自由を教えるものだった。宗教、国民の歴史、都市の独自性、活力あふれる法の精神、子供はソフォクレス〔古代ギリシアの三大悲劇詩人、ディオニュソス祭の悲劇競技で優勝。前四九七頃―四〇六〕やアイスキュロス〔古代ギリシアの三大悲劇詩人、『テーベに向かう七将』ほか。前五二五頃―四五六〕の大いなる盃の乳と蜜のなかで、そうしたすべてをあふれんばかりに受け取っていた。子供は酔いしれることなく、調和に満ち、バランスを保ちながら家に帰って行った。こうした調和と平衡のみが、われわれに力を注ぎ込む。子供は家に帰って心穏やかに眠る。勇壮な夢をいっぱい見る。予言的ミツバチが彼の唇の上に止りに来る。かくしてアイスキュロスからプラトンが生まれた。

フランス革命期の子供

わたしは、われらの父祖たち、大革命の危機のなかで崇高なるものに目を開かれた父祖たちの、つらかっただろう幼年時代をも気の毒には思わない。あれらの時代が調和に満ちてはいなかったにせよ、そこには崇高な目的から引き出される、まったく違う偉大さが、三倍も神聖な偉大さがあって、それがフランスの大義を輝きださせていたのだ。フランスは人類の救済のために闘い、血を流していた。祝祭は、戦闘の果てしない危険と苛烈さとに色づけられて、興奮や激烈さや悲劇性を帯びた祝祭となりながらも、その調和を欠いた相貌のもとに、すべてを贖う本質を保持していた。その本質とはすなわち、一民族の世界への献身、自らのうちに九三年のフランスにおける自由を擁護しながら、あらゆる民族と来るべき時代とのために自由を救っているという強烈な感覚である。革命の祝祭は犠牲の喜びにあふれる楽しいものであり、あのデキウス〔ローマ皇帝、ローマの神々を守りキリスト教を迫害。外敵との闘いで戦死。二〇一―二五一〕の笑みで微笑んでいた。デキウスがたった一人で一万もの剣の前を歩いたときの笑みで、たった一人による万人の救いを見たときの、栄光と死を見たときの笑みで――かつて一度たりともなかったのだ、あのような厳粛さも、またあれほどに力強い霊感も。どれほどの高鳴りで子供の心臓が脈打ったか、信じてもらえるだろうか。息子または兄弟の死で喪に服した自分の母が、次の犠牲に捧げようとしている夫と手に手を取りながら歩いてゆくのを見たとき、その二人がシャン・ド・マルス〔パリ、現在エッフェル塔近くの広場。革命中しばしば祭典等が挙行された〕で、フランスと世界と正義の勝利に、自分たちの運命を生贄に捧げるのを見たとき、そして彼らの心をえぐって〔＝心臓を引き抜いて〕、永遠の離婚という運命を、血がしたたり血にまみれている心〔＝心臓〕を、祖国よ！　お前の足もとに投げ出すのを見たとき。

こうした祝祭は悲劇的だったが、陰鬱なものではなかった。黒雲のなかに紺碧の一隅があり、それがすべてを突き抜けすべてを晴れやかにしていた。この崇高な開口部から一条の光が、死すべき者の目がかつて見たこともなかったような太陽とともに、大地へと降りそそいでいた。

わたしは一八〇五年には七歳だった。〔ナポレオン〕帝国が崩壊したときは十六歳だった。はてさて！　一〇年に近いこの長い間、わたしには、灰色の日がずっと続いていたように思えるのだ。単調なあの時代の（真実らしくもなかったが、常に勝利していた大きな戦い一年一年を記念していた）困窮からくる特異な精神の効果なのか、白状すれば、わたしたち〔家族〕を打ちのめしていた悲しみからくる奇妙な効果なのか、わたしには晴れの日の記憶が一日とてない。太陽が輝やかしく登ってくるのを見た記憶も一度とてない。

ナポレオンによる祝祭

毎年、予期せぬ速さで、夜の闇のように、帝国の帰還がパリを不意に襲った。また一つの勝利を背負って、数限りない面倒をまた背負って、常に拡大する戦争をまた一つ背負って、帝国は帰ってきた。そのときに祝祭があった。大々的に食べ物を配り、酒を湧水のごとく注ぎ、華やかな花火を打ち上げた。父と母はそこに二度わたしを連れて行ってくれた。あの光、あの雷のような音、シャン＝ゼリゼの夜の上空、花火たちが見せていた血のように赤い北極光に、わたしは幻惑された。騒々しく、盛大で不気味だった。あの平原〔＝野戦場〕で幸運にも〔わが軍は〕二一～三〇万人を殺してきたのだと、いくら自分に言い聞かせても無駄だった。それで笑うようなものは誰一人いなかった。

帝国はわたしにとって、またおそらく他の多くの人にとっても、ひとつのX〔＝明言できないもの〕であり、ひとつの謎であり、ひとつのなぜ？　であり続けた。なぜ激烈なこの戦争を？　なぜこれらの勝利と祝祭を？　どのような理念のために？　どのような利益のために？　何を守り、何を保つために？　誰もよく覚えていなかった。そもそもフランスに武器をとらせていた法律や自由が廃止され、忘れられていた。若者たちはあれらの祝祭で、どんな感情を見出し持ち帰っていたか？　説明しがたい神秘。皇帝〔ナポレオン〕の軍事的無謬性（むびゅうせい）。その才への驚異。年長者が死んだばかりのそこで、鷲の標章〔ナポレオン軍の軍標〕のもとで、自分たちも死んでゆくだろうという栄光みちた必然。ただそれだけだ。軍事的まとまりそのもの、ナポレオン麾下軍の個性、その軍をアウステルリッツ〔一八〇五年、ナポレオンがオーストリア・ロシア連合軍に大勝した、現在チェコの古戦場〕で結束させ一つの生きた体のごとくにしていた誉れ高い友愛、それらすべては皇帝自身によってすでに叩き壊されていた。彼がこの唯一無比の軍団を分断し、不幸この上なくばらばらにされたそのなかから、マドリッドとリスボン、ワグラムとモスクワ〔すべてナポレオンが遠征し戦った場所。なおワグラムはオーストリアにある〕の調和を欠いた軍のために、中核となる部隊を選び出そうと思いついたとき、すでに壊れていたのである。

注

(1)「祝祭」と訳出した原語 fête は、「祭典」、「祝典」とも訳せるものである。フランス革命時の fête についてはモナ・オズーフ『革命祭典』(立川孝一訳、岩波書店、一九八八)が詳しい。それゆえ文脈によっては「祭典」とするほうが適している箇所もあろうが、何かを祝おうという民衆の自発的心性を何よりも重視したミシュレの観点からして、本書では原則として「祝祭」と訳した。

(2)アテナイの教育は、国語、音楽、体育の三科目でなされ、国語はアルファベットを覚えるとともにホメロスやヘシオドスの詩句を暗唱させられ、音楽はリラ(七弦の琴)やフルート等の演奏と歌唱の練習、体育は野天の空間での訓練が中心だったという(『ラルース　ギリシア・ローマ神話大事典』大修館、二〇二〇、三二五頁以下参照)。

民衆の魂とその宴

民衆に自らの真の力を見出させること

つまりこういうことだ。神秘主義者たちは無気力ゆえに、恩寵〔キリスト教で、神から一方的に人間に与えられる無償の恩恵のこと〕の動きを先取りする〔恩恵がもらえるよう積極的に行動する〕のをはばかっていたが、それをここで見習わねばならないのかということ。精神の糧がすっかり出来上がった形で、ある朝、落ちてくるのを期待しながら待たねばならないのか。民衆がその糧を自ら作り出すのを期待して、民衆が自らの歌を即興的に作り、自らの祝祭を企画し、自らの本質から心の糧を引出し、自らの心を養う何かを心のなかで自分たちだけで見つけ出すのを、期待しながら待たねばならないのか。

教養人、知識人であり、世界の伝統に助けられているわれわれは、ただ腕組みをしていればよいのだろうか？　民衆自身がそのたくましい腕で未来の木を植えることになる土壌を、調査することとすらしないで？

この〔一八五三年の〕冬、十二月三十日。もの悲しい気分で、ネルヴィの小さな岸壁の殺伐とした縁にすわっていたわたしは、心を奮い立たせるため、イタリアの、いや、おそらく世界の第一人者である論理的思考家が書いた何ページかを読んでいた。[1]情熱的で偉大な英雄的精神にあふれ皆から愛される本、死者を蘇らせるために書かれたその本のなかで、次のような言葉を読んだ（記憶で引用するが、意味に間違いはない）。「民衆が自分のために祝祭の日を、新しい祭式を、より良い礼拝を作るのだって？　できるかもしれない。そうしてもらおうではないか。だが私は、そんなことに関心はない、心煩わさない（ワタシニハ関係ナイ）〔原文イタリア語〕」。

この言葉に、はっとさせられた。わたしの思想と良心は激しく言い反した、「わたしは、大いに心煩わします」と。

まことに強烈な感覚がわが精神のなかで沸き立った。それ以降、この感覚はほとんど消え去らない。疑いもなくこれが、わたしに『宴』を書かせるにあたって、最も寄与した出来事の一つである。民衆の本能の豊かな力を、わたしほど信じる者はいない。いや、それ以上のことをなしてきたのだ。『民衆』という本の中でわたしはこう書いた。大衆とか、教養無き大多数とか、つまり数というものが権利を持つとすれば、それは数としてではなく、本能〔＝直観〕や生まれつきの霊感が、反省の力や学問と同じ光を持っているからだと。単に、本能はそうした光を集めて凝縮し、学問は光を発展させたという違いがあるに過ぎない。学問が光をもつのは、だが熱量のもっと低い、産出能力のもっと低い状態、つまり活力のもっと低い状態においてなのだ。

それゆえ、わたしが民衆に認めた価値が小さすぎると疑われるいわれはない。革命の形而上学を継承しながら、まさにわたしこそが、この数の権利を堅固な土台の上に据え付けたのだ。説明するまでもなく、シエイェス〔僧侶出身の政治家。革命直前『第三身分とは何か』を発表。一七八四―一八三六〕によって主張されたこの権利は、崩れかけた足場のうえで革命を不安定なものにしてしまった。

かまわないではないか。わたしは次のことも同様に主張しているのだから。権利は教養を持つ人々にも属していると、つまり時間や暇があり、学んだり考えたりする道具を持ち、人類がすでにやってきた種々の試み、あらかじめ道を計測したり、ときにはそうした道を準備するといった試みをなした人々にも属していると。このことは、民衆がなすだろう創造の、内発的独創性を減じさせるものではない。一千万もの人々が、〔一七〕九〇年七月の全国連盟祭(2)で、新しい信仰のシンボルとなるものを手探り状態で探したとき、自分たちが一つの宗教を基礎づけているのだということをきちんと理解していたのは、わずかな、ほんのわずかな者だけだった。大部分の者は知らないでいた。無邪気な思いつきとはいえ、何かが大革命の先駆者たちのほう、ヴォルテールやルソーやディドロらに立ち返り、さらに、十六世紀や、もっと遠い時代の預言者たちに立ち返りつつあることを。かの偉大な民衆は、七月十四日のあの日、哲学者たち〔ヴォルテールら十八世紀の啓蒙思想家を言う〕の最後の者であり、伝道者たち〔本来キリスト教のそれだが、ここでは社会主義等の新思想を伝える人々のことだろう〕の最初の者であった。先駆者たちが残していった長い一条の光から、民衆はそれと気づくことなく、強烈な輝きをもつすさまじい火花を生んだ。まさしくそこに、新しい世界の萌芽と着想とがあったのだ。

二月革命の高揚と蹉跌

こうした考えが一八四八年春、二月〔革命〕の直後、わたしのなかで湧きたっていた。[3] 思索する人は、いつの日か民衆の霊感が見つけうるかもしれないものを、期待しながら待つべきではないと思われた。そうではなく、真に民衆的な出版物や祝祭を、愛国的で宗教的な劇の創出を強く推し進めることによって、また彼らを助けるべきなのだ。劇は民衆の心を結集させるだろうし、同時期に生じている試練のなかでも、ふいに生じる迷いのなかでもその心を支えるだろう。そして、ついには民衆にフランスの魂を示すだろう。彼らがやっと思い出して、いままた探していると思われる、彼らのものであるその魂を。

スペクタクルだ！　ああ！　あの瞬間が、おのずと感動的な、たまたまのスペクタクルを生み出していた！　それを見た君たちは認めるだろうか、われわれがマドレーヌ〔パリの寺院〕の前で、和解しあった兄弟たちがお互いに敬礼しあっているのを見たとき、女たちだけで泣いていたではないか？　永遠の希望を表す緑色の崇高なイタリアの旗が、そして大きくて崇高なドイツの、長いひだのある、古い英雄たちの心のごとく豊かな深紅色で金色に輝く旗が、お互いに敬礼しあっていたのを？……　そのとき大通りに沿って、ポーランド人の、元ナポレオン軍の兵士たちの行列が、気の毒なその家族も、未亡人や孤児たちもみんなごちゃまぜにして、歩兵部隊としてではなく真の民衆として、犠牲者を悼む鷲〔ナポレオン軍をしめす〕の軍旗を掲げ、そう、高潔な白い鷲、幾度となくフランスのために傷つきながら、フランスに守られることのほとんどなかった鷲の旗……　わたしはそこで見たのだ、女たちではなく粗野な労働者たちが、場末の鍛冶屋たちが、日焼けして赤銅色になったいくつもの顔が、見苦しいごま塩の口髭をたくわえたいくつもの顔が、みんな〔後ろの〕壁の方を向いて目を隠し、それを見ないようにしているのを……[4]

フランスはヨーロッパを感じ、理解し、愛していた。が、それ自身については、はるかに少ししか理解していなかった。不意打ちをくらっていたのだ。フランスの進歩を遅らせ、伝統を窒息させるために統治全体の配慮があり、それが半世紀間も執拗に続いて変わらなかった。その気遣いは十二分に成功していた。新たに創造された広大なるもの、産業主義を付け加えてほしい。この巨大な事実が国民的思想を陰らせていた。そしてついには社会主義諸流派から、この新たな悪からの救済策に関する激しい論争が生じた。善を企てた論争だったが、さしあたってそれは悪となった。行動すべきだった民衆のなかに、たくさんの疑念を生じさせ、革命に一つのバベル〔バベルの塔の神話から、人間の能力をこえた実現不可能事の象徴となる〕のような外観を与えてしまったからだ。

一つのことが必要だった。多くの大問題のなかから、まさにその時に問題だったものと、近い将来まで日延べできる問題とをはっきりと知らせ、前者に光のすべてを向け、後者を先送りするということが。この光に真に普遍的で民衆的（ここでこの語にその十全な意味を与えてほしい）なものにする必要があった。その光を隅々に、最も暗いところにまで行き渡らせる必要があった。国境ぎりぎりにある最も遠い村の奥にまで、アルプスの羊飼いの洞窟や、荒涼としたピレネーの熊猟師の穴倉にまで、真夜中にも文字が読めるよう性能が計算された、電気の灯台を手に入れる必要があったのだ。

わたしは〔二月革命時の〕臨時政府の二人のメンバーに次のように書いたものだ、「あなたがたが民衆に働きかける新しい手段を、かつてなかった力を持つ新しい宣伝方法をすぐにも見つけ出さなければ、共和国は失われる……三月のうちに失われる」と。そしていくつかのやりかたを記しつつ、この手紙を出した相手、心優しく真の愛国者である人たちが、わたしが書いたものよりもっと良いものを見つけてくれるようにと願った。

わたしは、わが高名な師にも会いに行った。精神の比類ない清廉さで、誰からも知られているベランジェ〔詩人・シャンソニエ。民衆的、自由主義的、愛国的作品で知られる。一七八〇―一八五七〕だ。わたしは自分が恐れていることを語った。

利害や党派の対立闘争とは関係なく、フランスは次のような恐るべき脆弱さゆえに、陰ってしまうのではないかと。つまりフランスは自分自身に無知で、自らの伝統の糸を見失い、いま現在のさしせまった問題と、あすの、あさっての、さらにはもっと遠い未来の問題とで……　同時に動揺していると。

彼は言った。「ほっておきたまえ、民衆がするままにさせたまえ。彼らは自分の道を見つけるだろう。自分たちの新しい政治を彼ら自身で作る必要があるのだ。自分たちの本、自分たちの歌、自分たちの祭り、それらをその場にあわせて自発的に作ってゆくだろう……そうしたものを民衆のために作るなど、誰にもできないことだろうよ」。

あれほど大きな権威と深い良識を身にまとった人物のこうした言葉は、まったく別の時だったら、わたしを押しとどめ、意気阻喪させてしまっただろう。だがこのとき、わたしの心は求めていた。彼に言わないわけにはいかなかった。「何ですって！　先生、確かに、民衆の創意の力、その想像力に寄せる共通の期待がわたしたちにはあります。ただそれは、その想像力が本当に自由で、その価値が発揮できる場合に限って言えること。いま逆境にあって痩せ細り、日々刻々と迫る飢えに激しく追い立てられているあの民衆に十全に考える力が、創意に富むみずみずしい精神があるとお思いですか……　何より問題なのは、最も重要な要素が欠けているということです。この世の物事にゼッタイ不可欠ナ〔原文ラテン語〕条件、〈時間〉です！　民衆には〈時間〉が足りないということがお分かりになりませんか？」

民衆劇への希望

　あの日言ったことは、確信としていまも変わりない。我々の行動がすでに鈍り、希望もずいぶんと潰えてしまっていたころ、まさに一年か二年あとのことだが、わたしはあの『シャンピ』[5]の高名な著者に会う機会に恵まれた。そこでわたしは彼女に言った、大きな成功のあとですが、さらにもう一つの成功、真に彼女の栄冠となるような成功を願っていますと。わたしは彼女に、フランスが自らの伝統の流れを取り戻すであろう民衆劇の創出のことを言おうとしていたのだ。これまでにあったものよりも文学性には欠けるが、いっそう自由で、力強い様相を呈する演劇、一連の劇的箴言をもとに、民衆の心を革命的思考の方へと連れ戻すような、革命の英雄たちの魂、サン＝ジュスト、ダントン、オッシュ、ドゼ、クレベール[6]の魂の方へと連れ戻すような演劇の創出を。こうした劇の創出を生じさせる思想は、広大でひどく空虚な、そのゆりかごである生来の居場所、民衆の心情のほうからではなく、ああ！　その宝である伝統のほうから生じるのだ！

　この懇願は、〔サンド〕夫人よ、絶えずわたしの喉元にまで出かかっているものだ。時間が間違いなく、この願いを聞き届けてくれるだろう。わたしたちはあなたの良き心を、豊かな才能と同様、善良で暖かな心を知っている。あなたの思いやりあふれる心も知っているし、その思いやりゆえに極端に大胆な行為をなしえたのを（まさに驚きとともに）見たこともあった。あなたの顔には、また理想を秘めたその深いまなざしには、未来の〈友愛〉からの明らかな後光が認められる。

さあ！　民衆に贈ってください。勤勉なわたしたちの手が、どうしても民衆に取り戻してやれないものを。日夜、わたしたちは民衆のため、その伝統の糸を練りあげ直し、その父祖たちを取り戻させ、その生活を再建しています。〔しかし〕民衆のために書かれたわたしたちの作品は、不幸なことに民衆の敵たちにしか届かない。わたしたちの敵でもあるこの社会の上部の冷たい階層にしか。下部にある巨大な熱は、生命そのものとなるかもしれませんが、光がそこに射しこめば虚しく憔悴するでしょう。闇の中に沈んでいる大いなる民衆の探し求めているものは何か？　彼らも知らないのです。まさに、かつて自らがそうであったものを忘れ去った意識、それを取り戻さなければ、これから自らがなるものを推測することもできません。各存在にとってのこの意識、過去と現在の一致というこのあり方、それが必要なのは、民衆の魂も同じです。おそらくそのことを、あなただけが民衆劇のなかで、民衆に喚起できるのです。そして、不在となったその魂を民衆に取り戻させ、忘れられたその天分の秘密のなかで、運命として定められているまっすぐな道を、民衆に明らかにすることも。

注

（1）アウソニオ・フランキ（一八二一―九五）の『十九世紀の宗教』のこと。還俗した元司祭クリストフォロ・ボナヴィーノのペンネームで、この一八五三年カトリックの教義や神学を批判した同書を出版した。ミシュレは『ルネサンス史』への「序文」（一八五五年）で、「キリスト教は権威の宗教であり、奴隷の信仰である。この時代〔＝中世〕に関する論理的思考家、ジェノヴァのボナヴィーノ氏（アウソニオ・フランキ）は、この問題全体を数学の厳密さにまで高めた。彼の公式の後では、何人も何一つ、それを変えられないだろう」と述べている。

（2）一七九〇年七月十四日、フランス革命の発端となったバスティーユ襲撃一周年を記念して、パリのシャン・ド・マルスの練兵場で催された祝祭。すでに前年八月から国民衛兵により、民衆の団結を表す地方連盟祭が南フランスではじまり、それが各地に広まっていたのを集大成した。ミシュレは『フランス革命史』のなかで、「フランスとフランスの結婚である全国連盟祭は、それ自体、諸国民の未来の結婚と世界全体の婚姻とを、予言的に象徴するように思われた」と書いている。そして未だ抑圧されているあらゆる国民が、「私もフランスにおいて自由だ」と感じて、彼らの代表団を参加させるよう要請した、と。

（3）一八四八年二月二十五日に共和国（第二共和制）が宣誓されたあと、新憲法制定国民議会のために選挙制度が改訂された。三月五日に定められた選挙制度では、納税額に関係なく二十一歳以上の男子に選挙権が、二十五歳以上の男子に被選挙権が与えられた。労働者たちの要求によって実施が決定した普通選挙であったが、その実施を遅らせるようにとの要求も一部有識者から出されていた。選挙を経験したことのない国民の大部分が政治的にも知的にも十分に教育されていない状態では、結局、地方の名士や有力者、保守的な権力者のみが選出されるという危惧があったからである。ミシュレの考えも同様で、「民衆」を感化し教育することがまず急務であると訴えていた。しかし、憲法制定議会の選挙はほどなく四月二十三、二十四の両日行われ、多数の王党派が選出されることになった。かくしてミシュレが危惧していたように、二月革命の理念を推進しようとする機運は急速に衰えたのだった。

(4) ミシュレは一八四八年四月二十一日に娘婿アルフレッド・デュメニルに宛て「昨日の祭典は〈共和国〉を堅固な土台に乗せたと思う。あれほど感動的で雄大なものはなかった」(『書簡集』、第五巻、六八一頁)と、前日パリで挙行された「友愛の祭典」の事を書いている。ジョルジュ・サンドも同日、息子のモーリスに宛てて「〈友愛〉の祭典は歴史のなかで最高に素晴らしい日だった」(『書簡集』、第八巻、四三〇頁)と書き送っている。この祭典についてはダニエル・ステルン『女がみた一八四八年革命』でも言及されている(訳書、㊦の七七二頁)が、そこではこのような光景は述べられていない。またミシュレの『日記』にも出てこないが、その折の目撃談を語っているのかもしれない。

(5) ジョルジュ・サンド(一八〇四—七六)の小説『フランソワ・ル・シャンピ』(一八四七—四八)のこと。畑(シャン)に捨てられているのを見つけられ、フランソワ・ル・シャンピ(畑にちなんで)と名付けられ、粉屋の男にそだてられた男の子の物語(邦訳では『捨て子のフランソワ』とも題される)。ある日、粉屋から追い出され苦労を重ねて成長したフランソワは、粉屋が死んだあとその家に戻り粉屋の未亡人マドレーヌと結婚する。この小説でも、いつものようにサンドは、社会的不平等の告発と愛の権利の称賛をなしている。一八四九年十一月、サンド自身によって戯曲化され、パリのオデオン座で上演された。

(6) サン＝ジュスト(一七六七—九四)とダントン(一七五九—九四)は革命期、それぞれの立場で活躍した政治家、オッシュ(一七六八—九七)はヴァンデ反乱で王党派を鎮圧した軍人、ドゼ・ド・ヴェグー(一七六八—一八〇〇)はナポレオン時代、エジプト遠征を指揮し、マレンゴの闘いで戦死した軍人、クレベール(一七五三—一八〇〇)もヴァンデ反乱鎮圧等で活躍した軍人。

祝祭を！　わたしたちに祝祭を与えたまえ！

民衆に光を

祝祭を！　わたしたちに祝祭を与えたまえ！　これが、息苦しさを覚えた心のなかから百回も出てきた叫びだ。パリやルーアンやナントの町工場地帯のじめじめした単調な通りや、リヨンのどこまでも続くうす暗い奈落のような通りを歩いているときのことだった。家々の窓辺に垣間見られた、慰めもなく打ち捨てられた妻たちの青白い顔が（夫は、仕事に行っているのでなければ、カフェに行っている）、あるいは発育不全で色づかない花のように弱々しい子供たちの顔も。彼らは光も太陽も浴びないまま成長する……　倦怠の疫病（コレラ）が、この哀れむべき人々をむしばんでいる。あの人たちが一時でも、そこから脱出しようとしてくれますように。教会で、ほんの少しの光や生命を探し求めてくれますように。だが、彼らがそこに見出すことになるのは、死の宗教による精神的な闇、それにビザンチン風の信じがたいスコラ学〔空疎でつまらない議論を経て、教条主義的で形式重視のものが作られたということ〕。素朴な人々を責めさいなむために、このスコラ学には古代風の空理空論すべてが、しかもいっそう難解にされて、一つの象徴のなかに詰め込まれている。

祝祭を！　わたしたちに祝祭を与えたまえ！　神ノタメ、ぱんヲ！〔原文ラテン語〕神への愛のために〔＝お願いだから〕、パンを！　民衆に本物のパンを与えたまえ、彼らを支える精神的パンを、それが彼らの心を立ち上がらせるだろう……　民衆がパンを求めていたとき、あの者たちに石を与えたのだ、君たちにはそれが分からないか？

トゥキュディデス〔古代ギリシアの歴史家、ペロポネソス戦争の記録『歴史』がある。前四六五頃―前三九六〕の、ある印象的な言葉が三〇年前からわたしの心に消えずにとどまり、しばしばわたしを熟考の世界へと沈潜させた。ペリクレス〔アテナイの政治家で軍事、文化両面で祖国の黄金期を築いた。前四九五頃―前四二九〕は、〈祖国〉のために死んだ戦士たちに哀悼の言葉を捧げて、気高い〈祖国〉が施す種々の恩恵を思い起こさせながら、はっきりとこう言っている。「祖国は祝祭を制定したのです、われらの心にある生の憂愁（生ノ悲シミヲ引キ起コス〔原文ギリシア語〕）を和らげるために(1)」。え、何だって！　偉大な人よ、あなたの都市では、輝かしいアテナイでは全てが太陽であり、偉大かつ英雄的な活動だった。そのすさまじい旋風に陸も海も巻き込んで、統治し、戦争し、裁きを行っていた世界の選民が、芸術、科学、哲学という驚くべき収穫を人類に与え、人類の永遠の糧とするために、余暇の娯楽まで考えだしていたとは。——そうなのだ、あのような都市にもまだ憂鬱な夢を見る時間は残っていて、親切な〈祖国〉が祝祭という気付け薬を手に入れようとしていた。人間の心に巣くう果てしのない倦怠を癒すために！

全体性の回復を

いやはや！　何ということか。わたしたちの周りに形成された広大な世界のなかでは、全体性が大いに拡大しているというのに、それに反して、個々人は、ほぼいたるところ全般的調和の一部分でしかない。しかじかの専門分野に身を捧げる個は、人間としての全般性を犠牲にしてそこに立てこもっている。彼は人間なのか？　いいや、仕立屋、画家、音楽家、代書人（わたしのような）なのだ。ああ！　専門性が鉄の手でわたしたちをつかんでしまった。専門性にとって余計なものとなる多様な枝は切断され、わたしたちは自分の作業台の前に座り込み（厳しくも正確な英語の文言で、果てしのないクルピヨン）[2]、もはや立ち上がることができない……　だからといってわたしたちが、全的人間としての性格を、研究と行動を混在させた性格を懐かしまなかったと思われるだろうか？　自分の技を、手抜きできない専門性を最も誇りに思う者は、やはりそうしたことを悲しむ瞬間が日々百回もあって、漠とではあれ全体的な強い調和を懐かしむ。不幸にも達人になってしまったことで、彼から失われてしまったあの調和を。

だからこそ、近代人には、古代人がもっていなかったような祝祭が大いに必要なのだ。努力と専門性にみちた暮らしのなかで、あの机で、あの作業台で、あの薄暗い共同作業場で、近代人が奉仕している社会は、優しく彼を祝祭の方へと立ち返らせる。そして、自らの子供たちの集まりのなかで、彼を十全な光のなかへと戻し、ついさっきは孤独な歯車でしかないことで彼が嘆いていたこの現実世界が、友愛満ちた心の美しく溌剌とした調和であることを示す……〈祖国〉は言う、「座りたまえ、そして私の熱から命を取り戻し給え……　いいや、君は物ではない……　君はわたしの息子であり、彼らの兄弟であり、すべての人に役立つ者、すすんで救いをもたらす者だ……　もう人間ではないと思っていたが、結社(アソシアシオン)[3]のもつ奇跡的な力の望ましい働きによって、君はまるまる一つの軍団となり、大いなる人間の部隊となり、三千五百万人〔一八四六年当時のフランスの人口〕の一人となっている！」　この言葉で誰が生き返らないだろうか？　青ざめた顔で辛い仕事をしていた人が、勇気を取り戻して起き上がる。そして自らの尊厳を再び見出す。個人としての本性が満たされ、もはや要求することもなく彼は思う、「わたしはまだ人間なのだ」と。だが同時に、祖国の偉大さに結びつきながら、その母性に心打たれ、子として献身のなかで、祖国に向かって心から送る、九三年のフランスへとパリのコミューンから発せられた（素朴で不滅な）言葉を、「わたしたちにはただ一つの願望しかない。それは、大いなる全体のなかに溶け込み消え去ることだ」。

十分気を付けて欲しいが、その影響力が（新しい支配力をもつものすべてと同様）過大視されている大いなる道具、新聞雑誌類（プレス）は、フランスやイタリアにおいては、決して二次的行動手段にしかならないだろう。際立って生き生きと反応するこれらの民には、口頭での伝達、劇、祝祭といった生きた生（なま）の手段でしか働きかけられないのだ。聖書に基づく文化の国々〔ドイツ等を指していると思われる〕では事情が異なる。そこにいる人は、良識があって誠実ではあるものの、一冊の書から植え込まれた厳密な概念でがんじがらめになり、ポケットにその書を入れ、というかむしろ記憶のなかにそれを入れ、その書とたえず会話し、耳傾け、応えながらでしか歩いて行かない、わたしは進んでそう信じるだろう。イタリアとかフランスは、聖書に基づく文化をもたず、カトリック文化ももはやもたないから[4]、そうした文化を日々嫌っているのに、それに代わるものを何一つもっていない。これらの国は、ついさきごろまで白紙状態だった、自由が日々、血と火の文字で書き込みにくる言葉を別にすれば。

英雄的犠牲者の血で、天賦の才と近代的発明の火で、自由はおもむろに、だが至高の堂々たる手でもって、新たな象徴をそこに書きこんでゆく。いかなる書も未だ受けとったことのない象徴だ。しかし、それらのうちの輝かしいいくつかの言葉が、ヨーロッパへの啓示として山々の頂に漂っているのが、毎日目覚めるたびに、わたしには見える。

大いなる友愛の結合が、新たなるシャン・ド・マルスの連盟祭の巨大な祝祭が、アルルの円形劇場〔古代ローマの遺跡〕にも、解放されたヴェローナ(5)にもどうかやって来ますように。祝祭を！ わたしたちに祝祭を与えたまえ！ そこにあって民衆が、自分自身の思想を目にし、耳をすましますように。その若々しい心情で自分自身を養いますように。そして、自分自身のホスチア〔ミサで拝領する聖体のパンのこと。ここでは永遠の命に通じるものという意だろう〕である心でもって、人とつながりますように！

注

（1）トゥキュディデス『歴史』からの引用だと思われるが、邦訳書で見る限りこの通りの文章はない。最も近いのは、第二巻三八節の「吾々は、一年中、競技や供犠を催し〔…〕それを日々楽しむことによって吾々は悲哀を追い払う」（京都大学出版会、藤縄謙三訳『歴史Ⅰ』一八三―一八四頁）であろう。『日記』の場合と同様、旅先でのこの記述は、ミシュレの記憶のみによって書かれているということの証左か。

（2）クルピヨンは、フランス語でふつう鳥や動物の尾の付け根を言うが、同時にイギリスの残部議会のことも言う。つまり一六四五年の清教徒革命時、長老派議員が追放されたあと、残った独立派議員のみによって成立した議会のこと。英語ではランプ・パーリアメント。

（3）ここで「アソシアシオン」という語が、当時のフランスでもっていたニュアンスについて触れておく。七月王政期（一八三〇―四八）からサン＝シモン主義者らにより、アソシアシオンなるものが、社会を、生まれながらの不平等を除去し、個々人の能力のみを基準とする共同体として再編成するキー概念として構想された。人間による人間の搾取が、働く者のアソシアシオンの幅広い実現によって、廃絶しうると夢見られたのである。だがこの概念は労働者の結社のみでなく、労働者と経営者の結社、さらには国民の結社＝国民統合へと様々な次元に拡大しえたため、逆にその有効性を失って行く（以上高草木光一「一八四八年におけるアソシアシオンと労働権」、的場・高草木編『一八四八年革命の射程』御茶の水書房、一九九八、所収を参照）。

（4）フランスはともかくイタリアまでカトリック文化ではないとは、どういうことを意味するのか。ミシュレが考えたのは次のような背景だろう。つまりバブーフとともに平等派の陰謀をくわだてたブオナロッティ（一七六一―一八三七）が、フランス革命の進展にあわせて、祖国イタリアの革命運動を構想したのに端を発し、多数の都市国家的小国に分断されたまま、北部をオーストリアに占領されていたイタリアで、様々な革命家を輩出、カトリックの支配を脱した新しい社会を目指す一大社会運動が起きていたということである。そうした運動の中心人物ジュゼッペ・マッツィーニ（一八〇五―七二）をはじめ、多くのイタリアの社会運動家とミシュレは親しく交流していた。

（5）かつてイタリア王国の首都だったこともある北イタリアの町。ナポレオンの侵攻に対し反乱に立ち上がったこともある。たびたびオーストリアに支配され、ミシュレがこれを執筆していた当時もそうだった。最終的には一八六五年にヴェネツィアとともにイタリアへ復帰するが、それを期待して「解放された」と書いているのだろうか。

母性の祝祭

スペインの司祭ヴァルヴェルデ〔ピザロに従ってペルーに渡り、インディオに狂信的な布教をした。生年不詳―一五四三〕は、アメリカ〔の現地〕人にカトリックの公教要理〔信仰の中心となる教理を問答体で分かりやすく教える本〕を渡して、それが語ることを信じるようにと命じた。インディオはそれに耳を押し当て聞こうとし、それからその書を返しながら言い返した。わしには何も語ってくれないよ。

大衆は、たいてい、このアメリカ人のようなものだ。読書から受け取るものはごくわずか、話す言葉のほうからはるかに多くを受け取る。知覚できる対象を見たり音楽を聴いたりするような、要するに生きた仲介手段を通して、はるかに多く受け取るのである。

生に満ちたギリシア

ギリシアは、数知れぬ祝祭のなかで、生によって生を教えた。——つまり公的行為のもつ実際の生気によって。たとえばデロス島〔エーゲ海の島、アポロン神殿があり重要な巡礼地のひとつ〕に送り出された代表団のなかでとか、エレウシス〔ギリシアの町、大地と豊穣の女神デメテル信仰の中心地、その神殿で毎年祭りが行われた〕へと向かう群衆全体の巨大な行列のなかでのように。——あるいは劇的出し物によって、すなわち過去の行為が作り直され、演じ直されるという虚構の生によって。演劇はギリシア語では行動を意味している。それゆえああした盛大な儀式においては、すべてが生と活動のための行為、生命、運動、教唆、示唆だったのだ。あの小規模な国民の並はずれた豊かさや熱烈な行動力には、誰でも驚くだろう。場所的にも時間的にも広がりを欠いたああした地点で、そう、あそこから途方もなく大きな灯台がそびえ立って、世界を常に照らしているのだ。

矛盾に満ちた中世

中世の祝祭はまさに正反対の方向性をもつ。それらはあらゆる活動を消し去る二語に還元される。「神は死んだ。コトハオワレリ〔原文ラテン語。『新約聖書』ヨハネ伝、一九章三〇節〕」。されば、死ぬこと以外何が残されているのか？　汝自身を捨て、自然を捨てよ。自然は一つの罪である。それは自らに汚れを担っている……」

　そこから多くの矛盾が生じて、人間を中途半端な状態に置き、行動の規範と非行動の規範の間で身動きできなくしてしまう。たとえば結婚は、一つの秘跡〔キリストによって定められた神の恩恵を信徒に与える洗礼等七つの儀式〕であろうとしても、そうはならない。神は〔天地創造の〕最初の日に創造した万物に向かい、産めよ、多産であれと命じるが、それも駄目だ。この秘跡には、キリスト教の神学では、不可避的に罪が混じってしまうのだ。生殖行為は、神の命によるものであれ汚れた行為であり、贖罪を要求するものだ。無垢で不幸なその果実、子供は、そうした行為からの汚れを携えてくる。だから自らがなしたのではない過ちから、自らの始祖アダムがはるか昔になした不従順から、清めてもらわねばならない。また最近犯された罪、子をもうけることで神の命に従った父親の従順さも、清めてもらわねばならない。父親はやはり罪を犯したのだから。父は、神の言うことに従い、従わなかったのだ。こうしたすべてをいったい誰が調整するのか？

　教義の一貫性がこのように完璧に欠如し、明らかに矛盾していることから、結婚と洗礼に関するキリスト教の秘跡は、訳の分からない、人の意気を挫くようなものになる。それらは祝祭であることを妨げられ、裏表あるいかがわしいものといった相を担わされる。

　これらの行為において、司祭の取る態度は奇妙で変ったものとなる。結婚していない彼らの判断では、人は結婚しないものだ、ということになるだろう。「だが罪人である君たちは結婚を望んでいる。君たちは自然に従おうと望み、古い法を自己正当化の口実にする。さらに大きな躓き〔＝堕落の機会〕を恐れて、わたしは聞き入れてあげるよ、結婚させてあげるよ……意に反してだがね。少なくとも、最初の頃のキリスト教徒の夫婦がしていたように、夫婦としてではなく単なる兄と妹として暮らしなさい……」こうした条件で、神と司祭の嫉妬は、結婚を受けいれることになる。

だが不幸にも！　子供が生まれる。罪が犯されたのだ（神から勧められた罪だ）。それには、子供にも母親にも、贖罪が、お浄めが、浄化が必要だ……

ああ、冒瀆的教義、奥深い汚れに染まった偽りの純粋性！

何だって！　この女性が義務に従い、夫に対して行った誓い、彼を息子によって新たに甦らせるという誓いを守って、九カ月におよぶ期待と苦しみのあと、そう、彼女が神の似姿をわが内に抱く一つの寺院だった九カ月のあと、陣痛の辛さのなかから、あの大いなる死の危険のなかから、新しい人をこの世に与えた、まさにそのとき、あなたは彼女に贖罪と悔悛を要求するのか？

説明はまことに粗雑なもので、最高に野蛮な唯物主義に属するもの、「分娩時とその後の血は浄化を強要する」というものだ。何だって！　不幸者よ、流されたあの血は、多くの苦痛を明かす母にとっての名誉の血だ。それは戦場で流された英雄の血と同様、犠牲の手柄であり、彼女が人類を継続し、そしておそらくは天をも継続し、不滅の魂でそれを豊かにするための過酷な代償なのだ。

母の聖性

聖職者のあの胡乱（うろん）な独身性が、素行の怪しいあの神学者たちが、子供の無垢〔=無罪〕性に対し、母の聖性に対し、浄めねばならぬものという烙印を押す！　ああ、なんという倒錯。

神と良識に従った理性的宗教の始まりが世の中にあるとしたら、モーセ[1]が女に課したあの浄化の日が、まさしく女の凱旋式に、母性の祝祭になるだろう。それは、万人が分かち持つような穏やかで感動的な女の栄光となり、母の苦痛へのなぐさめとなるだろう。

彼女自身、〔わが子が生まれて〕四〇日目に、その宝、花々で頭を飾られた自らの若き神を両腕に抱えて、夫と父親とに支えられつつ、この上なく貴重なこの貢物を、〈祖国〉の祭壇に置きに行くだろう。彼女の肉であり血であったもの、それを神とフランスとに捧げにゆくだろう。彼女以外の誰も、その宝をそこまで導くことはできない。彼女にのみ、それは属しているのだから。

すべての親族が、友人が、帽子を手にその後に従って行くだろう。その時すべての人が友となるだろう。この色青ざめ、未だふらついている女を見て、幸福を感じない市民は誰一人いない。彼は行列に加わり、彼女の一族と一緒に歩み、「私もまた親族だ」と言い、この母を、また一時的〔〈祖国〉の〕養子となるその子を、称えるべき義務を感じる。

その結果、通りから通りへと行列は増え続け延び続け、まるで南仏人のファランドール〔人々が次々と手をつなぎ列になって踊る〕を見ているよう。見知らぬ人たちで、共感して祝福に加わる人々でふくらんだ大家族が、民衆が、祭壇で母親を取り囲むことにもなるだろう。

その場で子供は受け入れられ、〈祖国〉における聖者のなかの聖者である行政官によって、やさしく迎え入れられ、〈祖国〉の養子とされ、その名を登録される。母親は感謝に満ち、幸せにほほ赤らめ、感動している人々すべてに感謝を述べて、もうお戻りくださいと言うであろう。それから家族に導かれ、父親の両腕に抱えられたわが子に微笑みかけながら、彼女も戻ってゆくだろう。

こうしたものが未来の洗礼となるだろう。人類は、ああした奇妙な洗礼のほうを忘れるだろう。汚れた罪人が無垢なるものを浄化するのだと思い込み、野蛮な不条理がとりわけ聖なる事実を辱めていたのだ。聖なるもの、母性をこそ、女から生まれた人間はだれしも祝福しなければならない。

地は天を語るためにこの世に神を君臨させていた、ああした自然の祝祭のなかで、新しい宗教は神による統治の道を我々に示すだろう。これほど長きにわたって先延ばしされてきた新しい宗教。その予感、崇高さに満ちた予感が、これまでにいくつかなりとなかっただろうか？〔一七〕九〇年の連盟祭では、フランスのいくつもの町で、神に十分な捧げ物ができないと不安になった人々が、新しい光の恩恵を認識するため、前代未聞の象徴を自分たちの心のなかに探し求め、人為と自然が与えうるすべてをそこで使用した。彼らは祭壇に、野畑で取れる穂とあらゆる花々とを置き、一筋の太陽光から引き出した天からの炎を置き、切り裂かれた鎖とバスティーユの残骸とを置いた。それらすべてでも十分でなく、無限の感謝を示さなければならぬという義務感を軽くさせるものでもなかった。そこで〈法〉と「権利の宣言」をそこに置いたが、それは神そのものから自分たちの所に来た知恵を、また〈法〉が保証していた未来の幸福を神に捧げることであった……　それらすべてでもまだ十分ではなかった。小さな子供を、一人の新生児を取り上げると、母は喜びの涙を流しながら、その子をもう一人の母、〈祖国〉を代表する行政官たちに手渡した……　子供は祭壇の上に置かれた。[2] と、コミューン[3]がその子を養子とし、すべての人々が、その子の世話をして、その子を一人の人間として、市民として育ててあげると誓った……　すべての人が感動し抱き合った……　その時、誰もが信じた、神も満足していらっしゃるだろうと。

注

（1）モーセ（前一三五〇頃—一二五〇頃）。『旧約聖書』に出てくるユダヤの大律法者。神の教えをイスラエルの人々に伝えた。「姦淫してはならない」等の十戒で知られるが、ミシュレはモーセが『レビ記』一二章で「産婦は出血の汚れが清まるのに必要な三十三日の間、家にとどまる」（四節）等と説いている点をふまえ、こう書いているのだろう。

（2）ミシュレはその『フランス革命史』において、一七八九年冬のこととして次のように書いている。「それ〔＝フランス〕は闇深い冬の中、雄々しく進んでいった。新しい光を約束する待望の春のほうへ。〔…〕フランスははっきりと見るのだ、自らの愛するものを、未だしっかりと捉えることなく追いかけている祖国の統一を」〔プレイアッド版第一巻（ガリマール、一九五二年刊）、四〇五頁〕。

こうして翌一七九〇年七月十四日、バスティーユ監獄解放の一周年を記念して、全国各地でそれまでに行われていた地方の連盟祭を代表する多くの人々がパリに集まり、シャン・ド・マルスで全国連盟祭が開かれた。その中央には祖国の祭壇が設けられ、そこで何組かの結婚式が行われたり、祭壇に小さな子供を置いて祖国として祝福するといったことが行われた。ミシュレは述べる、「連盟祭自身、フランスとフランスとの結婚であり、諸国民の未来の結婚の、世界中の人々すべてに行き渡る婚姻の、預言的象徴と思われた。〔…〕抑圧されていたあらゆる国民が、若き自由のこの光景をみて自らの隷属状態を忘れ、フランスに言ったのだ、『君において私は自由になっている』と」（同、四一四—四一五頁）。

つまりこの時行われた連盟祭こそ、革命のめざした「自由、平等、友愛」の理念を最も良く体現した瞬間であり、この『宴』においても、それに倣うような祭礼が、キリスト教に代わるべき新しい革命的宗教にふさわしいものが必要と、ミシュレは夢み、思ったのだろう。だが周知のごとく、フランス革命の夢、理想は、現実の激しい対立、争いの中で潰えて行く。それゆえここで描かれた光景は、ミシュレの夢想、ないしあの連盟祭への郷愁みちた回顧の類と感じられる。

（3）フランス語のコミューンはすべての地方行政単位を指すので、日本語の市、町、村の区別はない。

フランスの二つの革命の物理的失敗と精神的遺産

以上が第一の障害である。二番目は次のようなことだ。

フランスは二つの革命〔一七八九年の大革命と一八四八年の二月革命のこと〕をしくじった、物質面でしくじったのだ。というのも、精神面での成果は極めて大きかったし、いまも大きいからだ。民衆の革命的魂はいまもくまなく大地を満たしている。

革命は所有を守った

最初の革命は物質的に堅固な基盤を手に入れられなかった。なぜか？　ほかのところで言ったことがあるが、それは社会的な革命でなかったし、大地に根差してはいなかったからだ。ジャコバン派の輝かしい指導者たちは、他の多くのことでは大胆不敵だったが、所有に関しては極端に慎重で、それには手をつけなかった。彼らは土地の持ち主を変えさせたが、しかし司法的手段を通してだった。彼らは〈法〉のなかで遠慮がちに、革命は所有権を制限しうると明記した。が、彼ら自身ではそれをなさなかった。国有財産を売り払うときは、あの恐るべき戦争〔反革命を掲げフランスに干渉してきたヨーロッパ諸国との戦争〕に対処するためひどく性急に売り払ったのだが、所有への信頼を揺るがすかもしれない法解釈を助長しないよう十分に気を付け、売却を慎んだり、買い手を遠ざけたりしていたらしい。彼らが、所有を制限する法解釈に本気で反対していたのは、最小の所有制限でも家庭や家族を危うくすると信じていたからであり、心の中で家庭や家族を崇拝していたからである。ロベスピエールやサン＝ジュスト、なべて山岳派が、九三年と九四年に、社会主義の無名の伝道師たちにしかけたむごたらしい戦闘は、これで説明がつく。

何が起きたか？　戦争が日ごとに強いる、膨大な、性急な、盲目的なあの国有地売却においても、農民が土地を獲得できなかった、あるいは少なくとも、農民のために土地を残しておくことができなかったということだ。売却は高利貸へと通じてしまった。貴族の横暴が打ち壊されたところに、金融資本の横暴が打ち立てられた。それも、自由の友の手によって、無邪気で汚れなき手によって。

一八一五年の工業化の躍進、そこからまずもたらされた給与の上昇、それによって貧しい人々にも一時の猶予がもたらされた。皆がそれに騙された。社会主義の指導者たち、サン＝シモンやフーリエも、銀行家たち、大企業経営者たちに手を差しだして協力を求めた。その後、加速化する生産と停滞する商業との対比が自然に起き、労働者たちの急激な、かつ際限もない増大が起き、その結果、あっという間に生きていけないくらいの給与水準になってしまった。それが第二の危機を、一八四八年二月をもたらしたのだ。

これが大都市パリを含め、都市部で起こった革命である。革命は、まさに〔大革命のとき〕農村地帯の革命を失敗させてしまったのと同じ原因で失敗したのだ。二月革命の指導者たちは、どんなことをしても所有を守り安心させるという、たった一つの考えしかなかったように見える。彼らは所有を尊重した。それも何一つもたない貧しい人々に課税して、富める人々には何も求めないほどに。四五サンティーム[1]の考案者はそれを不安視した誰かに言ったものだ、「民衆が自由の代価を払うというのは、まことに正しいことだよ」。

立法手段によって所有に触れるのをそれほどまでに嫌い、さらには、九三年がしたように、司法的手段でそれに触れることもあえてしなかった。彼らの生来の甘さが、そういうことをさせないでいた。きわめて深刻な事例で、極めて厳正な法が命じる極めて合法的な裁きをも、彼らは差し控えた。たとえば、ある人物は、一〇年に渡ってわが兵士たちの食料を減らしたり、衛生管理を怠ったりしていた。兵士たちはいつも腹を空かせており、たいてい病気になった。以上の事実が実証されたのが、この人物の死後だった。それだけで、醜悪なその資産は尊重され、彼の子供たちに遺されたのだ。

この革命は、その敵たちにとって驚くべきもの、不公平なものであったが、奪ったのはすべて自分の味方のものだった。それで最初に、自分が腹を空かせ、資金をもっていないことに気づいた。そして、自分に求める民衆に応えないようひどく用心した。革命は外側でも内側でも同時に挫折した。

精神的な挫折ではなく政治的な挫折だった。この体験が深く浸透した。そして何百万という社会主義者を生み出した。

社会主義者たちは、常軌を逸するでもなく、非現実的理想を漠然と夢見るでもなく、未来の課題を妄想の中に追い求めることもなかった。まったく逆に、きわめて実際的であり、革命の伝統と全面的に合致しなければ社会主義は庇護も保護もないまま滅ぶだろうと感じていた。

報道出版によって作られなかった光は、緊迫した情勢の力で自ずと作られた。

目立つものではなかったが、それでも現実的な、とてつもない進歩だった。ただし、それほど好ましくないもう一つの進展があったことも認めなければならない。民衆の不信が拡大したことだ。

われわれは次のように言う者を知っている。「この民はワーテルローで死ぬほど傷つけられ、以来、もはや立ち上がれずにいる。膝をついて身を起こしても、もう同じ背丈ではない。物事はこんなふうに去来するものだ。ローマがあった、そしてカルタゴがあった。かつてフランスという国もあった。そして、こう言うことができる。あの民は偉大だったね」。

フランスだけが真の宴を創設しうる

こういった連中には、たわごとを言わせておこう。疑いようのないこと、洞察力を最も欠いた目にすら明々白々なこと、それは、フランスはいまなお大きな経験を持つ国、最も多くのことを見たり為したりしてきた国であり、天分から言っても状況から言っても疑いようのない宿命によって、新しい社会の真に根源的な土台をいずれ探し求めるようにと強いられ、導かれた国であるということだ。フランスだけが、物質的かつ精神的な宴を創設できるだろう。フランスにあって社会主義は、物質を論じて魂を自由にする。

他の諸国民は、極めて表面的な革命しか頭にない。地層の一層目で起きる革命など、明日には不安定な騒乱になってしまうだろう。終わったと思ったとき、なすべきことがまるまるまだ手つかずに残っているのだ。フランスは彼らの姉〔「フランス」が女性名詞であることから〕であり、革命の道でも彼らの教師であり、つねに彼らのはるか先を行っている。フランスが後退していると見えるときは、それは、全体の運動に入ってきていなかったような後続する未開の群衆を、自らの旋風のなかに巻き込み、上方へと抱き上げるためにそう見えるということだ。

絶え間なく犠牲を払いつつ、フランスは共通の連帯へと祖国の拡大をはたした。ただフランスのみが、このように言う権利をもつ、「もし私が進めば、誰が留まる？　もし私が留まれば、誰が進む？」

わたしはといえば、もはや、このままいけるという大いなる希望を持たなかったので、すでに来るべき世界の光のように思われ、またこの世の闇をわたしのために薄くしてくれていたあの透明な光のなかで、あの時、抗しがたいほどずっと思い続けたのだ、友人たちの大いなる教会のことを、地球全体に四散している教会のことを。ああ！　彼らの教会はどんな海辺に、あるいはどんな湖岸に建っているのだろう？　ああ！　少なくとも、身の上のこの四散に、心や思想の四散が付け加わることのないように！　それこそがわたしの願いであり祈りだった。そして、かつてなく、万人に宴を拡げる必要を感じたのである。諸々の民のために、その宴から協調と和解の愛餐（アガペ）〔初期キリスト教徒が最後の晩餐に倣って行った会食〕を創りだす必要を。

兄弟たちをわたしは、われわれを分け隔てた様々な微妙な差異によってのみ知っていたが、彼らがどれほどわたしのなかで、わたしの情愛のなかで一なるものだったかを、彼らがいないがゆえに、かえって感じていた。われわれの不和は、ほとんどすべてが極めて二次的なことに関わっていた。そうしたことは忘れてしまおう、先延ばしにしよう。それらを過大視するのはやめよう。実際のところ、同じ象徴を基盤として、われわれの教会の統一性は、強く、深く、変わらざるものとして留まっているのだ。

幸いにも誤解は消滅し始めている。時代の厳しい試練が、長い論争の年月が果たせなかったような、人々と教義との歩み寄りの実現を、これまで以上になしてくれたのだ。

今日(こんにち)打ちのめされ横たわっている共和国は、将来いくど復活しても、権利を書きとめ公布するだけで満足しているならば、それを生きた根のなかで芽生えさせなければ、いつだって束の間のものとして消え去ってゆくだろう。そうした権利の芽生えこそ、中世の運命的な木、墓のイチイ〔長寿のこの木は、古来墓地に植えられ死者を崇拝するのに用いられた〕がまたしても伸ばしてくる有害なひこばえの生育をさまたげ、それに取って変わるのだ。

社会主義は、その偉大な理想家たちが、絶対的調和という夢のなかで理解できなかったものを、おのが殉教者たちによって理解した。人類の運命がどのようなものでありえようと、人類の調和は、つねに最初の本質的部分〔=小片、硬貨〕を前提とするだろうと。そこで前提となるもの、地上から天に至るまでのすべてが担うもの、それは義務、無私、犠牲的行為なのだ。

これが黄金の部分だ。革命が、新しい世界の土台に据えた永遠のメダルだ。まるで人間の頭のようなものだ。つねにみずみずしく血を流す頭だ。ローマ人たちは、自らのカピトリウムの神殿〔ユピテルを祭る〕の礎石の下にそれを置いた。その神殿が石の死んだ建物ではなく、生きた石の命ある神殿であるために。寺院、祭壇、そして新しい神、人間あるいは都市の炉〔=根源〕は、こうした基礎なしには、真に何一つ基礎づけられない。もしそうでなければ、炉は灰であり、神は空しい亡霊であり、寺院は冷たい墳墓となる。

注

（1）二月革命臨時政府の蔵相ガルニエ＝パジェス（一八〇三—七八）が、破産に瀕した国家財政を立て直し、公共事業等の財源確保のため設けた税。直接税一フランにたいし四五サンティームの付加税（つまり四五％の増税）を課したもの。一八四八年三月十五日に実施されたが、結果として、失業対策のため政府が作った「国立作業所」等にも回されることになり、増税の重圧をもろに感じた田舎の農民層を中心に、都市の労働者階級への反感を高めてしまうことになった。

なお、ダニエル・ステルン（一八〇五—七六）は、一八五一年刊の『一八四八年革命史』（＝邦訳名『女がみた一八四八年革命』藤原書店、二〇二一—三年）で、ガルニエ＝パジェスが「公的税負担は特権者たちによって耐えてもらえるよう、そして働く民衆が税負担から完全に解放されるよう」王政時代の政府とは真逆の税体系を欲したのだと、革命家バルベス（一八〇九—七〇）らに語ったという言葉を引用している（Daniel Stern, *Histoire de la Révolution de 1848, nouvelle édition, tome II*, Calmann Lévy, 1878, p. 90）。ミシュレが紹介している言葉とは違う内容だが、別の機会に述べられた別の発言なのか、ミシュレの記憶違いなのかは分からない。いずれにせよ旅先で書いていることからも、ミシュレが本書中で引いている言葉は、すべて記憶に頼ってのことと思われる。

ジュフロワの言葉、テブー・ホールの印象、精神的コレラ

一五〇年前モンテスキュー〔一六八九―一七五五〕は、摂政時代〔一七一五―二三〕に次のようなことを書いて出版した、「カトリック教が、ヨーロッパに一五〇年間もなおあり続けるとは考えられない」と。同じ書で彼は次のようにも告げる、いずれそのうちすべての聖典が、そして今度は宗教が（彼はキリスト教も除外しない）天使たちに召喚されて、古書として「天の古文書館に」入れられてしまうだろうと。

クーザン〔ヴィクトル、哲学者、一七九二―一八六七〕は（と言われているが）、五つの世紀を三百年に短縮していた。

ジュフロワ[2]は一八二九年、まさに王政復古〔一八一四―三〇〕下で、その記念すべき評論「いかに教義は終わるか」を書いた（デュボワ氏がそれを勇気をもって出版した）。

わたしはジュフロワに会いに行ったことがある。彼が講義をしていた（あの著名な哲学者は、

尊敬すべきこの方策で糊口の資を得ていた）会場に近い、暗くて狭い街だった。わたしは称賛の想いを告げたが、彼には、ほんのわずかな精神的支えしか見いだせなかった。あの学派の人たちすべてと同様、形式では仰々しいが、本質的にはひどく神経質で過敏な（というか疑いようのないその勇気においても、むしろひどく憶病なと言いたくなる）彼からは、戸惑うような気持ちしか持ち帰れなかった。

革命と反動の間で育つ

こうした点で見ると、わたしはおそらく最も自由な人間だったのだ。わたしは二つの世界、革命と反動との間で生まれた。そこで、まだ眠っている魂を捉えては麻痺させてしまうような、危険な教育を受けずにすむという稀な利点を持てた。聖体拝領は一度もしなかった。つねに教会からは離れていたから、わたしも、わが家庭も、その害を決して受けなかった。夢想にふける年頃に、ルソーのいくつかの書が（皆に対してと同様）、わたしに対してもキリスト教への志向を何かしらもたらしたとはいえ、雄々しい古代が、英雄的な原理が、わが生と作品と教育とを作り、キリスト教的なものから完全に解放してくれていた。教会はわたしにとって、月がそうだったのと同様、無縁な、外部にある、珍奇な世界だった。地平線で淡く光るあの青白い天体について最もよく知っていたことは、それらの日数〔新月をゼロとして数えた日数、月齢のこと〕が数えられていて、わずかしか生きられないということだった。月は時おり死ぬとさえ言いうる〔皆既月食のこと〕。国家が教会から手を引いた危機的状況には、〔教会という月の〕食〔ある天体が他の天体の一部または全部を覆い隠すこと〕が全体に及んだ。ルイ十四世が死んだとき（一七一五年）は？　絶対的遺棄。王政復古が崩壊したとき（一八三〇年）は？　絶対的孤立。この〔教会という〕病人の脈拍は、脈拍を命の振り子の揺れにたとえれば、まるで止まろうとしている大時計の振り子のように、明らかに弱っていた。ボシュエ〔聖職者、説教家、その雄弁で知られる。一六二七—一七〇四〕からド・メーストル〔政治家、作家、フランス革命に反対し、王政の維持と教皇の絶対権を主張。一七五三—一八二一〕へ、ボナルド〔フランス革命を攻撃、君主制とカトリックを擁護。一七五四—一八四〇〕からデュパンルー〔オルレアンの司教、実証主義に反対、反動的教育改革に尽力。一八〇二—七八〕へ、脈は弱まりながらも振れている。

　すでに幕間になっている。すべてができると言い張りながら、もはや何もできない巨大な機械〔＝機構〕が、生じようとしている生命力あふれた豊かな動き全体をなにもかも邪魔し、妨げ、禁じている。生はいらいらとしながら待ち構え、跡を継ごうと身構えている。わたしは『ローマ史』（一八三一年）のなかで次のように書いた、「世界のこの第二の時代は、ほどなく二千年前となる昔に〔ローマ〕帝国とともに始まったが、まもなく終わろうとしているようだ。ああ！　そういうことなら、第三の時代が早く来るように、そして終わる世界と、未だ始まっていない世界とのあいだで、神よ！　願わくばわたしたちを、そんなにも長く宙ぶらりんにはしないでください！」[3]。

心のことを良く知るならば分かるのだ、愛は尽きるものではなく、癒しは愛によってのみ与えられるのだということが。わたしたちは新しい信仰によって、中世から癒えるのだろうか？　歴史的に見れば十中八九、肯定的な答えに導かれる。ある人は言う、「人はそんなもの無しで済ませるだろう」と。だがそんなことを言う人自身、ここで言う人というのを、ある種の賢者に限っているのではないか？　一人のエリート？　アカデミーにいる人？

人類の話をしよう。大いなる闘いを最高に感じ取れる素晴らしい場所に座ってみよう。パリには才気があり過ぎる。心の大いなる闘いはリヨンでいっそう感じ取れる。二つの魂と二つの才能が相対する丘の上で向き合っている。悲しげにクロワ＝ルスがフルヴィエールの十字架を見つめ、相互の対照が、奥行きあるあれら街路のなかで沸き立っている[4]。極貧の大海から、社会主義を創りだした情熱が出現し、人間性と友愛とに満ちたある種の産業神秘主義が出現する。この種の神秘主義はフランドル地方の地下室や、中世の機織り（はたおり）工たちの聖なる友愛会を思い出させる。最初のひらめきは〔一七〕九三年のものだ。わたしは他のところでそれを憐れみの激情〔『フランス革命史』第十編（一八六九年新版）への序文「圧制者」にある言葉〕と名付けたことがある。人間の最も美しい感情の偏執狂的高揚である。シャリエ〔リヨンの山岳派指導者。一七四七―九三〕、フーリエ、プルードン、その他多くの者が、これに苛まれ、病むことになった。一貫性を欠く彼らの作品は、サン＝シモンやコント〔オーギュスト、哲学者、社会学者、一七九八―一八五七〕のそれらと同様、創意に富んだものごとと豊かな奇抜さにあふれている。

最も実り豊かで、最もふさわしいのは、次のようにはっきり言うことだった、「創造しよう！　過去はもう万事休すだ」。

テブー・ホールのサン＝シモン派の集会

七月〔一八三〇年の七月革命。復古王政が倒れ立憲君主制が成立した〕の次の冬、キネ〔エドガー、歴史家、ミシュレの盟友、一八〇三―七五〕とわたしは、共通の友人だった大変尊敬できるサン＝シモン主義者(5)に誘われて、テブー・ホール〔パリ九区にあったサン＝シモン派の集会所〕で行われた彼らの盛大な会議に出席したことがある。この会議で最も重要だった点は、この党派が自らの信条を表明し、過去への別れを告げ、シエイェスが〔一七〕八九年に言ったように「ロープを切断しよう〔＝過去と絶縁しよう〕」としていたことだ。

時と状況が、事をさらにいっそう由々しくしていた。民衆は愛国主義的熱狂のなかで、七月の真の勝者たち、ヴォルテールとルソーを、彼らのパンテオンまで送っていこうと望んでいた。だが反革命の十字架が高くそびえて、かの寺院に重くのしかかっている限り、これら革命の父たちは、正しく自分たちの家に帰ることはできないと思った。そこであの十字架を、イエスのものである以上にイエズス会の十字架を、下ろすことに取りかかったのだ(6)。

ということで、あの時われらがサン＝シモン主義者の友は、新しい言葉を聞くようにとわたしたちを招き、わたしたちの魂に訴えかけ、光にたいして目を閉じないようにと啓発し、自分自身を理解し、自分自身の神を選ぶようにと、穏やかにだが強くわたしたちを促したのである。

それはあの学派の黄金期だった。その信仰は疑いようのないもの、真の信心となっていた。わたしには、いまでもまだ見える、その熱意と真正の神秘主義が。それらをもって二人の銀行家がサン＝ジェルマン〔パリ六区の富裕層が住む地区のことか?〕への道を作ったのだ。わたしたちを連れていってくれた友は、この喜びと富の宗教に、自分の全財産を与えて入ったのだ。それは気前の良い共産主義であり、一方の者たちの金でもって他方の者たちの気高い貧困を支えていた。

ホールは十分明るかったし、桟敷席は美しい婦人がたであふれていた。壇上には大勢の男たちがいて、あまり高くない教壇ないし演壇の周りにすわっていた。多士済々の集まりで、その後別々の道を歩んでゆくことになった人々だ。二人の人物がひときわ目立っていた。ジャン・レノー〔のちアンファンタンと決別、ルルーと『新百科事典』（一八三五）を編集。一八〇六―六三〕の誇り高い顔と、〔ピエール・〕ルルー〔のちアンファンタンと決別、「人類教」とも言うべき独自の哲学を構築。一七九七―一八七一〕の若くて美しい、思慮深い顔だった。その顔はふさふさした黒い髪の下にあったが、その髪も、探求心に満ちてやや野性味をおびたその優しい目ほど、黒くはなかった。二人が企てていた百科事典的作品は、彼らの節度ある英雄的精神のもとで、かなり作業が進んでおり、一冊の辞典という雑多なものの膨大な寄せ集めのなかに、優れたものをたくさん投げ込んでいた。この著作は当時の私利私欲を離れた活動を証すものとして、これから先も残るだろう。

高い評価を得ていた人々（カルノー[7]、シャルトン〔サン＝シモン派の弁護士政治家、作家。一八〇七―九〇〕等）がそこにいた。そしてしだいに注目されるようになった文芸家たち（サント＝ブーヴ、レルミニエ、デュヴェリエ、ゲルー[8]等）がいた。みな青色〔共和派の色とされていた〕の服を着ていて、この特別の色により一つの社会階級、一つの聖職者集団のように見えて、わたしたちには気に入らなかった。一人だけ女性[9]が演壇の上にいた。この学派の、ある指導者の妻だった。青い絹のドレスを着て、帽子に白い羽根を付け、厚かましくもなく、おずおずともせず、その場にふさわしい態度を完璧に保っていた。有力者である夫の友人たちに混じり、この宗教的行為のなかで場違いな感じは少しもなかった。夫とは別の離れたところにいて、はっきりと妻〔＝女〕の尊厳を示し、明確な個性を新しい宗教のなかで目立たたせていた。年齢のわりには成熟し、背が高く、痩せていて青白く、彼女は、尊敬すべき犠牲的行為と相互による献身という、まこと称賛に値する生の痕跡を、目に見えるかたちで留めていた。その姿は、嵐に立ち向かう華奢なポプラの木のように見えた。孤立するのではなく、むしろ支えを必要とするようなポプラの木だ。

演壇の足もとの少し前方に、二人の男が席を占めていた。左側にいたのは醜男（ぶおとこ）だったが、生き生きとして善良そうな醜さだったから、少しも不快感はなかった。それはサン＝シモンの最初の弟子の一人バザール[10]だということだった。だが本当に大きなもう一つの肩書については、また誰よりも信頼できる彼の正直な性格についても、余り話されてはいなかった。そうした性格からこの素晴らしい愛国者は、反革命政府や外国政府へのあらゆる策謀に関して、打ち明け相手となっていたし、栄えある共犯者ともなっていたのだ。

　右側に座っていた男はアンファンタン氏[11]で、まったく対照的に背が高く、感じ良く穏和で、若いにもかかわらず、すでに毅然とした様子を備えていた。わたしはその穏やかさに気づいた。それが眼差しに見て取れた。その穏やかさで、人を安心させるというより、人から愛されるのだなと思った。

　かなり長く待たされてから、ついに一人の若者が登場、あいさつしてから深みを湛えた眼差しで人々を見つめた。エミール・バロー〔サン＝シモン派の指導者として、アフリカ開発等に携わる。一七九九―一八六九〕という名の若者だった。あれ以降、ほとんど会ったことはないが、その雄々しい論争ぶりや熱烈な人間性ゆえに、わたしは彼をとても好きだ。〈報道出版〉のなかで、買収されている多くの評論・記事のなかで、誰が抗議したろうか？　われら〔フランス〕のアフリカ掠奪に対して、千二百人の人々、女や子供が！　死んだ恐るべき火事に対して、誰が抗議しただろう？　バローが最初の、あるいは唯一の人ではないか？

　あの日わたしは彼の顔をしげしげと見つめ、熱意にあふれ信頼できる素晴らしい人だと思った。生まれながらに穏やかな人なのだ。限りなく気品があり、感じよく痩せていながら、アラブ馬のような激情もある。くすんだ黄色っぽい顔色〔ヒポクラテスの体液による気質の分類で「胆汁質」の特徴。怒りっぽく攻撃的とされる〕を見て、わたしは小声でつぶやいた、「まれな熱狂的気質の人だ」と。絶対的に崇拝するといった様子で、バローは二人の男の手を取りに行った。バザールは友情こもったきびきびした動きで彼と握手した。アンファンタンはもう少し長く彼の手を引き留め、自分の体温と優しく人を引き付けるような眼差しを、彼に染み込ませていた。

バローは、かつてわたしが聞いた政治演説のいかなる名手よりも、さらに見事な調子で話した。彼の演説の意味するところは、「敬うべき十字架よ、古き十字架よ、下がれ！ あなたの時は終わった」だった。

この考えは新しいものではない。ジュフロワのその頃の評論でも演説形式でなされていた。だがあの瞬間、民衆のあの活発な動きと呼応して公に表明されると、この考えは新しい学派を、きわめて革命的な旗のもとに置くこととなった。革命自体、革命のためにあれほど行動し苦しんだバザールの、誠実かつ正直な姿に宿ってそこにあった。

新しい聖職者集団か？

とはいえ、いくつかの不調和が見えた。どうしてまた一つの聖職者集団（少なくとも、そこには独自の階級制がある）を作り直すのか？ 聖職者集団というのは、対等ではなく、すでに階級制を含んでいる。あえて二人の教皇とは言わなくとも、二人の長老〔カトリックの総大司教。ここではバザールとアンファンタンのこと〕が見て取れた。権威は、以前と同様、上の方から降りて来ていた。あんなにも霊感を受けていたあの若者は、にもかかわらず、霊感を授けてくれるよう求めに行っていたし、〈恩寵〉を受けられるだろうとも信じていたのだ。聖職者のなかでも最も熱意ある連中は、歩き方そのもので、修道院時代の何かを連想させた。エリヤ〔前九世紀のイスラエルの預言者〕に熱狂したカルメル会修道士たちやイタリアのカプチン会修道士たちを連想させた。新しい宗教に欠けていたのは指導部ではなく、告解だけだった。モンシニー街〔パリ二区、オペラ通りの東側にある。サン＝シモン派の拠点があったか？〕の親切すぎるモリノス〔スペインの神学者。独自の神学を唱えイエズス会の攻撃を受けた。一六二八―九六〕(12)はまだ姿を現していなかった。何かむかむかするような甘美さのようなものが、疑似イエスの匂いをまき散らしていた。

機械的精神の拡張

ここ二つの世紀は、ただ一語で示すことができる。「前世紀は労働者を作った。我々の世紀は機械（マシン）を作った」。

産業技術等に関するこの言葉は――わたしが、わが『ルイ十五世』のなかで言ったものだが、他の多くのものごとに適用できる。

二つの機構（マシン）、工場と軍隊は、機械的精神を桁外れに拡張し普及させた。だが、われわれの哲学や社会システムにおける以上に、それが力強く表わされたところはどこにもなかった。

前世紀、諸学派は、見た目には様々に相違していたが、（かつてわたしが説明したように）一つの同じこと、活力あふれた個人的行動という思想を追求した。そしてその形而上学において前世紀は、大革命におけるように、次のことに到達した、「自由とは人間そのものである」。

われわれの世紀は全く正反対の展開をたどった。ドイツは抽象的理念のなかで、フランスは社会的ユートピアのなかで、二つの道を通って同じ目的へと歩んだ。すなわち、全体的行動がすべてであり、個人は無、私的行動は空しい幻想だと示すこと、自由を意気阻喪させ、宿命を根拠づけることへ。

わがフランスの空想家（ユートピスト）たちも同じく統一性を目指していたが、スピノザ〔オランダの哲学者、唯一無限の「実体」から汎神論的一元論を立てた。一六三二―七七〕から出発するのではなく、単純にニュートンから出発する。そこでは、引力、重力が世界の唯一の法則になる。すべての動きは、星々や魂をも引きずりこむ物理的宿命に従属するのだ。なんという、楽天的単純化！　なんという、新しいかたちの心穏やかさ。もう努力も闘いも、精神的闘争もない。人は行動していると信じる。しかしもっぱら重力に従って、最も強力な引力の方へと必然的に傾き、たるみや傾斜に沿って行くだけなのだ(13)。

そこから、なぜ一つの体系を作るのか？　それはわれわれの意に反して作り上げられるだろう。そこには一つの動きしかない、傾斜の上で身を固くしたりせず、下ってゆくことだ。それにはどうすればいい？　いわば動かずに、何かを望んだり作ったりはするけれど、どうしようもない流れに従うようにすればいい。小舟のなかの乗客のように、その生気ない動きに乗って行けばよい。

精神的堕落の方へ

どの方向へ？　明らかに、権威主義的方向へ。改革者たちの過去に対する奇妙な愛情はまさにそこから生じたのだ。彼らは過去からその形態を借りてくる。サン＝シモン主義の教皇性しかり、フーリエ主義の修道院しかり、オーギュスト・コント派学者たちの聖職者養成学校しかり。

どの方向へ？　われわれ自ら進んで従っていく引力の方へ、喜びと、喜びを与えてくれるもの、金（かね）の方へ。

〔テブー・ホールにいた〕彼らの原理の力、ものごとのなか（われわれの意志の外）にある容赦ない論理、それらが彼らを他の方向に連れてゆくことになっていた。大多数の者は、自らが思っていた以上に成功し、心ならずも利を得ることになった。ある者は地位が上がり、ほとんど全員が財を成した。銀行、理工科学校〔グランドゼコールの一つで、将来国家の中枢をなす技術者や軍人を養成〕が半数以上の者の前にあり、二つの方面から計算が立った。未来の大臣がそこに何人かいたし、コンセイユ・デタ〔行政・立法の諮問機関および最高行政裁判所を兼ねる〕の評定官たち、真の政府である財務機関の長たちもいれば、さらには鉄道経営と呼ばれる王座もいくつか存在した。全員が計算できる人であり、金銭にかかわる物事で全員が夢想家だった。学説の宣伝者たちのなかに、まだ弱小で無名ながら、あの男〔エミール・バローのことか?〕も席を占めていたのだ。大胆で才気にみち、大いなる想像力を持ち、銀行と株式市場の大海原でも物怖じしない、未来の〈帝国〉におけるロー〔イギリスの財政家、フランスでも蔵相等として活躍。一六七一―一七二九〕が。

未来におけるこうしたすべてを、誰も予見することはできなかっただろう。現在に限っていえば、あの壇上にあってはっきり知覚できたものに限っていえば、金の党派とともに二つのことがわが目を打った。女と司祭だ。中世の形態の、おそらくはその精神の再来である。芸術家はカトー(14)ではない。この世では、ごくわずかの者にしか風俗監察官になる権利はない。だが心あるすべての人は、深い悲しみとともに認めないではいられない、ああした大いなる精神的堕落は、七月〔革命〕のあとにやってきたそれと同様、見た目にはひどく分別を欠くものだし、実際には非人間的なものだということを。

一、二年の内に、何と多くのことが状況を変えてしまったことか! 素晴らしい解放努力の高みから、「エルナニ」(15)の誇り高いスペイン的熱情から、おびえたロマン主義が、数多くの野蛮な道のなかに入り込んできた。絵画と音楽が、一方は形のねじれた派手な様相で、また他方はおびただしい金管楽器の熱狂を解き放ちながら、七月を埋葬する訳の分からない死の舞踏のなかで、一緒に旋回しているように見えた。悪魔的な輪舞を見せるミュザール(16)の魔女集会は、中世のサバトをもさぞ震え上がらせただろう。アフリカが、天性の荒々しさで舞台になだれ込んできた〔一八三二年、アルジェリアの植民地化に抵抗するアブド・アルカーディルの乱がおきた〕。心のあらゆる醜さを外科手術的に見せる博物館が、バルザックのなかで公開され始めていた。一八三二年の彼の本〔この年『三十女』の四つの章を出しているが、それを指すのか？〕は結婚への闘いを始めるもので、そこにはレリア〔ジョルジュ・サンドの一八三三年作品『レリア』では、女の同性愛的傾向も描かれている〕の涸れることない芸術的想像力が動員されていた。これは大きな影響を持つ文学作品で、あの時代の主要な性格、男がもつ結婚への恐怖をしっかりと基礎づけた。結婚のためには、つけを払わねばならない。貧しい女を押しつぶすよう、すべてが真上から落ちてくる。彼女は結婚することも、一人で生きていくだけの稼ぎを得ることもできない。機械によって二度殺されたのである（前の治世では製糸女工が、今日では縫製女工が）。

今日、多くの才能は少しも無気力ではないが、しかし新しい思想をほんのわずかしか持っていない。あれらすべてを読み返してみると、当時の特徴だった騒がしい生命力に、またその不毛性に、いまも同じように驚かされる。生の真の行動様式は、ああした大騒ぎやあれら不調和な対比とは真逆のものだ。

あの最初の時期、金銭は第一番の対象ではなかった。内面の不調和のなかで、女は現実に賭けの対象〔新しい思想と古い思想とを見分ける試金石、ないし争点といった意味〕になっていた。一方では女の自由な人格への呼びかけがあり、彼女に未来の話をしていた。他方では、古い思想の捕獲網で女は包囲されていた。奇妙な狩りだった。そこでは〔復古王政を倒した〕喜びよりも、〔古い社会の〕体制が〔女を〕捕らえていた。すなわち、克服された困難を誇り、最もありそうにない勝利を誇るひどく思い上がった体制が、真面目で冷静で賢い〔女の〕魂の計算づくの殺戮を生み出し、その絶望そのもののなかでの非情な嘲笑を生み出していた。

間もなく人々はそれについて、いっそう声高に話し、つれない調子で言った、「これが普遍的な宴だよ」。

わたしにはそれが残酷なこと、いやそれ以上に無益で実りないことに思えた。

一つの新しい思想が、そこから生じてきて、わたしに示されんことを。

下の方では、風俗革命の汚濁にみちた奔流が荒々しく鳴り響き、わが道を歩んでいた。劇場と重罪院は同じ劇を上演していた。アントニー(17)が生身で演じられていた。だが、どんな悲劇的意外性を帯びた出来事も、バザール夫人の出来事、およびその後に来た彼女の夫の痛ましい死以上に、深く心を動かすものはなかった。

その時からわたしは、ひどく離れたところに、というかむしろああした文学全体に抗して、わがテントを張った〔「新居を構えた」の意もある〕。わたしは病的だとそれらを呼んで、その言葉を取り消さなかった。

多くの人が記憶に留めてくれた「かくてぐらつく……」といった強い言葉をわたしが書いた

のは、正真正銘の苦痛を感じながら、人間の道徳性が色あせ息絶えてゆくという印象をもったからだった。

注

(1) 全集版の編者エリック・フォーケによれば、この章は一八六九年にこの形で書かれたもので(これからも、ミシュレが最晩年まで本書の完成を考えていたらしいことがわかる)、第二巻の一つの章として考えられたものらしい。なおテブー・ホールは、パリ九区のほぼ真ん中にあるテブー通りにかつてあった瀟洒な演芸ホール。

(2) テオドール・ジュフロワ(一七九六—一八四二)は、一八一三年エコール・ノルマルに入学してから信仰を失ったと言われる。一八一七年から二二年まで母校エコール・ノルマルで教えたあと『グローブ』紙に入り、「いかに教義は終わるか」を連載。そのあと再び母校で教鞭をとり、その後ソルボンヌやコレージュ・ド・フランスでも教えた。とくにスコットランド哲学の紹介、なかでもダガルド・ステュアートの『道徳哲学概要』の翻訳等で知られる。

(3) ミシュレ『ローマ史』(一八三一)の最後に置かれた言葉。この作品は当初『ローマ共和政史』と名付けられていたように、前六世紀末から始まる古代ローマ共和政が、長い内乱を経て前二七年に帝政へと移行する直前までを扱い、アントニウスと結婚してオクタウィアヌス(後のローマ初代皇帝アウグストゥス)と対立、敗れて自殺したクレオパトラの死を、最後に描いている。彼女が自らを毒へビにかませて死んだというのは伝説にすぎないとしつつも、「ヘビという東洋的神話は……　アダムの心で悪の想いを奏でるものであり……　自然が人間に対して持っている抗いがたい魅惑の力を、ただただあまりにもうまく表している」。「あの官能的世界、肉の世界は死んで、より純粋なものとなってキリスト教とマホメット教の中で甦り、この二者がヨーロッパとアジアを分け合うだろう」と言う。つまり原始的自然信仰の世界から、一神教的絶対神への信仰の転換点をこのローマ帝政期に見、それがここで言う「第二の時代」となる。十九世紀初頭のいま、その行きづまりをミシュレは感じ、未だ生まれていない「第三の時代」が早く来るようにと願うのだ。世界史を、何を信じて人間は生きるのかという観点から、大きく三つの段階として把握する、きわめて巨視的歴史観が垣間見られる。

（4）本書第二部「リヨンの二つの丘の対立」参照。

（5）おそらく、一八三〇年以来ミシュレの友人となっていたギュスターヴ・デシュタルのことであろうと、*En marge du Banquet: deux inédits de Michelet (Revue d'Histoire Littéraire de la France*, juillet-septembre 1953, p. 313) でポール・ヴィアラネは書いている。

（6）パリのカルティエ・ラタンにあるパンテオンは、かつてのサント＝ジュヌヴィエーヴ教会跡に一七六四年から建て替え始められた寺院で、一八一二年に完成した。大革命によって非宗教的偉人たちを祀ることになっていたが、一八〇六年にはカトリックの崇拝に戻され、一八三〇年にもとの形の非宗教的寺院に復帰した。その後一八五一年から七〇年まで再度カトリック寺院となり、第三共和政とともに祖国に栄光をもたらした偉人たちを祀る場所へと戻り、ヴォルテール、ルソーのほか、ユゴー、ゾラ、ジョレスらの墓所となっている。

（7）イッポリット・カルノー（一八〇一—八八）、フランス革命期に活躍したラザール・カルノー、通称大カルノーの息子。サン＝シモン主義の影響を受け、七月革命に参加。二月革命直後には文相を務める。

（8）近代批評の確立者として知られるサント＝ブーヴ（一八〇四—六九）以外、今日ではほとんど知られていない。他の三人はジャン＝ルイ・レルミニエ（一八〇三—五七）、シャルル・デュヴェリエ（一八〇三—六六）、そして評論家でもあったアドルフ・ゲルー（一八一〇—七二）のことだろうが、一八一四年生まれの小説家コンスタン・ゲルーもおり、確かなことは分からない。

（9）バザールの妻クレール（一七九四―一八八三）だとヴィアラネは書いている（前掲書三一四頁）。

（10）アルマン・バザール（一七九一―一八三二）、王政復古下、フランスのカルボナリ党としての秘密結社を創設（一八一八）、共和政確立をめざし暴動を起こすも失敗、結社は破壊され、欠席裁判で死刑判決を受ける。その後特赦受け、サン＝シモン主義の宣伝に努める。が、サン＝シモンの後継者と称したアンファンタンと思想的に袂を分かち、レノーやルルーには大きな影響を与えるも、他の多くの仲間からは見捨てられたような状態となり、地方に隠遁して寂しく死んだ。

（11）バルテルミ・アンファンタン（一七九六―一八六四）、初め銀行家となり、死の直前のサン＝シモンを知ってその感化を受け、バザールらとともにサン＝シモン派の指導者となった。が、自らをペール（＝父、神父、師）と呼ばせるなど宗教的路線を取ったため、バザールらの脱退を招き、以降この派の唯一の代表者となるも、政府の弾圧を受けて（一八三二）運動から退き、多くの実業活動に携わった。

（12）イエス Jésus に対しここでは Jésu と書いてある。擬似イエスのことを指すのだろう。

（13）フーリエ（一七七二―一八三七）は人間の本能を一二種に分類、それを伸ばす調和的世界を描く一方、それに反する文明を悪とし、物質的・有機的・動物的・社会的な『四運動の理論』（一八〇八）を発表した。そしてそれぞれの運動にはそれを引き起こす引力があるが、なかでも社会的運動こそ「四運動」の原型になるものゆえ、ニュートンらによる引力の研究を物質的領域に留めることなく、社会的次元での引力をこそ研究すべきだとした。そしてこの引き付け合う法則を、社会における人間関係の理論、「組合」の理論として復権させようとした（巖谷国士『幻視者たち』河出書房新社、一九九一、ほか参照）。

（14）大カトーといわれるマルクス・カトー（前二三四―前一四九）は古代ローマの政治家・文人として知られ、ギリシア文化の影響を排し古代ローマ精神の再興を説く一方、腐敗した政治家たちの告発をなした。小カトーと呼ばれるそのひ孫ウティカのカトー（前九五—前四六）も、ストア思想に造詣の深い高潔な人物として知られ、ローマ共和政の伝統を守るためにカエサルと争い、敗れて自殺した。ミシュレが二人のどちらをここで想っているのかは分からない。

(15) ヴィクトル・ユゴーの戯曲。十六世紀スペインを舞台とする情熱的な反抗と悲恋を描くロマンティックな作品で、一八三〇年二月二十五日、古典派の牙城フランス座で初演された。この日ロマン派の運動を支持する芸術家たちが、ピンクのチョッキと水色のズボンといういでたちで劇場に乗り込み、古典派支持の連中の怒号と野次を制圧した事件で知られる（饗庭孝男他『フランス文学史』一九七九、白水社、参照）。

(16) フィリップ・ミュザール（一七九二—一八五九）、音楽家、舞踏音楽の指揮者、一八四〇年頃パリで「ミュザール・コンサート」を創設、人気をはくす。サバトにふさわしいようなダンス曲を発明したともいわれる。

(17) 父親の方のアレクサンドル・デュマによる五幕の芝居（一八三一）。捨て子だったアントニーは、長じて社会に適応、立派な美青年としてある女性に愛されるが、二人でいるところをこの女性の夫に発見され、アントニーは彼女を刺殺、「彼女が抵抗したので殺したのだ」と叫んで彼女の名誉を守ったという筋。ロマン主義的激情の、暗い運命的雰囲気を代表する演劇と言われる。

附録

❶ アテナイス版『宴』（一八七九年）

目次

序文（全文）

1　未完の作品の性質について

私〔アテナイス・ミシュレ〕はこれからミシュレ氏の遺作を刊行しようと思うが、それは四年間にわたって彼の書き残したものを整理したあと、彼の遺書（一八七二年）にある言葉、「わが作品を用意するのに役立つ素材のみ、わたしは残しておく」を、なんら裏切るものではないだろう。

なるほど、彼の偉大な歴史研究の面ではほとんど何一つ、未完のものは見いだせなかった。しかしその代わり、人間として、哲学者として、作家としての私生活の面で、多くのものを私は蒐集した。

ミシュレ氏は、一八六五年という日付のある最初の遺書のなかで、自ら言っていた。わたしの思想を補おうと思うなら、「いたるところで、わが研究生活と混在しているわが内面生活を」絶えず読み返す必要があると。

これは、この歴史家の喜ばしい習慣に由来する。彼は、自らの精神にもたらされたあらゆる思索や、外部での見聞で興味深く感じたすべてを、まさにその時点で書き留めていたのだ。思い出がいつも正確だとは思わなかったからだ。

ひとたび思想や出来事をルーズリーフに書き留めると、それを五〇個もある山と積まれた書類箱の一つに投げ入れる。そして意識的にそれを忘れてしまう。そうして記憶を飽和状態にさせないで、必要な時、確かにまた見つけ出せるようにした。

いつでも、ある年の月や日付が記されているそれらの思索は、そうした思索に計り知れない価値を与えるものだし、あれらの時刻に、ひどく様々な所感のもとに書きとめられたものだ。

ある時は、朝、あかつきに、まだ仕事にかかる前、それらの想いが彼のもとにやって来る。夜の想いは厳粛で力強い。歴史家の意識は闇のなかを見通し、素早く見解をかためた。

またある時は、夕暮れの想いで、つらい仕事が一段落してほっとした働き手の、感謝の行為と言いうるだろう。

だがほとんどの場合、これら内面を記した書付は、魂の自身との対話であり、魂のゆらぎ、悲しみ、後悔といった「まったくと言っていいほど価値ない」ことを、しかし果たすべきまことに高度の使命をもっていたことを、自らに語るものだった。

意志が十分に働くことなく、こうした愁い気味の気分がもどってくる時刻に、彼は自分が願っていただろう「鋼のような人」であるために、自らの魂の癒しのために、「ワガ魂ノ救済ノタメニ」書いた。思索と同じくらい啓示もあったと言える。一日一日、物事に引き寄せられるこの偉大な精神の、内なる展開が追いかけられる。彼の慎み深さは、調和に満ちた進展が続くなかで、そんなことを想ってもみなかったのに。

これら「研究用の」数々の書類のなかで、バラバラに残されていた多くのページに、「内面の日記」

を付け加えねばならない。それはミシュレ氏が自らの手で、「ミシュレ夫人に属する書類」と上書きし封印した三つのボール箱を、いっぱいに満たしていた。

そこには、友人、夫、一家の父が見いだせるだろう。

精神の働きは少なく、心からの愛がいっそう多いだろう。

この日記はまちまちの分量のもので、一八二〇年に始まり、死によってのみ中断する。人との交流が言わば禁じられ〔一八五二年、公職追放と同様になったことを指すのだろう〕、濃密な作品制作が行われた年月には、それはほとんど単なる「備忘録（メメント）」となっている。だが歴史家が自らの困難な仕事を、ほんの一時中断したような時には、家庭生活が権利を取り戻し、日記は一続きの真の手記（メモワール）といったスケールのもので満たされる。

幼年期と青年期に関しては、書かれるべき素材はかなりあった。ミシュレ氏は、苦悩で満たされていたこの過去に戻ることを好んだ。彼はそこに、歴史および教育の動向をつねに付け加えていた。彼が死の一カ月前にまだ書いていたメモ類が私の手元にあるが、一八三〇年の七月革命を語ろうと準備したものだ。あの革命は彼の思想の歩みに多大な影響を与えたのだ。

こうしたメモ類の断片は、正しい日付ごとに置かれ、細い糸によってまとめられ、歴史家の人生最初の時期を、最も興味深いエピソードとするだろう。

ついで、晩年の二五年間の「私的な物語」がやって来るだろう。そこにはミシュレ氏が私たちの結婚前に、私に毎日書いてきた素晴らしい手紙類がある。さらには「フランスおよび外国での旅日記」

もある。

哲学の次元では、コレージュ・ド・フランスの「講義」は、師による注解であると同時に外部からの思想、情熱、渇望への反響でもある。講義のミシュレと、書物のミシュレはまさに同一人物なのだが、異なる環境のなかで新しい特質が出現している。

形の面で、教授としての、語り手としての人物が、書物のなかにおけるよりもいっそう感じ取れるような、一層感情に引きずられるような動きがある。

最期に、こうした豊かなものに、一連の内的作品の冒頭を飾る一巻、『宴』を付け加えねばならない。

2 本書の精神

なぜこのタイトルかと、しばしば尋ねられただろうか？ 社会問題に関する経済学者の研究、それともプラトンの宴〔＝『饗宴』〕の無意識的借用なのか？ そのどちらでもない。『宴』についても、ミシュレ氏が『民衆』という自らの本について言ったこと、「これはわたし自身だ」を言うことが出来るだろう。

「わたしはわが研究からより、はるかにわが経験からこれを書いた。わが観察から、友人や近隣の人々との交流からこれを創りだした。道々それを拾い集めた。ずっと同じ想いを追いかけている者には、偶然も役立ちたがっている」。

「偶然」はクーデター〔一八五一年ルイ・ナポレオン・ボナパルトによって起こされた〕と、その遺憾極まる結果から生じた。自らの本のなかでミシュレ氏は言っていないが、三五年間もの奉仕へのお返しとして帝国〔一八五二年、ルイはナポレオン三世として即位、第二帝政がはじまる〕は彼を破産させてしまった。その時から、彼は数多い自分の家族、子供たち、孫たち、祖父母たちを養うために、二倍も働かなくてはならなくなった。

あんなにも沢山の希望のあと、苦い幻滅がやって来た。過重な仕事で健康をこわした。秋の終わりごろ（一八五三年）突然重い病気となった。冬に備えて身をよせる、もっと穏和な土地を探さねばならなかった。

それゆえフランスから遠く離れたイタリアで、ネルヴィで、アペニン山中の狭い窪地で、果てしなく陰鬱な大海を前に、本書は着想され書き始められた。それは、私たちが分かち持った、あの貧しい土地の窮乏ぶりへの共感の想いから生まれた。

自らに閉じこもっていたあの病人〔ミシュレ〕が、再生したいとの希望をもってひどく遠い地からやって来たのに、窮乏状態にある土地のまっただなかに、しかもこの世紀で最も厳しい一冬のさ中に、突然入りこんでしまったと愚痴っても、当然のことのように思えただろう。ところがである！　違ったのだ。今度もまた一八五〇年に『北方の伝説』を書いたときと同様、ミシュレ氏は、自らに対し運命が好意的だと見出すだろう。再び彼のもとにやって来た貧困は、半世紀以上も続いた長い日々のあと、まさにその報酬のように、むしろ一つの善のように、彼には思えた。何一つ持たなかった彼は民衆の欠乏ぶりをより良く理解するだろう。そして民衆と、より密接に一体化してゆくだろう。

こうして、この『宴』の夢は、彼が〔病気で〕食が十分とれないでいたことからの、せっぱつまった要求といったものではなくなる。彼は、その健康状態で、一日一スー〔貨幣単位〕の牛乳で生きる、まるで純粋精神のようにして暮らしていたのだ。まずは自分のことを、その辛い状態のことを話すにしても、それは、このリグリアの貧しい土地にいっそう関心を持たせるためだ。この土地ときたら自らの子供たちに、ただ飢餓を提供するだけなのだ。この地のために、彼は未来における「真の」宴を、まず心のなかで形作った。一つの民全体が、長年月陽射しや暑さの重圧のもと苦しんできたあと、やっと十分な食事にあずかり、のどの渇きも癒されるという宴だ。

これほど深い人間味あふれる言葉で貧者の権利を要求した者は、自らの幼年期にそうしたつらさに耐えてきたので、飢えの苦しみは人間のあらゆる隷属のなかでも、才能の自由な発現を最高に妨害するものだということを知っていた。肉体のための要求は、魂のための要求だったのだ。

それゆえミシュレを、魂に宴の分け前を与えるのを忘れていたと非難はできないだろう。

彼は魂が最初の席を占めるよう望む。千年以上食にも事欠き、希望もないまま待ち望んだ状態を、彼が分け持った席なのだ。——この友愛のテーブルに魂が最良の部分を、義務と犠牲の部分を持つように。

そのときから、すべてが向上し神聖となる。杯はなみなみと溢れんばかりに満たされ、人々の手から手へと回されてゆけるだろう。もはや危険な酩酊、夢に酔う酩酊を注ぎ込むことなく、不健全な食欲を増大させることもない。

宴はもはや、単に物質的飢えを癒すためにだけ設営されるのではなかった。もはや単に生きるための諸権利を満足させるだけにとどまらない。正義の報酬のなかには、あまりにも多くの不均衡があるだろう。

掟が地球全体を覆っていたあの暗い時代以上に、この世で正義を君臨させるのに十分な人間的な法がないということを、かつてそれ以上痛ましく感じたことはなかった。何と多くの会食者が呼ばれたことか、だが彼らは永遠に自らの席を空席のままにした！

いいや、あんなにも多くの追放者、殉教者、墓に入った諸国民のために、宴を拡大する必要があったのだ。つかの間の生存をはるかに超えて、われわれの未来の運命が成し遂げられるだろう無限の時にまで、それを拡大する必要があったのだ。

「何一つやってこないこの乾燥した岩の上で、わたしは人類の普遍的宴を夢見た。単にこの世界のためだけでなく、すべての世界のための宴だ。わたしは死ぬだろうと思っていた。そこでわたしは諸々の民の一体性へと、義務と犠牲という気持ちで和解した諸々の魂の一体性へと、わが最期の思索を向けていった。それは神の永遠のなかで永続する諸世界の一体性であった」。

宴のこの最後の部分はトリノで書かれたものだが、アルプスの無限を前に、宗教的高潔さに溢れている〔この引用部分、アテナイス版の「結論」部にはない〕。

まさにこの時、ピエモンテ〔当局〕はミシュレ氏に対し、その古文書館を開放しようとしていた。彼はそこで、これから書こうとしていた十六世紀〔ルネサンス〕史の資料を両手いっぱい取り出すことができた。

誘惑はまことに強かった。

その時から『宴』の刊行は先延ばしされた。

「わたしは歴史に戻るだろう。わが死者たちの所へ帰るだろう。そして長期間、エジプトの大ピラミッドのなかに閉じこもるだろう」。

嘆かねばならないことか？　いいや違う。一八五四年では、『宴』は、やって来るのが早過ぎたのだ。経済思想を練り上げることも、諸事実を解釈することも、同じく不十分だった。

折よく中断したよと、それ以降、しばしばミシュレ氏は喜んだ。「あの当時、活気すべてを生み出していたように見えた若く活発な二つの党派、社会主義者たちと共和主義者たちは、みずからに固有の原理をほとんど知らなかったのだ。わたしは何の利益もなく、平和と和解の書のなかに、争いを導き入れたのかもしれないからね」と彼は言った。

『宴』はいまから二四年前、政治問題の深刻さによって後列に押しやられていた社会問題が、まじめな精神の新たな関心事になろうとしていた、ちょうどそのころに書かれた。

生まれ始めた社会主義が滑り下りて行ったひたすら唯物主義的な坂道の上で、まじめな精神を押しとどめるというのは良いことなのだ。

ミシュレはあれほど何度も、未来を前もって推し量ることをしていたが、自らの亡きあと、それを出版するのが良いだろうと決意するよう私にまかせた日には、間違いなく『宴』のことを、つまりそれがなせるだろう善のことを思っていた。そして次のように言った。

「そうすれば君は彼らのために、ぼくの魂を長く保つことになるだろう。そうじゃないかい？　君はぼくの魂を広げてゆくのだ。君によってそれは育っていき、新しい小枝を伸ばしてゆくだろう。ぼくの家族はぼくについて、たった一人の人間しか知らなかった。でもそこにはね、何人もの人間が含まれていたのだよ」。

それゆえ彼の有益な活動の範囲を拡大し、彼をさらに愛してもらえるようにするため、私は本書を出版する。

彼の思い出に忠実な友である読者が、私が良くやったと認めてくださるなら、そして励ましてくださるなら、私は言うだろう、森で集めてきた花々の美しい束を、母の膝の上に置く子供みたいに、「ねえ、もっと沢山、もっともっと美しい花を、摘んでこられるわよ！」

アテナイス・ミシュレ

結論　万物の宴（抄訳）

〔…〕

だが、あらゆる諸国民の一体性も十分なものではない。わたしにはさらに多くが必要だ。普遍的友情のこの宴が地上から天にまで至るように！　それがさらに遠くに達し、上昇し、はるか高みで天球から天球へと持続していくように！

人間の理想郷の夢は実現したとしても、わたしたちを、その段階で引き止めはしないだろう。わたしたちの魂はつねに先を求めるだろう。もっと彼方をむさぼるように、渇望にさいなまれながら探すだろう。「神への渇望」と言っても決して十分ではないような、何ものにも鎮められない渇望だ。だからわたしたちの宴が、未来の世界にまで広がってゆくように、そしてそうした世界との最初の結びつきが、未来の世界すべてを解決する正義への理解となるように！

内輪の宴の終わりに、労働する人は、いまそこにいる家族への感情を、そこにいない人々に、死者たちに、追放された人々にも行き渡らせて言うだろう、「で、他のものたちは？」

わたしたちはこの精神の宴にあって、自分たちの想いを、まなざしを、わたしたちがほどなく果たすことになるだろう、永遠の旅を包む輝かしい光の方へと高く差し向けながら、次のようにも言うだろう。「で、他のものたちは？　他の天体たちは？　万物の宗教的祖国を築くことなく、星々を招くことなく、宴を完成させられるのだろうか？　澄み渡った夜、わたしたちの所に来たがっているように見える、そう地上に降りたがっているように見えるあの星々を？」

〔…〕

❷『ミシュレ全集』版「宴　あるいは戦う教会の一体性」（一九八〇年）目次

以下は、フラマリオン社の『ミシュレ全集』版「宴」における目次の直訳とその配列順を示しているが、本書『万物の宴――すべての生命体はひとつ』では、編者の責任において、各部、章のタイトルや配列を変更している。その変更後の部、章のタイトルは「▼」以下に書体を変えて示している。また、その下の数字は本書における該当頁番号である。従って、本書を『ミシュレ全集』版「宴」の配列順に繙きたい読者は、この頁番号の順に読めば、それを再現することができる。なお、章によっては『全集』版のタイトルをそのまま使用しているものもある。

＊この章のタイトルが【 】でくくられているのは、手書き原稿でこの一行に線が引かれているため。

［編者解説］ミシュレにおける『万物の宴』の位置

大野一道

ミシュレ畢生の大作『フランス史』は第一巻が一八三三年に出され、一八四一年までに全六巻（中世史末まで）が刊行された。だがそのころ、七月王政下での政治的対立の深まりとともに、新たな革命さえ予感される社会的緊張が生じていた。そこで、ほぼ五〇年前に起きたフランス革命を、もう一度見直し再検討しようという気運がたかまってきて、改めて革命とは何だったかを考えることが歴史家の喫緊の課題となった。ミシュレは十六世紀史の研究を後回しにして、十八世紀末の大事件フランス革命の検討へと一気に赴く。だがその前に、十九世紀前半のフランスを独自の視点で捉え、革命との関連で考察した『民衆』を一八四六年に出版、『フランス革命史』のほうは翌年の一八四七年に、第一巻、第二巻を立て続けに出す。が、その直後、一八四八年二月に新たな革命が勃発、七月王政は崩壊し第二共和政が成立した。

しかし革命派内部の対立により共和政はほどなく崩壊、一八五一年に大統領ルイ・ナポレオンによるクーデターを、ついで第二帝政の成立を許すことになる。それはフランス革命の失敗を、言わばなぞるような経緯でもあり、ミシュレはますます革命史研究に没入していったと思われる。実際『フランス革命史』は、第三巻を一八四九年、第四巻を五〇年、第五巻を五一年、そして帝政への忠誠誓約を拒否してコレージュ・ド・フランス教授等の公職を辞し、パリからナント近郊に移住、半亡命のような生活をしながら、第六巻、第七巻を五三年に出版し、ロベスピエール処刑の記述をもって完了したのだった。

フランス革命の大動乱は、高い理想によって自由・平等・友愛を実現しようとしながら、指導部内部の様々な路線対立により血で血を洗う恐怖政治へと行きつき、残酷かつ悲惨な状況のもとで崩壊、それからの立ち直りをナポレオンの手に、その帝政にゆだねることとなって終わったものと総括できよう。ミシュレは革命のもっていた理想と、その崩壊、破綻の現実とを膨大な革命史で描き出した。

それは「革命はきのう宗教だったのに、一つの警察になっていた」(1)という言葉に凝縮されうるものかもしれない。こうした経過を細部にわたって書き進めつつ、ミシュレは心身ともに疲労困憊、半病人状態となってしまった。どこかに憩を求めて旅立ちたいと思ったことだろう。そこで五三年秋、妻アテナイスを伴ってナントを出発、南仏を経由してイタリアへと赴く。ジェノヴァ周辺で一冬を過ごしつつ、翌五四年三月から書き出したのが「宴」だった。

それゆえこの作品は、ミシュレが革命期の動乱の記述で疲れ果て傷ついた自らの、何よりも再生をもとめて綴っていった作品と捉えられる。しかしながら未完に終わる。それはなぜなのか。

またなぜ「宴」というタイトルが想定されたのか。それらの理由について簡単に考えてみたい。

タイトルとの関連でまず思い浮かぶのは、本書の次の一節だ。

「ダントンの夢は、彼の敵たちの証言を信じるなら、フランス全体が、豊かなところ貧しいところの区別なく、全党派的に和解して、同じ宴の席につくのを見ることだったという」（一七八頁）。

『フランス革命史』にもまったく同じような一節がある。

「ダントンの大いなる夢は〔…〕和解したフランスが巨大なテーブルに座って、階級や党派の別なく、友愛のパンを引きちぎって食べるということだった」[2]。

あらゆる差別を超えて、すべての人々、全国民が一つのテーブルについて食事をする、つまり宴のイメージが、革命の指導者（の一人）ダントンの夢だったとしたら、それは革命そのものの夢だったとも言えよう。宴は革命の夢、理想の象徴であり、この作品「宴」は、実現されなかった革命の理想を、いかに実現しうるかを考えようとして構想されたのだろう。それは何よりも北イタリアの現実を見て、いかに革命の理想と乖離しているかを認識したことから着想されたとも思われる。

「イタリアの小さな国々では、ヨーロッパにある大国のどこと比べても、恐ろしく重い税が課せられている」（七六頁）。

「王領が拡大〔…〕国王は深刻な貧困を糧に太り続けており、早晩、ただ一人の土地所有者になることだろう」（同）。

「仮に税金が〔…〕軽くなっても、小作料はいっそう高くなるだろう、いまは高利の食い物になっている土地所有者が今度は小作人を食い物にする。銀行家、貴族、聖職者といった貪欲な吸血鬼」（七七頁）等々の本書の言葉がそうした認識を示してくれよう。この地にはフランス革命以前の状態があると思ったのだ。

ミシュレの思いは半ば必然的に、革命への反省へと赴く。

しかし筆を進めるに従い、革命の理想の実現の不可能性に気づかざるを得なかったはずだ。彼は問題解決の糸口さえも見いだせず最終的には筆を折る。だがその過程で、すなわち革命期の混乱の記述で傷を負いつつ、革命の根底で失われなかったその理想、および民衆への信頼を再発見し、さらにはこのイタリアの一冬に、厳しくも暖かい大いなる自然を実感、彼は立ち直ったに違いない。

まず、ミシュレが革命の原則と実態をどう捉えていたかを検討しよう。

フランス革命の原理

ミシュレはフランス革命をいかなるものと考えていたのか。『フランス革命史』「序言」（一八四七年）には、次のような言葉がある。

「原理において権利の勝利、正義の復活、野蛮な力というものに対する理念の遅ればせの反発でしかなかった革命が、挑発もなく暴力をもちいることなど、ありえただろうか？[3]」

歴史の中でほぼ初めてと言いうるだろう、人間一人一人が平等の権利を持つものとして認められ（それが権利の勝利)、いかなる一者をも超えて法なるものが君臨し、それゆえ権力のある無しにかかわらず、すべての者にたいし平等に法に基づく裁きが下るようになり(それが正義の復活)、それはまた、他者の権利を侵さない範囲では万人がいかなることも自由になしうるという、自由の理念の実現をもたらした(それが理念の遅ればせの反発)というのが革命の原理・本質だと言っているのだ。つまりは法治主義であって人治主義ではないのが革命だったのに、革命の現実は、極めて暴力的なものになり、独裁への道をたどってしまった。そこにはフランス国内および国外から、じつに多様な挑発がなされたからではないかとの問いがある。

問題となるのは「恩寵(グラース)と正義との闘いだ[4]」とミシュレは言う。「グラース」という言葉は、神に関して言えば「恩寵」という意味だが、社会的上位の人間に関して言えば「恩恵」という意味になる。王権神授説というのがあったが、一般人の上に立つものが神であれ王であれ、権威ないし権力ある上位者から下位の者に授けられる恵みや救い、すべてがグラースなのである。

革命以前の社会は、宗教界であれ人間界であれ、すべからくグラースを餌に、下々の者が支配に復する体制だった。恩寵と恩恵というグラースを中心にものごとが運ばれていた。これが中世的な旧体制の本質だった。それゆえ人間世界の政治的社会的旧体制の打破は、必然的にキリスト教的世界観の打破へと通じる。これがミシュレの基本的歴史観だ。恩寵の宗教キリスト教は、王をはじめとする上位の階級、貴族階級からの恩恵の付与を梃(てこ)に動く社会となっていた。フランス革命はそうした社会構造に、根源的な否を突きつけ、中世的社会を根本から打倒し、そうした社会の基本を支えた理念に対抗して、正義と権利に基づく人間社会の建設をめざしたものだったと捉えられる。

たとえば、「グラース」が一人一人の存在を越え、親から子へ、祖先から子孫へ代々伝えられてゆくという、貴族制度とか、あるいは逆に原罪の理念などへの反発や反抗も生じる。つまりキリスト教の最も奥深いところにある、人間の始祖アダムのなした罪があらゆる人間が生まれながらにもつ原罪を生みだすという理論、それからの救済は「悔い改めて」ひたすら神の恩寵を待ち望む以外ないといった理論に対し、ミシュレは強烈に反発する。

逆に言えば、革命の原理とは、善においても悪においても、各人は自らのなしたことに責任を持つということであり、始祖や先祖のなした良きこと（それへの支配者からの褒美が貴族を生んだ）悪しきこと（アダムの罪）すべて、いま生きている我々には何の責任もないことであり、われわれは先祖の功績にも罪にも関係ないと宣言することなのだ。「功績の継承はもはやなく、貴族制は廃止される。また同様に先祖の過ちの継承も、もはやない[5]」。

これは一七九〇年七月十四日に行われた全国連盟祭を語る章のなかで出てくる言葉であり、その章には「新しい宗教について」というタイトルが付けられている。

先祖の過誤の問題には、キリスト教の「原罪」のみならず、犯罪をなした者の一族をも同罪として罰するといった制度も含まれるだろう。つまり恩寵＝恩恵のシステムを否定することは、失寵のシステムをも否定することになる。肝心なのは、一人一人取り換えようのない個人であり、自立した自由な人格として認められる存在であり、各自のかけがえない価値を万人平等に認めなければならない、それに気づくことが、「権利」と「法」と「正義」の復活や勝利とされるのだ。そこにこそ革命の原理があるとミシュレは見ていた。

革命の実態

『フランス革命史』で終始目立つのは、パリや地方での民衆の動きである。革命が始まったとされる一七八九年七月十四日バスティーユ攻略の前、五月四日に三部会が召集されるが、王の膝元ヴェルサイユには、パリからあらゆる人々（tout le monde）が見物に来ていた。彼らが動き出すとき、物言わぬ大衆（masses）は自らの権利に目覚めた民衆＝人民（peuple）となる。おそらくこのようにミシュレは、これらの言葉を使い分けているのだろう。

そうした文脈で眺めると、バスティーユの攻略はもちろん、パリの窮状を王に直接知ってもらいたいと、パリの女たちが大挙してヴェルサイユの王宮に押しかけ、王一家をパリにまで連れ戻した事件、いわゆるヴェルサイユ行進も、民衆が主役となった革命的行動だった。七月十四日男たちがなした革命を、十月六日女たちが継承したのだ。「男たちはバスティーユを奪取し、女たちは王を奪った」(6)。

民衆がこの大動乱の中で前面に出てくる場面は他にもある。一七九一年六月、王一家がパリを脱出、東部国境に近い村ヴァレンヌで見つかったとき、村の早鐘が鳴って、村人たちが何事かと手に手に鍬や鎌をもって（と、日本ならなるところ）次から次へと押しかけ、王の馬車を取り囲んで動けなくしてしまったが、鐘は近隣の村から村へと次々と鳴らされ、澎湃（ほうはい）として湧き出る波のごとく人々が続々と押し寄せてきた。彼らは、父たる王が子たる我々国民を見捨てるのかと憤っていた。「わがフランスの農民たちは、政治概念として父権的政府以外のものを、まだほとんど持っていなかったからだ」[7]。

さらにはパリに連れ戻された王一家のチュイルリー宮殿に、翌九二年八月十日のことだが、民衆が押し掛け、最終的には王たちを市内のタンプル塔におしこめ、王権剥奪、王政廃止、共和政宣言への道を作ったきっかけとなった出来事でも、主役は民衆だった。

『革命史』全体の結論部でミシュレは言っている。「最初のページから最後のページまで、ただ一人のヒーローしかいなかった、つまり民衆だ」[8]。

しかし民衆も疲れてしまう。つねに前面に出てくることなどできない。彼らが彼方へと退いたとき、この動乱の中心をなしてゆくのは、革命の各局面で登場する指導者たちだ。彼らはすさまじい権力闘争を繰り広げるだろう。時には血で血を洗うような。そうした動きをミシュレはどう描いたか、いくつかを紹介する。

『革命史』の中間部あたり、ルイ十六世の裁判が始まり、ジロンド派の没落と恐怖政治への端緒が見える一七九二年末を述べる第九編（第五巻にある）の冒頭、彼は革命について次のような総括をする。王の処刑等、「革命の大きな流れと呼びえるだろうもの」があった一方、真に大きなこととは「働く者による土地の獲得である。それは古代の土地均分法と〔中世初期の〕野蛮人侵入以来起きた最大の変化であった。〔が、それ以降……〕混濁した、重苦しい沼のようなものが見出される。つまり公衆の（publique）無関心である。九二年末から特に都市部において、とりわけパリでそれが見られる」[9]。各地の区会やクラブにやってくる者が減って行ったと言うのだ。

民衆はしばらく動かなくなってしまった。この時期以降民衆が顔を出すのは、主として王その他の公開処刑の見物人としてである。一方革命の指導者たちは、外からは諸外国による反革命戦争を仕掛けられ、内ではヴァンデの反乱にさらされ、しだいに危機感を深める中、どう対処するかを巡り様々な路線対立を引き起こす。革命運動内部でも分裂や敵対関係が発生する。そして革命の真の敵以上に、革命派内部で対立する相手の方を憎むようになる。

九二年十一月末、モンターニュ派のダントンが、ジロンド派の指導部と会ってどうにか和解しようとしたとき、会見の詳細は一切分からないと断ったうえで、ミシュレは、ダントンが相対したジロンド派幹部のガデに向かい、最後に述べたという言葉を伝えている。「ガデ、ガデ、お前は間違っているぞ。お前は人を許すことが出来ないのだ。祖国のために自分の恨みを犠牲にすることが出来ないのだ[10]」。

人間的にはだらしない面が多々あり、時に間違いを犯したこともあるダントンだったが、そこには寛容の精神があり続けた。革命はその彼をもギロチンにかけ、彼を処刑したロベスピエールもまた処刑される。その場面でミシュレの『革命史』は終わる。その後歴史はナポレオン体制へと移行、まるで二月革命の先駆けのようであったし、革命派内部の血の抗争は、二十世紀（以降）の極左革命集団の過激行動を先触れするようなものでもあった。

これらの狂いは、すべて民衆と離れたときに起きたものだともえよう。ではミシュレにとって民衆とは何だったのか。

民衆について

『フランス革命史』に先だって出された『民衆』の中で、ミシュレはブルジョワとか教養階級とか呼ばれる人々から、嫌われ、さげすまれ、恐れられている民衆と呼ばれる者たちの復権を計っている。

ルイ・シュヴァリエが『労働者階級と危険な階級』（喜安他訳、みすず書房、一九九三）で述べているように、十九世紀初頭のパリには、各地から新しい職を求める人々が続々と侵入してきた。それは社会的上層部にいる者たちからは、かつてのヨーロッパへの野蛮人の侵入に比較できるような出来事と思えたという。パリ各所にはそういった人々が蝟集（いしゅう）して住む区画ができ、そこには警察力も及ばず、犯罪が頻発、一種の暗黒街が出現しているようなイメージが形成されていた。つまり産業革命のうねりのなかで押し寄せてきた地方出の労働者たちが、危険な階級とみなされてしまったのだ。

そうした一般的見方に対し、自分もまた民衆の出だ（ミシュレの父は印刷工場をやっていた）と述べながら、異議申し立てをしたのが『民衆』だったと言える。

「民衆の子として私は民衆と共に生きてきた。私は民衆を知っている、それは私自身なのだ[11]」という自負のもとに、多くの人々に民衆の真の姿を知ってもらおうとする。そして野蛮人と呼ばれるならそれも良しとして、次のように言う。「私たち野蛮人は、自然によって与えられた一つの優越性を持っている。上層を占める階級には文化があるとしても、私たちにははるかに多く、生命あふれる熱気がある。〔…〕上の階級に属する作家たちは〔…〕上空はるかをひどく常軌を逸してすべっていくように見える人々で、大地を眺めることを潔しとしない[12]」。

経済、知識、すべてにおいて優位にある上の階級の人々とくらべて、民衆が大地に近い存在であるとしている点に注目しよう。『フランス革命史』の中でもミシュレは言っている、革命のなした最大の功績は、伝統的に貴族や教会が所有し続け、小作人たちに耕させていた土地を、土地を耕作する人＝小作人たちのものとしたことにあると。「大革命は、土地をいつでもお払い箱できる者〔＝小作人〕に与え、領主たちをお払い箱にした[13]」。かくして「大革命は、所有権を是として認めたのだ[14]」。

こうしてそれまでは人から使用されるのみだった農民が、自らのものとなった土地を、誇りと愛着をもって耕すようになった。そのことをミシュレは『民衆』のなかで、「人間と土地との結婚」と呼び、これこそが「フランスの力を作り上げている[15]」としている。じっさい革命時に諸外国から仕掛けられた反革命戦争に対し、全土から民衆が立ち上がって戦ったのは、祖国の大地を守ることは、自らの土地を守ることに他ならなくなったからだと言う。『革命史』のなかでも「土地とそれを耕す人間との結婚が、革命の最も重要な出来事だった[16]」と断じる。

こうした農民層から、民衆と呼ばれるすべての働き手が生じてくる。『民衆』では、農民に続き手工業者、工場労働者、製造業者、商人、役人、ブルジョワそして金持ちまでも民衆に含められて語られている。すべての者が大地につまり祖国に結びつくとき力を得てくるだろう。力の源泉は下方にある。民衆は、地から湧き起る熱気にあずかることによって力強く生きてゆくだろう。

「民族においても地質学におけるのとまったく同様、熱は下の方にある」[17]。そしてその熱とは、冷たい理性の反省能力、知的分析力といったものを超えて、物事の本質にある真実を直観的に、本能的に把握できる能力として考えられよう。それゆえ「民衆の天分の真の産物は書物ではない。それは勇敢な行為であり、機知あふれる言葉である。〔…〕熱気ある霊感を受けた発言である」[18]。つまり下方から湧き出るような、高揚感満ちた心の動きこそ、民衆を民衆たらしめる核心となるのだ。

これこそ大地と結びついた、つまり自然と一体化した人間、社会的差異化を受ける以前の、無垢なままの、生まれたばかりの頃の赤子のような人間の状態の反映だろう。社会的に未分化状態の生命そのものとも言える民衆の先には、地にうごめくさまざまな命、大自然の生命そのものが感知されよう。「野蛮な科学は、頑固な傲慢は、生命ある自然をかくも格下げし、人間をこの劣った兄弟たちからこんなにも引き離してしまった!」[19]こうした民衆観からも、民衆のエネルギーとしだいに離れていった革命の破綻は、予想できたことだ。熱を、つまりエネルギーをなくした運動は、いかに知的力をふるって動かし続けようとしても挫折する。『万物の宴』には星々や海や山との共感が記録されていて、自然についてのミシュレの想いも伝わってくる。そして牧草地の牛や羊の群れを眺め、はるかな海を眺めて述懐するだろう、「数え切れない海の子供たちが自然全体を養い、また彼ら自然が海によって養われる。〔…〕永遠の宴という無限のなかを、彼らは泳いでいる。〔…〕その時わたしの胸で『宴』が着想された」(本書八六頁)と。そして「民衆がなすだろう創造の、内発的独創性」(二一四頁)とも書いているが、それこそ民衆の内なる自然力がもたらしてくれるものに違いない。

だがその前に、本書でも考察されている社会主義の問題に触れておこう。

社会主義について

社会主義が大革命の一面を受け継ぎ、それを発展させたものだということはミシュレも認めている。だが「生まれつつある社会主義」は、「革命から生じてきたのに、革命のことを知らず、その意味を認識できず、ひとりでに生まれ出現したのだと〔…〕思い込む」（本書一八八頁）とあるように、両者の本質的な違いに気づいていたと思われる。

後年の作品『女』（一八五九年刊）の巻末におかれた「覚え書き」に、次のような言葉がある。ミシュレは自分のこの作品も、当時の社会主義者たちの作品も、「小説」romans としている。つまり想像力を交えながら人間の生きる現実を観察、諸々の課題を発見しては、主として言葉によって、それをあくまでも具象的に描こうとする営為とでも捉えていたらしい。

『本書』（＝女）は、わが国の著名な空想的社会主義者たち（サン＝シモン、フーリエ等）のまじめな小説とは、少なからず異なるものである。彼らは自然なるものに助けを求めたが、時代の悲惨の中でそれをたいそう低く捉え、そのあと自然の引力に、つまり低められた自然へと向かう傾向に信頼を寄せた。素晴らしい努力や雄々しい創造の行われている時代に、努力を取り除くと信じたのだ。だが精力的で、創造的で、芸術的な人間という存在にあっては、努力は本性の中にあり、人間の最良の部分をなしている。大衆の道徳的本能は以上のことを感知しており、それゆえあれらの偉大な思想家たちは一派を立てられないでいる」[20]と述べている。ここで「大衆の」と訳した言葉は public であり、「民衆の」とほぼ同じだろう。ミシュレが彼らを空想的社会主義者〔＝夢想家〕utopistes と呼ぶのは、ある原理を見つけそれを目指せば、社会は自ずと理想的な方向へ向かうはずだという楽観的思想が、彼らの中に潜んでいると考えたからに違いない。そういう観点からも、彼らの作品は想像力のまさった「まじめな小説」とみなされるべきだと言うのだ。

またここで訳した「自然なるもの」nature は「本性」nature と同じ語であり、人間の持つ本能的、直観的、根源的生き様は、人間存在の自然の傾向、その本性を反映するに違いないとの確信に基づく言葉となろう。『革命史』で見たように、社会的差別化を受ける以前の生まれたばかりの赤子のような人間存在＝民衆は、すべからくたくましい力、エネルギーを内に秘めて、より高く、より高度の自由をもとめて、地の底から湧きあがるように立ち上がって来るものなのだ。それが革命の重要場面で、決定的役割を民衆が担ったいわれだ。そこには、だが、いかに多くの力が、努力が、彼らを突き動かすことが必要だったろうか。こういった民衆観と真逆の方向で、社会主義者たちは人間を見ているのではないか。たとえば「働かなくともよい生活、あるいはそれ自体が快楽である労働という思想で、労働者をくすぐっている、近代の夢想家が抱く安易な宴」（本書一八二頁）が社会主義の理想と称されているではないか。これがミシュレの批判の根源にある。

たとえば「引力」という語が右に紹介した『女』の引用箇所に出てくるが、これは明らかにフーリエを想定しての言葉だろう。周知のごとくフーリエは、この宇宙は精神的にも物質的にも引力に支配されていると考えた。そしてそれらが、それぞれに引きつけあって運動がおこる。それは動物的、有機的、物質的、社会的という四つの運動に分けられ、それらの中でも社会的運動（つまり種々の次元での人間集団間の、種々の形における引き付け合い）が、すべての運動の原型になるとして重要視し、こうした社会的次元での引き付け合いを研究していった。(21)

そこから「結社」とか、あるいはある規模での生活共同体「ファランステール」とかの理論が生まれる。フーリエにあっては、個人的次元での努力や理想以上に、人間集団全体を貫く情念が重視される。ミシュレは「結社」association（場合によっては組合とも訳せる）には興味を持ったようだが、ファランステールには何の関心もなかったようだ。

またサン＝シモン（派）に関しては、本書にテブー・ホールでの彼らの集会に参加した折の印象が詳しく出ているが、そこには集団的ヒエラルキーが、すなわち教祖を中心とする宗教団体と同様のものがあると感じたようで、以降一切の接触を断ち切ったらしい。ミシュレが最も反発していた中世的なものの再興を感じたのだ。当時の社会主義者たちの中に、抽象的理念による世界解釈の絶対視や、真理は我にありといった優越意識があり、そこから生み出される権威主義的体制の芽のようなものを、早くもミシュレは感知したと言える。「当初から中世の真っただ中に戻っていて、聖職者を形成し、礼拝堂で遊んでいた」（本書一四三―四頁）のが社会主義者たちだった。彼らが、近代を打ち立てたフランス革命の理想を受け継ぎ、この地上でその実現を目指そうとしながら、「革命のことを知らず、その意味を認識できず」にいたと断ずる理由だ。

その後次々と、様々な社会主義が生まれるだろうが、それらすべてに理念中心の原理と権威主義的傾向が付きまとうのではないか。フランス革命の原理はもっと素朴なものであり、人間本性の内なる生命、内から発する自然の叫びのようなものを重視し、それに謙虚に耳傾けて、今後の在り方を探り続けるという、そこにあった内発的高揚感こそ学ぶべきなのだ。「過去の人々にある良い点とは、彼らが模倣しないということだ。その創意にとんだ創造者的側面によって、彼らに似通いたまえ。それには何が必要か。まねること？　いいや、彼らのように創造することだ[22]」。『革命史』のなかのこの言葉にこそ、耳傾けるべきではないか。

大いなる自然

革命が夢見たであろう「宴」への道筋を考えようとして、ミシュレは社会主義をも考察したのだろうが、それが本当の答えとなるようなものではないと見出したのだろう。では革命の真の理想には、どうやって近づけるのか。その具体策が見えなかったのだ。ジャン・ゲーノが言うように、ミシュレは「平和と和解の書」として「宴」を書き、それへの道筋を見出そうとして、「経済的社会的問題を考え〔…〕躓いた。〔…〕そこで新しい研究を企て自然史に取り掛かった[23]」ということだろう。それはどういうことか。

目指した思索に、ある意味失敗したミシュレは、かの地で裸形のような自然に触れていた。そこでこの作品の完成を断念、差し当たっては本来の仕事の続き、『フランス史』の「ルネサンス」の巻へと、つまり、かの大いなる自然再発見の時代の研究へと舞い戻った。それは『十九世紀史』へと行き着く仕事の始まりであると同時に、妻アテナイスの影響もあって、自然そのものの研究にも没頭し始める契機ともなったのだ。自然研究の最初の成果、二年後に発表された『鳥』の序文には次のような言葉がある。長くなるが引用しておく。

「イタリアはいつでも実り豊かな国だ。わたしにとっては、その窮乏や貧困によってもそうなのだ。アペニン山脈や、飢えに瀕したリグリア海岸は、その西側にあるわがフランスの豊かで豪奢な光景がなす以上に、自然への想いを目覚めさせた。動物たちがいないことで、その不在が感じられた。ほの暗いオレンジの園の葉陰がしんと静まり返っていると、わたしは森の小鳥を探し求めた。あの無邪気な生き物たちの大いなる集団に囲まれていないと、人間の生活がゆゆしいものになると初めて気づいた。あれら生き物の動き、声、戯れは天地創造の微笑みみたいなものだ。

わたしのなかで、一つの大いなる変革が生じた。たぶんいつか物語ることになろう。わたしは病気の生活から全力で立ち直り、一八四六年『民衆』という本の中で述べておいた思いへと、あの〈神の都市〉へとたち帰ったのだ。そこはあらゆる慎ましいもの、素朴なもの、農民や労働者たち、無知なもの、無教養なもの、野蛮人、野生人、子供たち、さらには動物と呼ばれる他の子供たちでさえ、皆すべて、さまざまな資格で市民となっている都市だ。すべてが自分たちの権利と法とを持って、大いなる市民の宴に席を占めている。『私としては次のことをはっきりと言っておきたい。もしも都市から未だ排除される誰かがいるとしたら、つまり「都市」の法によってかばってやれない誰かが背後に残されているとしたら、私は中に入らず、城門のところに留まるであろうということを』。

こうしてこのとき、「自然史」全体が政治史の一部門のように思われてきたのだ。すべての生きとし生けるものが、それぞれの慎ましい権利をもって「民主主義」の内懐に入らせてもらおうと、門をたたきにやって来る。上位にいる兄弟たちは、万物の普遍的「父」が世界の法において調和させている者たちを、どうして法の外へと押し返してしまえるだろう？

ゆえにこれがわが革新であり、遅ればせの「新生」であり、おもむろに自然の科学へとわたしを導いて行ってくれたものだ。〔…〕一時イタリアとともに、その悲惨を分かち、苦しみ、夢見ただけに、イタリアはわたしに与えたのだ、あらゆるダイアモンドよりも価値あるものを、比類なきものを。いかなるものか？　精神の奥深い一致、最高に実り豊かな思索の伝達、「自然」を巡る想いにおいて、その中心をなす完璧な調和(24)」。

ここからも「宴」の執筆が、イタリアの一冬のミシュレの体験、大いなる自然の発見と深く結びついていたことが分かる。事実「宴」には、すでに次のような一節があった。「自然は混乱や不規則からは何一つもたらさない。概して自然は、ゆっくりと継続する母性によって生み出してゆく」（一四四―五頁）。大いなる母なる自然。人類の研究が自然の研究と異なるものだなどと、どうしていえるのか。「人間は自然の外にある存在だから、その研究は異なるやり方で、なされねばならぬというのか？」（二四五頁）　反語的にそう問うミシュレは、自然内存在としての「人類の生の流れをまるごと遡ってい く〔…〕とてつもなく大きな企て」（同）を、つまり「歴史」を「自然史」と結びつけ、人類史を宇宙的スケールで位置づけるような歴史の、少なくとも端緒となるようなものを、かの地で感知したに違いない。

＊

『万物の宴』は北イタリアの、食にもこと欠く人々の現状を見つめながら、フランス革命がかかげた人間解放の理想をどうやって実現するかを考え、さしあたってのその実現不可能を実感した作品、それゆえに途中で筆を折らざるをえなかった作品と要約できる。

しかしながら「山々、星々……」の断章が示すように、ミシュレの前には大いなる自然が、しかもペルソナをもったものとして、つまり魂あるものとして立ち現れていた。これ以降ミシュレはさらに自然へと目を向け、『鳥』、『虫』、『海』、『山』等の作品を書く。それは「歴史」を逃れ忘れることではなく、人間の歴史をこの大いなる自然の中での営みとして、地球や宇宙と共に考えるということに他ならなかった。人間社会の民主主義を、全自然の民主主義的あり方へと敷衍し考えるということでもあった。[25] 自然環境破壊の問題等が差し迫っている今日、あの時代に彼が直観した問題意識は、いっそう分かち持たれるべきものだろう。

これらの思索の記録、『万物の宴』は、ミシュレが対峙した問題の重さと、彼の歴史が持ちえたかもしれないスケールの大きさを、いまに伝えるものとなっている。その意味でこの作品は、未完とはいえ、ミシュレの全体像を知るうえでいまなお重要な位置を占めている。

注

(1) Michelet, *Histoire de la Révolution Française I,*(以下Ⅰと略称)Bibliothèque de la Pléiade, 1952, p. 543. 同年に出た第二巻はⅡと略す。なお桑原ほかの邦訳上下二巻が中公文庫で出ている(中央公論新社、二〇〇六)が、これは抄訳ゆえ、該当箇所のみ適宜参照させていただいた。
(2) II, p. 807.
(3) I, p. 2.
(4) I, p. 23.
(5) I, p. 420.
(6) I, p. 280.
(7) I, p. 602.
(8) II, p. 991.
(9) II, p. 7.
(10) I, p. 1290.
(11) Michelet, *le Peuple* (Flammarion, nouvelle bibliothèque romantique, 1974) p. 156 (以下F.と略称)、大野訳『民衆』(みすず書房、一九七七)一五七頁。
(12) F., p. 75、訳書　二八頁。

(13) I, p. 1142.
(14) 同前。
(15) F., p. 90、訳書　五四頁。
(16) I, p. 1170.
(17) F., p. 141、訳書　一四三頁。
(18) F., p. 159、訳書　一六一頁。
(19) F., p. 113、訳書　八九頁。
(20) Michelet, *La Femme* (Flammarion, collection champs, 1981) p. 349-350、大野訳『女』（藤原書店、一九九一）三五四―三五五頁。
(21) 巌谷國士『幻視者たち　宇宙論的考察』（河出書房新社、一九九一）参照。
(22) I, p. 609.
(23) Jean Gueheno, *L'Evangile éternelle étude sur Michelet* (Grasset, 1927) p. 163-164.
ゲーノはもちろん、アテナイスによって出された一八七九年版（大幅に手を入れられ、ミシュレの原稿とは大いに異なっている）に基づきこう言っているのだが、基本的に間違ってはいない。
(24) Michelet, *L'Oiseau* in *Oeuvres complètes XVII* (Flammarion, 1986) p. 62-63.
なおこの中で『　』で囲った箇所は、『民衆』（の F. p. 196、訳書　二一九頁）からの引用。ところで『鳥』には、すでに石川湧訳『博物誌　鳥』（ちくま学芸文庫、一九九五）という邦訳があり、参照させていただいた。
(25) 昨年（二〇二一年）秋、Paule Petitier et Elisabeth Plas (dir.) *Jules Michelet et la démocratie naturelle* (『ジュール・ミシュレと自然界の民主主義』), Presses Sorbonne Nouvelle, 2021が出版された。ミシュレの作品中に見られる、人間における民衆を初めとして、あらゆる生命がつながりあい、平等に発展し、より多くの自由獲得にむかって歩んでいるといったダイナミックな世界像を、多くの論者が様々な角度から論じた論文集である。ここではそのことを紹介するだけにとどめ、そこで述べられている諸問題の分析およびその今日的意義についての考察は、別の機会にゆずるほかない。

（二〇二二年三月）

編者あとがき

この世に生きるものすべての一体性を夢見たような作品、『万物の宴』を訳し終わったいま、私が思い浮かべるのは、ミシュレの作品『魔女』(一八六三年刊)のエピローグにある次の一節である。彼は一八六一年の秋から翌六二年の春にかけて、南仏のトゥーロン付近に居を定め、『魔女』の構想を練っていたから、この文章も、おそらくその時の体験を踏まえて書かれたものだろう。やや長くなるが引用しておく。

「その場所は、すっかりアフリカめいていて、鋼鉄のような光を持ち、昼は目がくらむくらいまぶしい。だが冬の朝、とりわけ十二月の朝には、神秘的な神々しさで満たされるのだ。わたしはきっかり六時に起きていた。(…)六時から七時にかけては素晴らしい一時(いっとき)だった。星々の強烈な光の(切っ先鋭いとでも言おうか?)きらめきが、月を恥じ入らせ、夜明けの薄明に抗(あらが)っていた。朝日が差染める前、そしてその後、二つの光の闘いが行われる間、驚くほど空気が澄んできて、信じられないほど彼方が見えたし、はるか遠くからの音も聞こえてきた。二里も離れたところにあるすべてが見分けられた。ずっと向こうの山々のじつに小さな凹凸も、木も、岩も、家も、地面の起伏も、最も微細なところまで、すべてが明確に現れてきた。わたしは、それ以上のことを感じた。自分が自由になり、翼を持ち、解放され、もう一つ別の存在になったように思えたのだ。清澄で、厳粛で、あんなにも純粋ないっとき……　わたしは自分に言った、〈え、何だって、わたしは、まだ人間なのだろうか？〉」

ミシュレのこの記述は、自分を包みこむ世界と同一化し、一体化したまことに貴重な体験を述べているのではないか。彼は自らの外にあるものに、たとえ一瞬にせよ溶け込んでしまい、自と他の区別を感じなくなっていたのではないか。強烈に自我を主張し、主体と客体とを厳密に区分けし、そうすることで物事を客観的に眺め考えることを良しとする、いうなれば西洋の伝統的なあり方とは、明らかに異なる体験を書きとめていると言える。これは主客一体という、むしろ東洋的ともいえる体験に通じていよう。『万物の宴』も、じつはそういった西洋人には稀な思考あるいは志向を、ほとんど無自覚的に感じ取って筆を執り始めたものだったように思われる。『魔女』執筆のおよそ十年前のこの時期、世界の一体性をひそかに感じ取り、ありとあるものが一つの席（＝運命）につらなる宴を夢見始めていたということだろう。このように、西洋的原理と東洋的原理（と仮にしておくが）のアウフヘーベンとも言えるものを初めて試み、全人類に共通する精神の原理をさぐろうとした、ミシュレ内部での最初の記録として、この作品『万物の宴』は残されたと私は思う。

ここで翻訳の分担を記しておく。「序」、および第一部の「山々……」「スピナ宮」「わが方法……」「わが自由……」以外の五つの章は翠川が訳し、第二部と附録、および右の「　」内の章は大野が訳し、その後本文、訳注等を相互にチェックしあった。

また本作の重要性を認めて出版を引き受けてくださった藤原良雄氏に、そして面倒な編集作業に最後まで携わって下さった中島久夫氏に、あらためて御礼申しあげる。

二〇二二年十二月

大野一道

マ 行

ラ 行

タ 行

ナ 行

ハ 行

主要人名索引

本文に登場する実在した人物のうち、編者が必要と認めた人物のみを対象とした。

ア 行

カ 行

サ 行

著者紹介

ジュール・ミシュレ（Jules Michelet, 1798-1874）

ミシュレはフランス革命期，貧しい印刷業者の一人息子としてパリで誕生。「私は陽の当たらないパリの舗道に生えた雑草だ」「書物を書くようになる前に，私は書物を物質的に作っていた」（『民衆』）。少年時代は物質的にきわめて貧しかったが，孤独な中にも豊かな想像力を養い，やがて民衆への深い慈愛を備えた大歴史家へと成長してゆく。独学で教授資格（文学）を取得し，1827 年にエコール・ノルマルの教師（哲学と歴史）。ヴィーコ『新しい学』に触れて歴史家になることを決意して，その自由訳『歴史哲学の原理』を出版。『世界史入門』『ローマ史』に続き，『フランス史』の執筆に着手（中世 6 巻, 近代 11 巻）。1838 年，コレージュ・ド・フランス教授に就任した。その後，カトリック教会を批判して『イエズス会』『司祭，女性，家族』を発表。『フランス革命史』を執筆する傍ら，二月革命（1848）では共和政を支持。しかし，ルイ＝ナポレオンの台頭によってそのすべての地位を剝奪された。以後，各地を転々としながら『フランス史』（近代）の執筆を再開。同時に自然史（『鳥』『虫』『海』『山』）や『愛』『女』『魔女』『人類の聖書』に取り組んだ。晩年は，普仏戦争（1870）に抗議して『ヨーロッパを前にしたフランス』を発表。パリ・コンミューンの蜂起（1871）に触発されて『19 世紀史』に取りかかりながらも心臓発作に倒れた。ミシュレの歴史は 19 世紀のロマン主義史学に分類されるが，現代のアナール学派（社会史，心性史）に大きな影響を与えるとともに，歴史学の枠を越えた大作家として，バルザックやユゴーとも並び称せられている。

編訳者紹介

大野一道（おおの・かずみち）
1941年生。1967年東京大学大学院修士課程修了。中央大学名誉教授。専攻はフランス近代文学。著書に『ミシュレ伝』『「民衆」の発見——ミシュレからペギーへ』（以上，藤原書店），訳書にミシュレ『民衆』（みすず書房），同『女』『世界史入門』『学生よ』『山』『人類の聖書』『全体史の誕生』，共編訳書にミシュレ『フランス史』（全6巻），『民衆と情熱——大歴史家が遺した日記 1830-74』（全2分冊）（以上，藤原書店）他。

訳者紹介

翠川博之（みどりかわ・ひろゆき）
1968年生。東北大学大学院文学研究科博士後期課程修了。東北学院大学准教授。専攻はフランス現代文学およびフランス現代思想。論文に「サルトルの演劇理論」（『サルトル読本』法政大学出版局）「アンガジュマンの由来と射程」（『ポストコロニアル批評の諸相』東北大学出版会），共訳書にミシュレ『フランス史 V』『民衆と情熱——大歴史家が遺した日記 1830-74』（全2分冊）（藤原書店）他。

万物の宴（ばんぶつのうたげ）　すべての生命体（せいめいたい）はひとつ

2023年2月28日　初版第1刷発行©

編　者　大野一道
訳　者　大野一道
　　　　翠川博之
発行者　藤原良雄
発行所　株式会社 藤原書店

〒162-0041　東京都新宿区早稲田鶴巻町 523
電　話　03（5272）0301
FAX　03（5272）0450
振　替　00160 - 4 - 17013
info@fujiwara-shoten.co.jp

印刷・製本　精文堂印刷

落丁本・乱丁本はお取替えいたします
定価はカバーに表示してあります

Printed in Japan
ISBN978-4-86578-380-3

ミシュレの歴史観の全貌

世界史入門
（ヴィーコから「アナール」へ）

J・ミシュレ
大野一道編訳

「異端」の思想家ヴィーコを発見し、初めて世に知らしめた、「アナール」の母J・ミシュレ。本書は初期の『世界史入門』から『フランス史』『一九世紀史』までの著作群より、ミシュレの歴史認識を伝える名作を本邦初訳で編集。L・フェーヴルのミシュレ論も初訳出、併録。

四六上製　二六四頁　**二七一八円**
（一九九三年五月刊）
品切◇978-4-938661-72-4

陸中心の歴史観を覆す

海

J・ミシュレ
加賀野井秀一訳

ブローデルをはじめアナール派やフーコー、バルトらに多大な影響を与えてきた大歴史家ミシュレが、万物の創造者たる海の視点から、海と生物（および人間）との関係を壮大なスケールで描く。陸中心史観を根底から覆す大博物誌、本邦初訳。

A5上製　三六〇頁　**四七〇〇円**
（一九九四年一一月刊）
◇978-4-89434-001-5

LA MER
Jules MICHELET

「自然の歴史」の集大成

山

J・ミシュレ
大野一道訳

高くそびえていたものを全て平らにし、平原が主人となった十九、二十世紀。この衰弱の二世紀を大歴史家が再生させる自然の歴史（ナチュラル・ヒストリー）。山を愛する全ての人のための「山岳文学」の古典的名著、ミシュレ博物誌シリーズの掉尾、本邦初訳。

A5上製　二七二頁　**三八〇〇円**
（一九九七年二月刊）
在庫僅少◇978-4-89434-060-2

LA MONTAGNE
Jules MICHELET

全人類の心性史の壮大な試み

人類の聖書
（多神教的世界観の探求）

J・ミシュレ
大野一道訳

大歴史家が呈示する、闘争的一神教をこえる視点。古代インドからペルシア、エジプト、ギリシア、ローマにおける民衆の心性・神話を壮大なスケールで総合。キリスト教の『聖書』を越えて「人類の聖書」へ。本邦初訳。

A5上製　四三二頁　**四八〇〇円**
（二〇〇一年一一月刊）
◇978-4-89434-260-6

LA BIBLE DE L'HUMANITÉ
Jules MICHELET

「すべての学問は一つである。」

全体史の誕生
〈若き日の日記と書簡〉

J・ミシュレ
大野一道編訳

ミシュレは、いかにしてミシュレとなりえたか？　アナール歴史学の父、ミシュレは、古典と友情の海から誕生した。万巻の書を読み精神の礎を築き、親友と真情を語り合い人間の核心を見つめたミシュレの青春時代の日記や書簡から、その稀有な精神の源に迫る。

四六変上製　三二〇頁　三〇〇〇円
（二〇一四年九月刊）
◇978-4-89434-987-2
ÉCRITS DE JEUNESSE　Jules MICHELET

68年「五月」のバイブル

〈新版〉学生よ
〈一八四八年革命前夜の講義録〉

J・ミシュレ
大野一道訳

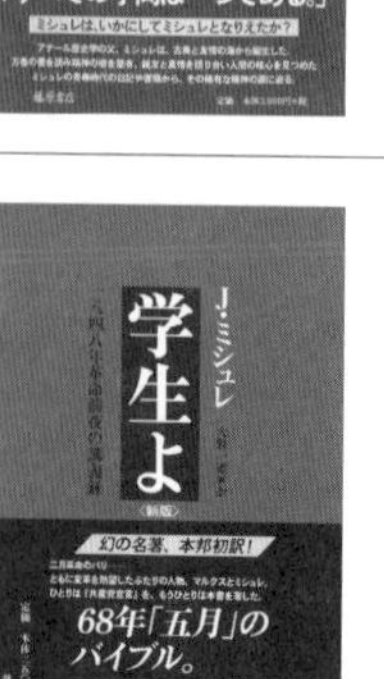

二月革命のパリ——ともに変革を熱望したふたりの人物、マルクスとミシュレ。ひとりは『共産党宣言』を、もうひとりは本書を著した。幻の名著、本邦初訳！　「一つの意志、もしそれが強固で長続きすれば、それが創造です。」（ミシュレ）

四六上製　三〇四頁　二五〇〇円
（一九九五年五月／二〇一四年一〇月刊）
◇978-4-89434-992-6
L'ÉTUDIANT　Jules MICHELET

一五〇年前に、既に地球史家がいた

J・ミシュレ
民衆と情熱Ⅰ・Ⅱ
〈大歴史家が遺した日記 1830-74〉

Ⅰ 1830〜1848年
Ⅱ 1849〜1874年

大野一道編
大野一道・翠川博之訳

地球史家の全貌を明かす日記、本邦初訳。「告白文学において最も驚嘆すべきものの一つ」（『ル・モンド』）。

四六変上製
Ⅰ六〇八頁（口絵八頁）　六二〇〇円
Ⅱ九二〇頁（口絵四頁）　八八〇〇円
（Ⅰ二〇二〇年六月／Ⅱ一一月刊）
Ⅰ◇978-4-86578-276-9
Ⅱ◇978-4-86578-286-8
JOURNAL　Jules MICHELET

思想家としての歴史家

ミシュレ伝 1798-1874
〈自然と歴史への愛〉

大野一道

『魔女』『民衆』『女』『海』……数々の名著を遺し、ロラン・バルトやブローデルら後世の第一級の知識人に多大な影響を与えつづけるミシュレの生涯を、膨大な未邦訳の『日記』を軸に鮮烈に描き出した本邦初の評伝。思想家としての歴史家の生涯を浮き彫りにする。

四六上製　五二〇頁　五八〇〇円
（一九九八年一〇月刊）
◇978-4-89434-110-7